개정 2판

기초화장품 개론

개정 2판

기초화장품 개론

이정노 지음

이담북스

머리말

2012년 기초화장품에 대한 책을 낸 이후, 변화하는 화장품기술에 대한 추세를 반영하여 5~6년에 한 번씩 개정판을 내기로 마음먹었고 이제 두 번째 개정판을 내게 되었다. 지난 5년을 돌아보면 COVID-19 등으로 인해 전체적인 화장품 산업은 위축된 모습이었다. 마스크 착용으로 인해 화장품의 수요가 줄었고 중국에 수출도 많이 줄어들었다. 어떤 대기업은 신입연구원을 한동안 채용하지 않았고 어떤 중견기업은 회사가 위태로운 상태에 빠지기도 했다. 화장품학회도 비대면으로 진행될 수밖에 없어서 화장품과학자들의 교류도 원활히 이루어지지 못했다.

2023년 2월 드디어 마스크 착용 의무가 일부 의료관련 시설 등을 제외하고 해제되었다. 당분간은 마스크를 써왔던 습관과 미세먼지 흡입 방지 때문에 마스크를 착용하겠지만 앞으로 립스틱을 비롯한 화장품의 수요 증가는 확실히 기대할 수 있다. 화장품학회도 이미 작년부터 대면으로 학회를 열었는데 대형 컨벤션장을 가득 채우고 남는 인파로 열기가 가득하였다. COVID-19로 힘든 가운데도 지방에 있는 남원시의 화장품 산업에 대한 투자는 매우 고무적이다. 지방에서 화장품 사업을 하려면 수도권의 OEM/ODM업체에 컨택해야 하는 거리적인 허들이 있었는데, 제주도가 앞서 성과를 거두었고 드디어 남부지방에 있는 남원시가 집적화를 이루어 내고 있어서 남부지방에서 화장품 사업을 시작하려는 사람들에게 ODM/OEM으로 큰 도움이 되고 있다. 앞으로 화장품 산업은 전국적인 기반을 가지는 우리나라 대표 산업이 될 것으로 기대된다.

화장품 제조기술을 정리한 이 책이 초판을 낸 이후부터 화장품 연구에 입문하는 연구원들에게 길잡이가 되어 주길 바랐고, 또 DIY 등 화장품 제조에 관심이 많은 분들이 쉽게 이해할 수 있으면 좋겠다.

지금까지 살아오는 동안 도움을 주신 많은 분들께 감사드리고, 사랑하는 아내와 꿈을 향해 정진하는 아들들과 부모님께 감사하고 주님의 은혜가 가득하길 기도한다.

2023.2.

강경 교수실에서 이정노

CONTENTS

머리말 • 5

Part 1
이론

01 | 서론 • 10
02 | 피부과학 • 14
03 | 모발과학 • 32
04 | 계면활성제 • 40
05 | 가용화, 유화 • 73
06 | 화장품원료_친유성 • 95
07 | 화장품원료_친수성 • 123
08 | 화장품원료_기능성 • 136
09 | 향료 및 체취 • 170
10 | 품질관리 • 173
11 | 안전성 • 178
12 | 방부 • 182
13 | 용기 • 188
14 | 제조장치 • 191

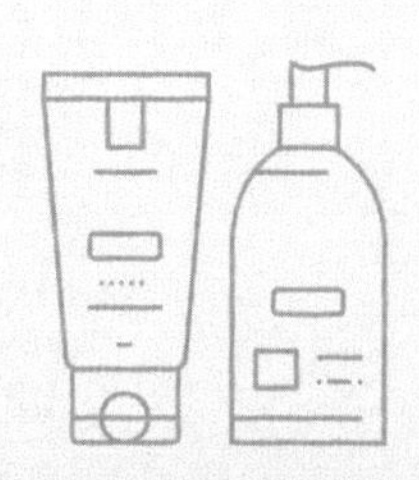

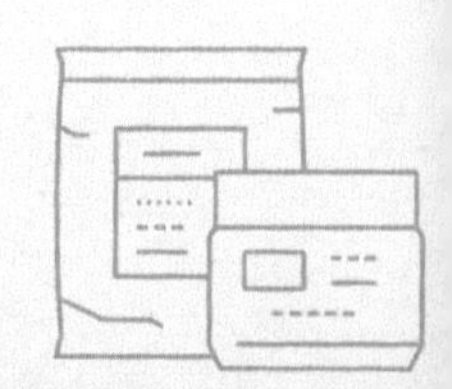

Part 2
실습

01 | 스킨로션, 젤 • 196
02 | 수분크림 • 204
03 | 밀크로션 • 207
04 | 미백크림 • 214
05 | 주름개선에센스 • 219
06 | 선크림 • 223
07 | 클렌징크림 • 228
08 | 폼클렌징 • 232
09 | 샴푸 • 236
10 | 액체비누 • 249
11 | 손소독제 • 253
12 | 밤(balm) • 256

참고문헌 • 259

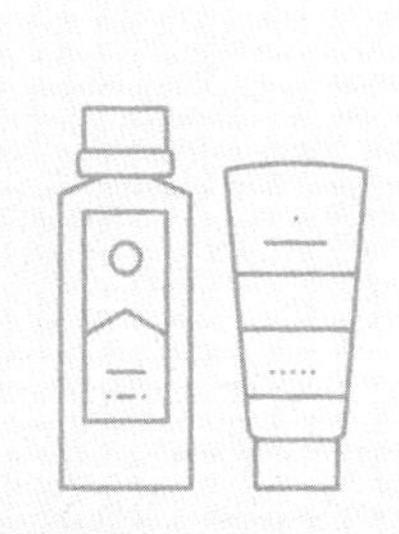
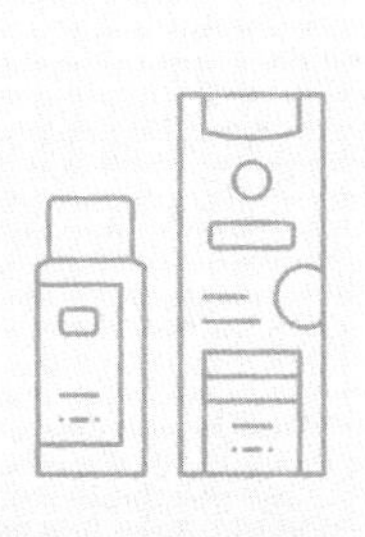
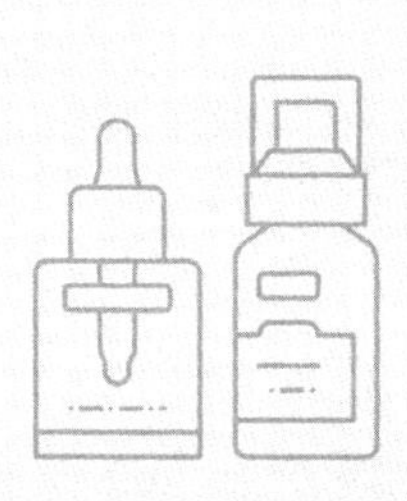
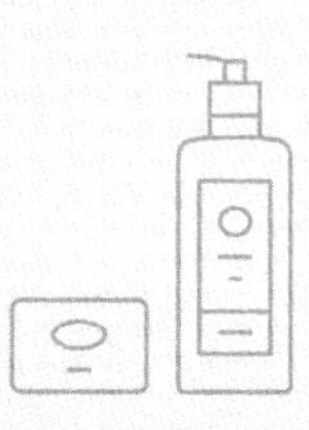
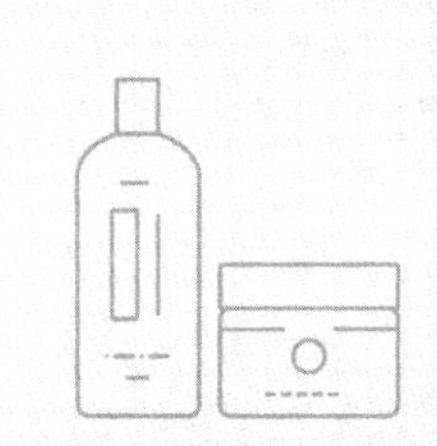

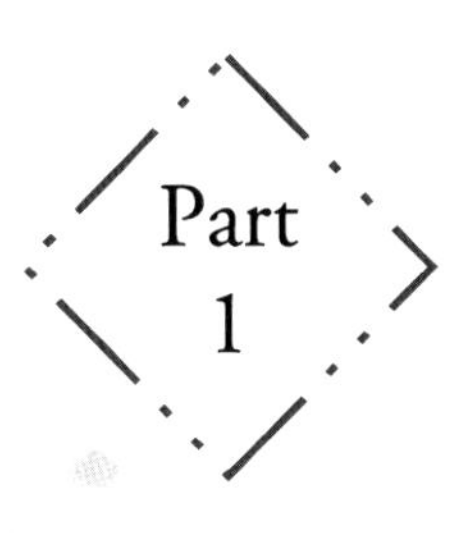

이론

01 | 서론

1.1. 화장품의 정의

소비자가 생각하는 화장품은 일반화장품, 기능성화장품, 의약외품으로 분류할 수 있다. 일반화장품은 다시 기초화장품, 메이크업화장품, 헤어케어제품 등으로 나누어진다.

기능성화장품은 한국에만 있는 특수한 제도인데 일본의 약용화장품(의약부외품)과 비슷한 개념이다. 초기 기능성화장품은 주름 개선, 미백, 태닝, 자외선 차단을 주요 목적으로 하는 것에만 국한되었으나, 2017년 5월 30일부터 그 범위가 확대되었다. 기존에 의약외품으로 분류되던 염모제(탈색·탈염제 포함), 제모제, 탈모 완화 보조제가 기능성화장품에 포함되었다. 신설되는 유형으로 여드름성 피부 완화 보조(인체 세정용 제품류 한정, 여드름용 욕용제 포함),

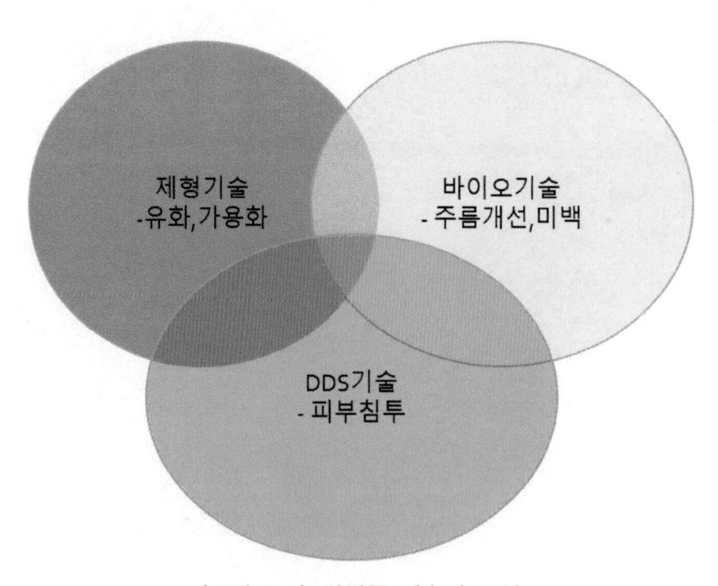

〈그림 1.1.〉 화장품 기술의 구성

튼 살로 인한 붉은 선 완화, 아토피성 피부로 인한 건조함 개선을 목적으로 하는 것들이 기능성화장품으로 분류되었다. 이 외에 의약외품으로는 데오도런트(deodorant), 치약 등이 있다.

1.2. 화장품의 품질 특성과 품질보증

화장품의 품질 특성에는 대표적으로 "안전성, 안정성, 유용성, 사용성(사용감)" 등이 있다. 화장품 산업의 특성상 위의 네 가지 품질 특성 중 가장 중요한 것은 안전성이다. 다른 품질 특성과 비교했을 때, 안전성(피부 트러블 등)에 문제가 생겼을 때, 고객들이 항의하는 비율이 월등히 높아진다. 그러므로 다른 품질 특성이 떨어지더라도 안전성만은 꼭 확보해 제품을 출시해야 한다. 만약 예상하지 못한 문제로 안전성에 문제가 발생한다면, 환불, 제품교환, 회수처리가 이루어져야 한다. 또한, 신속하게 처방을 수정해 재출시해야 한다.

사용성은 사용하기 편리한 것을 의미하며, 사용자의 기호에 따라 선택되는 향기, 색, 디자인 등의 기호성(감각성) 역시 반영된다. 사용성 역시 중요한 항목이나, 그렇게까지 중요한 것은 아니다. 특히 고가일수록 좋은 화장품이라는 선입견이 있기 때문에 사용성은 그렇게 중요한 것은 아니라 할 수 있다. 유용성은 화장품 특성상, 한계가 있을 수밖에 없다. 의약품원료를 쓸 수 없다는 것과 피부 부작용을 감수하면서까지 효과를 낼 수는 없기 때문이다. 그러므로 품질 특성 중 가장 중요한 것은 안전성이라 하겠다.

〈표 1.1.〉 화장품의 품질 특성

안전성	피부자극성, 감작성, 경구독성, 이물혼입, 파손 등이 없을 것 (여드름, 뾰루지, 알레르기)
안정성	분리, 변질, 변색, 변취, 미생물 오염 등이 없을 것
사용성	사용감(텍스처, 피부친화성, 촉촉함, 부드러움 등) 사용 편리성(형상, 크기, 중량, 기구, 기능성, 휴대성 등) 기호성(향, 색, 디자인 등)
유용성	보습 효과, 미백, 주름개선, 자외선 방어 효과, 세정 효과, 색채 효과 등

1.3. 화장품 개발 프로세스

화장품 기초연구로부터 상품기획에 의거한 제품화연구, 제조 및 일련의 제품개발의 흐름(개발 프로세스)은 <그림 1.2.>와 같다. "Seeds"란 연구소에서 처방실험 중 개발한 신제형을 마케터에 의뢰하여 상품으로 출시되는 것을 말하고, "Needs"란 마케터의 상품기획을 통해 연구소에 개발을 의뢰하여 상품으로 이어지는 것을 말한다. 대부분은 Seeds를 통해 제품이 개발된다. 최근 다재다능한 OEM/ODM 회사들이 많아, 이 회사들로부터 도움을 받는 마케터만으로 구성된 화장품 회사가 많아졌다. 즉, 개발과 생산을 OEM/ODM 회사에 맡기고 마케팅과 영업으로 회사가 유지되는 것이다.

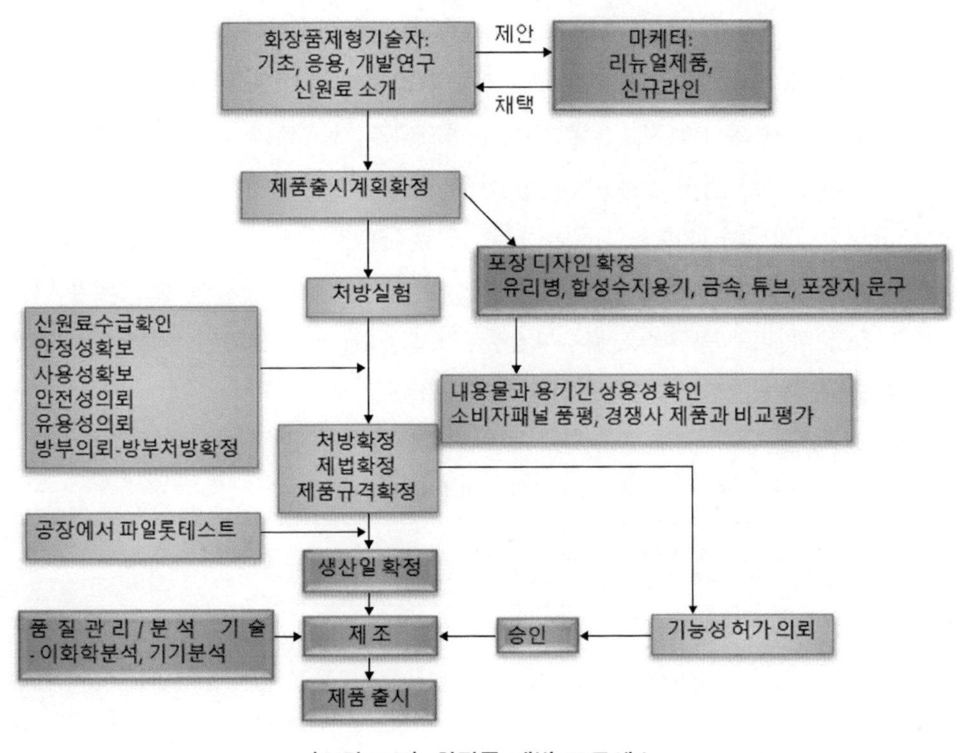

〈그림 1.2.〉 화장품 개발 프로세스

설계개시로부터 상품완성까지의 기간은 통상 6개월~1년이 걸린다. 신규 기능성 원료 개발까지 포함하면 7~8년이나 걸리기 때문에 일반적으로 원료 회사가 별도로 존재하고 완성품 회사는 신규 원료를 원료 회사에 의존한다.

1.4. 화장품 시장 및 유통

현재 우리나라 화장품 시장을 주도하고 있는 회사는 고가 브랜드부터 저가 브랜드까지 모두 가지고 있는 아모레퍼시픽(AMORE PACIFIC)과 LG생활건강이다. 하지만 최근 저가의 화장품을 제작하는 회사들이 급성장했으며, OEM/ODM 회사들이 약진하고 있다.

〈표 1.2.〉 국내 화장품 회사 현황 및 특징

구분	회사
고가~저가	아모레퍼시픽, LG생활건강
저가 특화	더페이스샵(LG 계열), 미샤(에이블씨엔씨), 이니스프리(아모레퍼시픽 계열)
생활용품 강자	애경산업
OEM/ODM 전문	한국콜마, 코스맥스, 이미인(마스크/팩), 제닉(마스크/팩), 코스메카코리아, 에버코스, 제니코스, 나우코스, 코스비전(아모레퍼시픽 계열), 제니스(LG 계열 색조 전문)
기존사의 OEM/ODM 진출	한불, 한국화장품제조, 코리아나, 생그린, 소망화장품, 동성제약 등
대기업의 진출	코웨이, 한국인삼공사(소망화장품 인수)
외국계	한국 존슨앤드존슨, 피엔지, CJ 라이온
원료 회사	바이오랜드(현대백화점 계열), OBM lab(LG 계열), Caregen(펩타이드 전문), 미원상사(계면활성제 전문)
효능효과 안전성 시험전문	엘리드, 더마프로, P&K 피부임상연구센터
유통전문	올리브영(CJ), 왓슨스(GS)
용기전문	연우

화장품 유통은 방문판매와 브랜드숍 유통이 대부분을 차지한다. 방문판매는 양대 회사, 즉 아모레퍼시픽과 LG생활건강이 굳건히 지키고 있는 채널이다. 주요 브랜드숍으로는 CJ올리브영(멀티브랜드), 해브앤비(에스티로더), 이니스프리(아모레퍼시픽), 더페이스샵(LG생활건강), 미샤(에이블씨엔씨), 난다, 클리오, 토니모리, 잇츠한불, 네이처리퍼블릭, 에뛰드(아모레퍼시픽), 더샘인터내셔날 등이 있다.

그 외에 특수 채널로는 닥터화장품이 있다. 의사가 만든 화장품이란 콘셉트를 내세우는 코스메슈티컬 브랜드로서, 주요 회사로는 닥터자르트(에스티로더), BRTC, 차앤박(LG생활건강), 피지오겔(LG생활건강이 아시아 및 북미영업권 인수), 이지함, 고운세상, 아름다운나라 등이 있다.

02 | 피부과학

2.1. 피부의 구조와 기능

피부는 표면으로부터 순서대로 표피(각질층 포함), 진피, 피하조직의 세 개 층으로 구분한다. 털, 피부선(땀샘, 피지샘) 등은 부속기관으로서 존재한다.

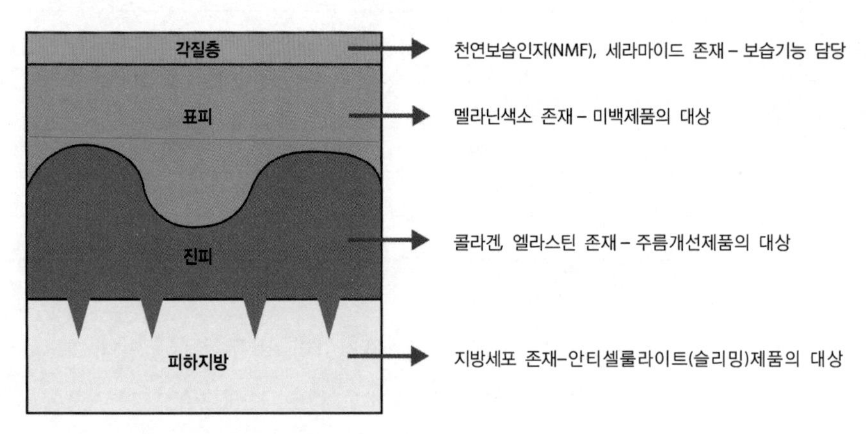

〈그림 2.1.〉 피부 모식도와 주요성분

2.1.1. 표피(Epidermis)

표피는 각질층을 포함하며 찌그러진 네모, 즉 세포로 구성되어 있다. 진피 바로 위의 표피에 있는 각화세포(케라티노사이트, 줄기세포)가 분화하여 새로운 세포를 만들고, 이 세포는 위로 밀려 올라가면서 각질세포로 점차 변해 간다. 아래로부터 기저층, 유극층, 과립층, 각질층으로 나뉜다. 각질층은 부위에 따라 다른데 약 20개 층의 각질세포로 이루어져 있고, 약 20㎛의 두께를 가지고 있다. 각화세포에서 분화하여 각질층에서 외부로 떨어져 나가기까지의 턴오버주기는 약 6주이고, 최상층으로부터 하루에 1개 층이 벗겨져서 떨어져 나가므로 1㎛/day, 즉 10^{-9}cm/s의 속도로 각질화는 진행되고 있다.

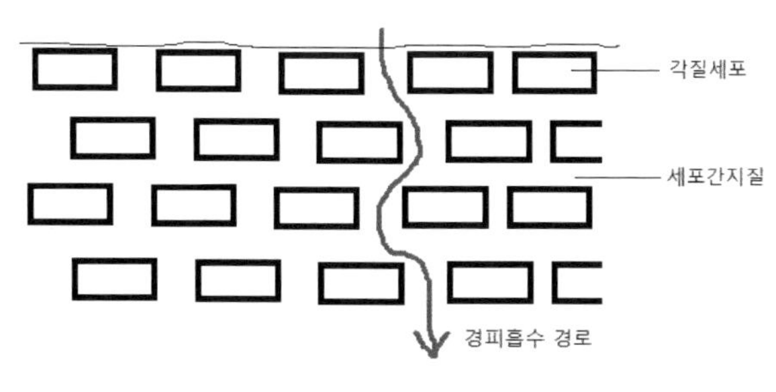

〈그림 2.2.〉 각질층 모식도

각화세포가 위로 밀려 올라가는 과정은 각질층(각질세포+세포간지질)을 만들어가는 과정이다. 각질세포에는 천연보습인자(Natural Moisturizing Factor, NMF)가 많이 들어 있는데, 아미노산이 주성분이다. 이 아미노산은 각화과정에서 단백질이 분해되어 생성된 것이다. 각질세포 간 지질의 주성분은 세라마이드인데 이 세포 간 지질 역시 각화과정에서 만들어진다. 생성된 천연보습인자와 세라마이드는 각질층 내에서 보습기능을 담당한다.

그 외에 멜라닌, 즉 우리 피부를 검게 보이게 하는 색소를 합성하는 멜라노사이트(색소세포)가 기저층에 존재하는데, 이것은 수지상(나뭇가지 모양)의 돌기를 가진 세포로서, 각화세포 10개에 1개 정도의 비율로 존재한다. 만들어진 멜라닌을 나뭇가지 모양으로 뻗은 돌기를 통해, 주변의 각화세포(케라티노사이트)에 퍼뜨린다. 멜라닌 색소가 각화세포로 가면 멜라닌은 각화세포의 핵을 자외선으로부터 보호하기 위해 모자처럼 핵 위에 자리한다. 이것을 멜라닌 캡이라 부른다.

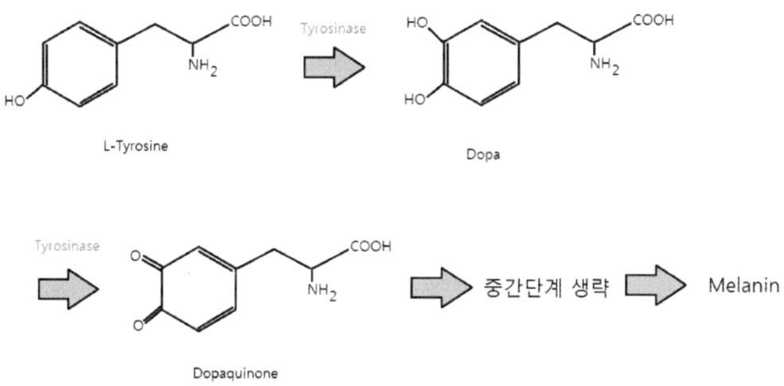

L-Tyrosine → (Tyrosinase) → Dopa → (Tyrosinase) → Dopaquinone → 중간단계 생략 → Melanin

〈그림 2.3.〉 멜라닌 합성경로

표피는 베리어로서 기능을 가진다. 어느 정도 지용성을 가지면서, 분자량도 500 이하인 물질 이외에는 쉽게 피부조직 속으로 침입할 수 없다. 분자량 500의 의미는 피부로 흡수되는 의약품의 분자량 기준으로서, 피부자극이나 피부감작을 나타내는 화학물질의 분자량에서 추정된 것이다.

약물침투성의 모델로는 아래의 식이 제시되어 있다.

$$\log P = -2.7 + 0.71\log K - 0.0061M$$

P 약품침투성, K 옥탄올/물 분배계수, M 약물의 분자량

이 식이 의미하는 바는 역시 약품침투성은 물보다 옥탄올(친유성)에 몇 배 더 녹는가에 비례하고, 분자의 크기에 반비례한다는 것이다.

각질세포 간의 거리는 50~100nm라 말해진다. 따라서 나노스케일의 파우더나 캡슐은 세포간지질을 쉽게 통과할 수 있을 가능성이 있다.

만약 피부에 침투시킬 유효성분이 친수성이거나 분자량이 크면 일반적으로 침투를 기대하기 어려우므로 DDS(drug delivery system)의 도움을 받아 피부에 침투시킬 수 있다.

의약품의 경우는 약물을 침투시키기 위해 좀 더 과감한 방법을 활용할 수 있다. 예를 들어 electroporation법, fractional laser 조사, Micro-needle(바늘)을 들 수 있다. 이 중 마이크로니들은 니들이 각질층까지 박히는 정도에서 화장품으로 적용받을 수 있을 것이다. 방식으로는 롤러 또는 전동식 더마스탬프가 있다. 니들 부위는 생분해성 재질(폴리젖산, PLGA, 히알루론산)과 비생분해성 재질(금속)로 나뉜다.

2008년 세계에서 처음으로 일본의 CosMED사가 생분해성 니들이 부착된 패치를 제품화하였다. 히알루론산+콜라겐으로 니들을 만들었고, 항주름 성분을 함유하고 있다. 패치를 피부에 붙였다가 떼어내면 니들이 끊어지면서 피부에 박히게 된다.

피부침투력을 높이는 패치로써 우리나라 화장품에 응용된 사례로는 이온패치가 있다. LG생활건강이 개발하여 발매하였는데, 세럼에 있는 음이온성 미백성분을 피부에 바르고 패치를 붙인다. 패치에 부착된 전지를 켜면 음이온 차지가 패치에 생겨, 음이온성 미백성분을 이온반발력에 의해 피부 속으로 침투시키게 된다.

그 밖에 세포간지질의 구조를 파괴하여 경피흡수성을 향상시키는 물질로는 다음을 들 수 있는데, 피부자극의 원인이 되기도 한다.

알코올(에탄올), 지방산(올레산), 지방산에스터(이소프로필미리스테이트), monoterpene류(l-멘톨), 요소, 살리실산, α-hydroxy acids, Pyrrothiodecane, 유기용제(Dimethyl sulfoxide), 양친매성물질(Laurocapram, 라우릴황산나트륨)이다.

2.1.2. 진피(Dermis)

표피는 기저막을 사이에 두고 진피와 접해 있다. 진피와 표피의 경계는 요철구조로 되어 있는데, 나이가 들어감에 따라 케라티노사이트의 증식이 저하하여 요철구조가 점점 평탄해짐을 보인다.

표피와 비교하여 진피는 세포 성분이 조밀하지 않고 대부분은 세포외 매트릭스가 점하고 있다. 세포외 매트릭스는 섬유상 단백질과 다당류로 구성된다. 섬유상 단백질의 주성분은 콜라겐(주로 I형과 II형, 피부에는 여러 형이 존재한다)으로, 3중 나선구조이고 진피의 건조중량의 70%를 차지하고 조직의 형상을 보호하는 역할을 한다. 그 외에 양은 적지만, 엘라스틴 섬유가 콜라겐 섬유의 사이를 직선상으로 누비듯이 얽혀 있어 조직에 탄성을 준다.

다당류의 주성분은 산성 뮤코다당(글리코스아미노글리칸)으로 히알루론산(화장품성분_친수성 참고)과 더마탄류산이다.

세포외 매트릭스 성분을 만들어낼 세포가 있어야 하는데 섬유 사이에 섬유아세포 등 세포성분이 존재하여 다양한 자극에 대응하여 진피 내부의 콜라겐, 엘라스틴, 프로테오글리칸 등을 합성 및 분해한다.

진피와 피하지방 사이에는 진피가 피하지방으로 Anchoring structure를 내려서 처짐에 대응하고 있다고 Shiseido 연구원 T. Ezure가 발표하였다(IFSCC Magazine, 178, 3~6, 2015). 역시 이 anchor 구조는 나이가 듦에 따라 파괴되어 처짐이 생기게 된다.

2.1.3. 피하조직(Subcutaneous tissue)

진피 아래에 있는 조직으로 칸막이벽으로 구분된 공간이다. Retinacula cutis(RC)라는 그물모양의 섬유구조를 갖고 지방세포는 그 공간을 채우는 구조로 피부형태 유지에 관계한다. 따라서 RC 밀도가 작을수록 처짐이 크고, RC 밀도와 피부심부탄력성이 비례관계라 할 수 있다.

림프관의 기능 정체는 피하지방의 축적과 지방세포의 비대화를 불러오고, 이 부위는 콜라겐섬유 감소 및 탄력의 저하, 즉 처진다고 주장하는 과학자도 있다(N. L. Harvey et al., Nat.

Genet, 37, 1072~1081, 2005). 림프관의 기능 중 하나가 혈액 중 과잉의 지방산을 회수하는 일인데, 이게 제대로 작동하지 않으면 지방세포가 비대해진다는 것이다. 따라서 일본 시세이도에서는 Angiopoietin1(Ang1)/Tie2, apelin/APJ를 통해 림프관을 안정화시켜 처짐을 개선하는 시도도 이루어지고 있다.

2.1.4. 피지샘 및 피지(Sebaceous gland and Sebum)

피지샘은 1~수 개의 가닥으로 된 피지의 합성, 분비기관이다. 보통 모포(모근을 싸고 있는 상피조직)의 개구부 부근에 부속되어 있고, 손바닥, 발바닥을 제외한 거의 전신의 피부에 존재한다. 안면, 머리 부위의 피지샘은 평균 800개/cm^2인 데 비해, 팔이나 다리에는 50개/cm^2로 적다. 안면 중앙부, 즉 이마, 미간, 콧방울, 입 주변에 이르는 이른바 T존이라고 하는 부분에 잘 발달되어 있다. 콧방울은 다른 곳과 달리 모포에 부속되어 있지 않은 피지샘(독립 피지샘)이 많다. 따라서 피부 표면의 피지량은 항상 0.4~0.05mg/cm^2 존재하고 있다.

특이한 점은 피지의 융점(녹는점)은 30℃ 부근으로 피지샘(체온)에서는 유동성이 있으나 피부 표면(30℃ 이하)에서는 점도가 증가하여 흐르지 않고 정체하게 된다.

태아 및 신생아의 피지샘은 모체로부터 성호르몬의 영향으로 기능이 항진하지만, 2개월 후부터는 축소되어 기능이 저하되면서 소아기를 지낸다. 즉, 소아기에 피지분비가 적어 건조한 피부가 되고 아토피가 생길 가능성이 높아지는 것으로 생각된다. 사춘기가 되면 다시 성호르몬의 영향으로 기능이 항진하고 노년이 되면 기능은 다시 저하된다. 사춘기 초기에는 여성이 피지분비가 많지만, 그 후에는 남성이 더 많다. 중년 이후 여성은 폐경 후에 피지분비량이 현저하게 감소하지만 남성은 비교적 지속적으로 많은 양을 분비한다. 피지샘의 활동은 호르몬의 영향이 크다. 특히 남성호르몬은 피지샘을 비대시켜 지질합성을 증가시킨다(Yamamoto, A. 등, J. Invest. Dermatol, 89, 507, 1987).

우리의 피부는 씻을 때 알 수 있듯이 친유성이다. 피부 위에 있는 친유성 물질은 2가지라 할 수 있다. 첫 번째는 각질세포 사이에 있는 세포간지질이고, 두 번째는 보공을 통해 나오는 피지이다. 이 2가지 친유성 물질은 피부수분이 외부로 빠져나가지 못하게 하는 보습막 역할을 한다. 따라서 잦은 피부 세정은 피부의 유분을 제거하여 피부를 건조하게 만들 것이다.

〈표 2.1.〉 사람 피부 지질의 구성

Sebum 피지, %		Intercellular lipids 세포간지질, %	
Triglycerides	60	세라마이드	41.1
Waxes	23	세라마이드에스터	3.8
Squalane	12	콜레스테롤	26.9
Cholesterol, Cholesteryl ester	1	콜레스테롤에스터	10.9
Diglycerides	-	지방산	9.1
Free fatty acids	-	황산콜레스테롤	1.9
Ceramides	-	기타	6.4

* C&T 1998/9, vol 113, p.89.

2.1.5. 모공

뺨 및 이마에서 모공의 개수는 400개/cm^2 정도이다. 눈에 띄는 모공은 모공 주위가 절구 모양으로 함몰하여 그림자가 생기므로 모공이 커졌다고 인식하는 것이다. 눈에 띄는 모공은 각전(각질마개, follicular plug or follicular cast)이 주로 쌓여 있다. 10~30대에서 모공이 눈에 띨 경우는 각전의 영향이 크다. 40대는 각전이 없어도 눈에 띄게 된다. 각전에는 유핵세포가 존재하여 불완전 각화가 일어난다.

각전은 지질과 단백질로 구성되어 있다. 지질은 미생물의 작용으로 트리글리세라이드가 분해되어 생성된 유리지방산이 많아 염증을 유발할 가능성이 큰 것을 알 수 있는데, 실제로 염증에 관련하는 단백질이 많이 존재한다.

각전 생성을 억제하는 제품의 처방에 들어갈 수 있는 물질로는 Canarium luzonicum 잎추출물(엘레미)이 지질과산화에 의한 이상각화를 억제(항산화)하고, 티트리오일이 여드름균을 억제한다. 트라넥사믹애씨드가 항염증, 각질턴오버 과잉을 억제한다. 호박산, 젖산, 폴리옥시에틸렌 피토스테롤은 각전붕괴효과가 있다. 글리실글리신은 표피세포의 증식분화를 억제하고, 피리독신환상인산은 피지분비량을 억제하여 번들거림 억제 및 모공수축효과가 있다. 항산화제도 모공이 눈에 띄는 현상을 억제하는 효과가 있다(플러린, 비타민 C 유도체). 플러린은 불포화 지질의 산화억제, 염증성 사이토카인(PGE2) 발현억제를 통해 멜라노사이트 활성화를 차단한다.

2.1.6. 땀샘(한선) 및 발한(Sweat glands and Perspiration Sebum)

〈표 2.2.〉 땀의 성분

물질	함량, %
식염	0.648~0.987
요소	0.086~0.173
젖산	0.034~0.107
황화물	0.006~0.025
암모니아	0.010~0.018
요산	0.0006~0.0015
크레아틴	0.0005~0.002
아미노산	0.013~0.020

* 久野 寧汗, 養德社, 1946.

땀샘은 땀을 분비하는 샘으로 에크린샘과 아포크린샘 두 종류가 있다. 분비물은 거의 물인데, 고형성분량은 0.3~1.5%이고, 그중에 주요 성분은 NaCl이며, 그 외에 요소, 젖산, 황화물, 암모니아, 요산, 크레아틴, 아미노산 등을 함유한다. 땀을 많이 흘리면 나트륨의 배설이 많게 되어 나트륨의 경구적 보급도 필요하다.

에크린샘은 출구가 피부 밖으로 바로 연결되어 있지만, 아포크린샘은 독자적인 땀구멍은 갖지 않고 모공에 출구가 부착되어 있다. 아포크린샘의 분비양식은 땀 안에 땀샘세포의 일부가 박리되어 혼입되는 양식이어서 복잡한 성분이고, 에크린땀과 다르게 끈끈하고 냄새가 나는 물질로 변화한다. 겨드랑이 냄새가 생기는 이유는 겨드랑이털의 아포크린땀샘에서 나오는 분비물이 피지(큰 분자)와 혼합되고, 표피세균이 생성하는 효소에 의해 분해되어 휘발성·특이취의 지방산(작은 분자) 등으로 변화하기 때문이다. 즉, 일반적으로 큰 분자는 상온에서 고체상태로 존재하기 때문에 냄새가 나지 않고, 작은 분자는 상온에서 기체로 존재하기 때문에 휘발되어 우리의 코까지 올 수 있어서 냄새가 나는 것이다.

액취증 대응 외용제에는 살균제·항균제와 발한억제제(수렴제)가 들어간다. 살균성분으로는 β-glycyrrhetinic acid, 이소프로필메틸페놀, 염산알킬디아미노에틸글리신액, 염화벤잘코니윰, 글리세린모노-2-에틸헥실이써, 은제제, 이온제제 등이 있다. 수렴제의 원리는 땀샘에 염증을 일으켜 플라크를 만들어 도관부를 막아, 발한을 억제하는 것이다. Aluminum Hydroxychloride, 명반, 클로르하이드록시암모늄 등이 있다.

발한은 체온조절을 위한 온열성 발한뿐만 아니라 놀랐거나 긴장했을 때 나는 정신싱 발힌, 매운 음식을 먹었을 때 나는 미각성 발한도 있다. 겨드랑이와 발에서 나는 땀은 온열성 발한이라기보다는 정신성 발한인 경우가 많다. 즉, 땀이 나도 증발하기 어렵고 발한을 억제해도 큰 문제가 되지 않는다. 그러나 가슴과 팔의 발한은 체온조절에 깊이 관계하기 때문에 제한제를 이 부위에 도포하게 되면 발한이 되지 않아 열중증(이상고열, hyperthermia)에 걸릴 위험이 있다.

2.1.7. 혈관(Blood vessel)

쉽게 찾아볼 수 있는 미소 순환계의 변조로는 모세혈관이 지속적으로 확장되어 있는 홍조(붉은 얼굴)나, 눈 주변 등 피부가 얇은 부위에서 혈액이 체류하는 곳에 생기는 다크서클(눈가가 거무스름해지는 것) 등이 있다. 홍조를 화장품으로 다루기가 어려워 보였으나 최근에는 혈관확장을 줄임으로써 홍조를 개선하는 원료도 등장하였다(예, agascalm by Kimlla).

2.2. 피부의 생리작용

2.2.1. 보습작용

건강한 각질층은 적당한(10～15%) 수분을 보유하고(수분 보유 기능) 있어야 한다. 피부는 수분을 유지하는 기능(수분 베리어 기능)을 갖추고 있다.

건조한 환경은 각질층 수분량을 저하시킨다. 수분량이 저하하면 피부턴오버가 항진하게 되고 그러면 제대로 된 각질이 형성되지 않아 각질층 기능(베리어 기능, 보습 기능)이 저하한다. 이렇게 되면 거친 피부가 되는 것이다.

피부의 수분을 유지하기 위해 우리 피부는 3가지 보습성분을 가지고 있다. 첫째는 천연보습인자 NMF(Natural Moisturizing Factor)이고, 두 번째는 세포간지질(세라마이드), 그리고 마지막 세 번째는 피지이다.

천연보습인자는 각질 내(죽은 각질 세포 내)에 존재하는 수용성 성분으로서 각질층의 수분 보유에 중요한 역할을 한다. NMF의 주요 성분은 아미노산과 피롤리돈카르복시산 등의 아미노산 대사물이다.

〈표 2.3.〉 NMF(천연보습인자)의 조성

성분	조성(%)
아미노산류	40
피롤리돈카르복시산(PCA)	12
젖산염	12
요소	7
암모니아	1.5
무기염(Na 5%, K 4%, Ca 1.5%, Mg 1.5%, PO 40.5%, Cl 6%)	18.5
구연산염	0.5

성분	조성(%)
당류, 유기산, 펩타이드, 기타	9

* H. W. Spier, G. Pascher, Hautarzt, 7, 2, 1956.

2.2.2. 자외선 방어작용

피부 내로 투과된 자외선을 방어하는 데는 멜라노사이트가 만드는 멜라닌이 가장 중요한 역할을 한다. 자외선을 받은 피부는 멜라노사이트의 수를 증가시킴과 동시에 각각의 멜라노사이트의 멜라닌 합성능력을 높여 자외선에 대한 방어능력을 더욱 높인다.

자외선은 DNA와 단백질에 직접적인 해를 줄 수도 있고 활성 산소, 프리라디칼을 발생시켜 산화상해를 줄 수도 있다. 즉, 피부의 항산화작용 및 화장품을 통한 항산화제 공급은 자외선 방어작용의 중요한 요소 중 하나가 된다.

2.3. 피부의 색

2.3.1. 피부의 색소: 멜라닌(melanin)

멜라닌은 사람의 피부색을 결정하는 가장 큰 인자이다. 멜라노사이트 내의 소기관인 멜라노솜에서 합성되어, 멜라노사이트의 수지상(나뭇가지 모양) 돌기를 통하여 주위의 케라티노사이트로 이행한다.

2.3.2. 색소침착

기미는 일반적으로 피부의 일부가 주변 부분에 비해 검게 된 부위를 말한다. 기미를 세 가지로 분류하면 ① 멜라노사이트 이상에 의한 기미, ② 케라티노사이트 이상에 따른 기미, ③ 염증 후 색소침착증으로 나눌 수 있다.

① 멜라노사이트의 이상: 간반과 작약반

② 케라티노사이트의 이상: 노인성색소반과 지루성 각화증

③ 염증에 따른 색소침착증: 색소침착성 접촉피부염과 나일론타월 등에 의한 만성적 자극에 의해 생기는 마찰흑피증 등

최근 시세이도는 기미 연구를 통해, 기미 부위에서는 만성적 미약염증, 각화프로세스의 교란, 멜라닌 함유 기저세포층의 분열능력저하(멜라닌 비함유 기저세포는 과증식)라는 현상을 관찰하고, 이에 대응하는 성분으로서 트라넥사믹애씨드, 4MSK(4-메톡시살리실산칼륨염)를 함유한 화장품을 출시하였다.

기타 어떤 원인으로 염증이 나타난 후에 색소침착(때로는 탈색)이 생기는 것(염증 후 색소침착)도 있다. 이러한 색소침착의 경감을 목적으로 한 미백유효성분의 어프로치 방법으로는 크게 3가지가 있다.

① 티로시나아제를 대표로 한 효소군의 제어에 의한 멜라닌 과잉생성 억제
② 주위의 세포가 방출하는 멜라노사이트 자극인자를 조절하는 것에 의한 멜라닌 과잉생성 억제
③ 표피세포로 전달된 멜라닌의 배출 촉진

2.3.3. 피부의 당화

당화는 글루코스 및 과당 등 환원당과 단백질이 비효소적으로 결합하는 반응을 말한다. 그리고 다양한 중간체형성을 거쳐 생성된 최종산물을 총칭하여 AGEs(Advanced Glycation End products)라 한다.

1912년, 프랑스 생화학자 Louis Camille Maillard는 식품 중에서 당과 아미노산의 갈색반응을 통해 처음으로 보고하였고, 1970년 전후에는 건강한 사람보다 당뇨병 환자가 생체조직 중에 AGEs의 축적량이 많고 여러 당뇨병합병증을 일으킬 가능성이 제기되었다. 최근에는 광노화에 다음가는 피부노화의 큰 원인으로 주목받고 있다. 당화된 콜라겐이 본래의 가동성(움직이거나 옮길 수 있는 성질)을 잃고 피부경화 및 주름 등을 형성한다. 진피에 축적한 AGEs는 피부의 황색화에 영향을 미친다. 즉, 나이가 듦에 따라 적색계열에서 황색계열로 피부색이 변하는 요인 중 하나로 볼 수 있다.

표피의 각질층에서도 AGEs가 존재한다. 항산화효소인 SOD 등의 생리활성단백질도 당화에 의해 활성이 저하된다고 알려져 있다. AGEs를 분해하는 프로테아솜 및 산화단백질분해효소의 활성도 나이가 듦에 따라 저하한다.

2.4. 여드름(Acne)

2.4.1. 여드름의 양상

여드름의 대표적 양상은 피지분비 증가, 모낭벽 과각화(모공 막힘), 모낭 내 세균증식, 염증 유발이다.

여드름 환자 피부에서 과잉 증식하는 여드름균은 피지(트리글리세라이드)를 분해하여 유리지방산을 많이 생성시킨다. 즉, 여드름 환자의 피부에는 정상인 사람보다 트리글리세라이드 비율이 적고 유리지방산의 비율이 높게 존재한다.

2.4.2. 여드름의 스킨케어

여드름용 화장품이 2017년 5월에 드디어 의약외품에서 기능성화장품으로 되었다. 그러나 화장품은 치료제가 아니므로 앞서 나온 여드름의 양상을 완화하는 데 초점을 맞춰 진행되어야 할 것이다. 여드름용 화장품을 개발할 때 뼈대가 되는 처방설계방향은 다음과 같다.

① 피지합성억제, 모낭벽각화조절: 레티노이드 등. 표피의 과각화를 막는 효과는, 비타민 A를 대량 투여하여 실험적으로 증명되었고, 작용 메커니즘은 P. Flesh에 의해 실험적으로 관찰되어 보고되었다.

② 막힌 모공 뚫음(과도하게 생긴 각질제거): 황(sulphur)(도포 후 황화수소가 작용), 살리실산 및 레조르신(살균효과도)

③ 모낭 내 여드름균 살균작용: Triclosan, 염화벤잘코늄, 염화벤제토니윰, 하로칼반, 2,4,4-트리클로로-2-하이드록시페놀

④ 염증 억제: Benzoyl peroxide, 글리틸리틴산, 글리틸레틴산

2.5. 아토피 피부염

2.5.1. 아토피성 피부염이란

심한 가려움증을 가지는 재발성 만성 피부염을 가리킨다. 아토피(atopy)란 용어의 어원은 '이상한' 또는 '부적절한'이란 뜻이다. 아토피의 원인은 아직까지 확실하게 규명되지 못하고

있으나, 최근에는 여드름에 여드름균, 비듬에 비듬균이 관여하듯이 아토피에도 황색포도상구균이 관여하고 있다는 보고가 자주 나온다. 아토피 환자에게 있어서 각질층의 베리어 기능이 저하되어 있는데, 즉 피지, NMF 및 세라마이드 등 피부 자체의 보습성분의 부족이 확인되므로, 화장품을 통한 보습제 공급이 아토피 완화의 시작이라 할 수 있다.

> ** **알레르기**(Allergy)란 용어는 1906년 프랑스 학자 피케르가 처음으로 사용하였다. 대부분의 사람에게서 아무런 문제도 일으키지 않는 물질이 어떤 사람에게는 두드러기나 천식 등의 이상과민반응을 일으키는 것을 말한다.

아토피성 피부염은 매우 흔한 피부병으로서 어린이에게서 흔하고 이들의 일부가 어른이 되어도 피부염이 지속된다.

생후 2개월에 이르면, 테스토스테론의 분비가 급격히 저하하여 피지샘의 활동이 저하하고 피지량도 극단적으로 저하한다. 이 시기는 유아의 아토피성 피부염 발증시기와 일치하고, 특히 9~11월 태생의 유병률이 유의하게 높다. 즉, 9~11월에 출생하여 피지분비가 급격히 떨어지는 12~1월에 매우 건조한 기후를 접하게 됨으로써 아토피가 유발되는 것으로 추정된다(山本一哉 등, J. Pediat. Dermatol, 9, 2, 1990).

정상 피부의 pH는 포도상구균 등 피부상재균의 영향으로 약산성으로 유지하나, 아토피 환자의 피부 표면의 pH는 알칼리 쪽으로 시프트되어 있다고 한다. 이것 역시 피부상재균의 밸런스가 깨져서(황색포도구균 증식) 젖산의 생성이 적어져서 생기는 결과라 볼 수 있다. 피부를 산성환경하에 두면 황색포도구균의 증식이 억제되고, 또 세라마이드의 합성이 잘 된다고 보고되었다.

2.5.2. 아토피성 피부의 바디케어

세정제로 allergen을 함유할 수 있는 미세한 생물학적 물질, 화학물질, 환자 자신의 땀, 때 더러움을 없애주는 것이 중요하다. 즉, 세정제를 사용하는 편이 사용하지 않는 것보다 유리하다. 건조한 피부는 자극을 받기 쉬우므로 탈지력이 적은 것이 좋다(저세척력 세제). 흔히 사용하는 비누는 탈지력이 너무 강하고 또한 알칼리성이므로, 탈지력이 약하고 중성인 합성세정제가 더 안전하다고 할 수 있다.

아토피성 피부 대응 화장품의 처방설계 방향은 다음과 같다.

① 피부청정작용: 무기염류, 단백질 분해효소
② 항염증작용: 한방생약 등
③ 보습작용: 유성보습제(세라마이드), 피지생성촉진제, 천연보습인자
④ 항균작용: 마늘B1 추출물, 히노키티올 등
⑤ 약산성 pH 유지작용: pH를 5.5로 유지시키는 버퍼(buffer)나 산성물질인 시트릭애씨드, 카보폴의 불완전중화 등

혈행을 촉진시키면 피부온도가 상승하여 가려움을 상승시킬 수 있고, 색소와 향료는 감작성일 수 있다.

각질층의 함유 피지량과 수분량이 저하한 건조피부의 원인은 명확히 알 수는 없지만 가려움증이 생긴다. 동시에 각질 베리어 기능이 저하하기 때문에 자극을 받기 쉽고 미생물과 미소화학물질 등의 침입이 용이하다. 피부건조는 모든 피부질환에서 발병의 방아쇠 역할을 하므로 보습이 중요하다. 보습은 상태를 진정시킨다. 의약외용제로는 요소연고와 헤파리노이드연고가 있지만 전자는 따가운 자극감이 크고 후자도 고약한 냄새가 좋지 않다. 의사는 주로 백색 바셀린을 처방한다. 이것은 일시적 효과가 있지만 사용성이 끈적이고 눅진하고 답답하여 매일 발라야 하는 환자에게는 곤욕이다. 이런 점에서 화장품 회사에서 출시되는 건조피부용 화장품은 효능과 사용 감촉을 최대로 높이는 매우 훌륭한 제품이라 할 수 있다.

일광은 건조상태를 악화시킨다. 그러나 선스크린제는 접촉 알레르기와 광접촉 알레르기를 일으킬 수 있어서 바르지 않는 게 좋다.

2.6. 자외선과 피부

2.6.1. 자외선

자외선은 자색 밖에 있는 광선이란 뜻으로 가시광선의 보라색보다도 더욱 짧은 파장 영역이다. 자외선의 구분은 가시광선에서 멀어지는 순서로 UVA(320~400nm), UVB(280~320nm), UVC(200~280nm)로 나뉜다. UVC는 파장이 너무 짧아 지구 표면까지 도달하지 못하므로 피부에 도달하는 자외선은 UVA와 UVB이다. 파장이 짧을수록 에너지가 세서 상해가 크지만 피부침투력은 파장이 길수록 크다. 따라서, UVB가 UVA보다 파괴력이 크지만 UVB

는 UVA보다 피부 깊숙이 들어가지 못하다. UVB의 10~20%만이 표피의 기저층과 진피의 최외각층을 투과하고, UVA의 50% 정도가 표피와 진피를 투과한다(F. Herrmann et al., Biochemie der Hauts, 149; Georg Thieme Verlag Stuttgart, 1973). 따라서 UVB는 표피에서 홍반, 따가움, 흑화를 일으키는 주요 원인 광선이 되고 UVA는 진피에서 섬유아세포에 데미지를 주고 콜라겐 분해효소(MMPs)를 활성화시켜 주름을 일으키는 주원인 광선이 된다.

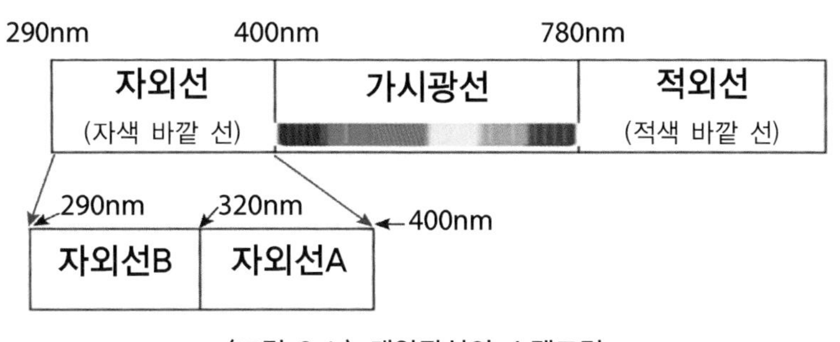

〈그림 2.4.〉 태양광선의 스펙트럼

2.6.2. 자외선에 의한 반응

자외선에 의한 급성반응은 피부의 홍반과 흑화이다. 발현 양상은 사람에 따라 달라 이것을 피부타입 Ⅰ~Ⅳ로 분류한다(Fitzpatrick의 정의).

〈표 2.4.〉 자외선을 받은 후의 발현 양상에 따른 피부타입 분류

피부타입	발현 양상	한국인의 비율
Ⅰ	홍반은 발생하지만 결코 흑화되지 않는 사람	2.4%
Ⅱ	홍반은 일으키지만 거의 흑화되지 않는 사람	8.8%
Ⅲ	홍반을 일으키고 서서히 흑화되는 사람	48.8%
Ⅳ	약간의 홍반을 일으키고 곧 흑화되는 사람	22.2%
Ⅴ	거의 홍반을 일으키지 않지만 반드시 흑화되는 사람	17.8%
Ⅵ	홍반을 일으키지 않고 매우 흑화되는 사람	-

* Federal Register, 43(166), 38265, 1978.
봄부터 여름에 걸쳐 아무것도 바르지 않고 30~45분 정도 일광욕을 하였을 때 기준.

자외선에 의한 만성반응은 광노화이다. 자연노화는 콜라겐 단백질량의 감소가 지표이고, 광노화의 지표는 콜라겐 단백질의 탄력성 저하이다.

광독성 반응은 어떤 종류의 외래물질이 피부에 있고 여기에 빛이 닿으면 누구에게나 생기

는 독성반응이다. UVB는 비타민 D 생합성을 돕는 작용도 있다. 선스크린 및 모자, 의복 등으로 피부를 햇볕으로부터 가리는 현대사회에서는 비타민 D의 생합성량의 부족이 초래될 수 있다.

2.6.3. 자외선과 항산화제

UVB 조사는 ROS(활성산소) 발생을 증대시켜 콜라겐 분해효소(MMP-1) 생산을 항진시킨다. 즉, 자외선은 직접적으로 피부에 손상을 주기도 하지만 활성산소를 통해서도 해를 주므로, 항산화제는 자외선으로부터 상해를 막는 데 매우 중요한 성분이다.

2.6.4. 가시광선 및 근적외선의 영향

태양광 스펙트럼의 가시광선과 적외(IR) 파장 영역이 피부손상에 관련할 가능성에 대해서도 연구가 진행되었다. Zastrow L. 등에 의하면, UV와 가시광(280~700nm)을 포함하는 태양광 스펙트럼 조사 시 총 피부산화 중 50%의 부하가 가시광에서 발생된다고 한다.

근적외선(infrared A, IRA)은 760~1,400nm의 파장을 가지고, 약 65%가 진피·피하조직까지 도달한다. 강한 태양광(근적외선)에 의해 피부온도의 상승, MMP-1(matrix metalloproteinase-1)의 유도, 콜라겐1형 유전자의 발현 저하로 광노화가 촉진된다고 Chung 등이 보고하였다(M. S. Kim, Y. K. Kim, K. H. Cho, J. H. Chung, Mech. Ageing Dev., 127(12), 875~882, 2006). Schroeder는 2008년에 근적외선은 진피에서 MMP-1 발현을 증강시키고, 섬유아세포에 항산화제를 첨가하면 MMP-1 발현이 방지된다고 보고하였다(P. Schroeder, J. Lademann, M. E. Darvin, H. Stege, C. Marks, S. Bruhnke, J. Krutmann, J. Invest. Dermatol, 128(10), 2491~2497, 2008).

2.6.5. 블루라이트(Blue light)

현대에 블루라이트라는 새로운 콘셉트가 등장하였다. 블루라이트는 가시광선 영역이지만, 가시광선 중 가장 파장이 짧아 에너지가 강한 광선이다. 다르게 표현하면 자외선에 근접하여 자외선 버금가게 상해를 주는 광선이다. 사람들이 최근에 PC, 스마트폰, 태블릿을 사용하면서 많은 양의 블루라이트를 눈으로 보게 되었는데, 눈에 대한 악영향 및 얼굴 피부에 대한 악영향도 생각할 수 있다. 그래서 Blue light 차단이라는 개념의 제품이 나오게 되었다.

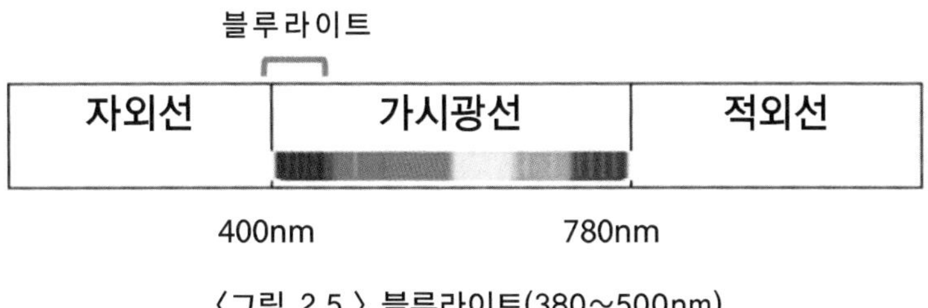

〈그림 2.5.〉 블루라이트(380~500nm)

2.7. 피부상태 평가법

피부상태를 평가하는 첫 번째 방법은 확대해서 보는 것이다. 살결이 촘촘하고, 명료, 규칙적인 피부가 건강한 피부이고, 살결이 불명료하고 편평한 피부는 건조하고 거친 피부이다.

각질층수분량(water content of horny layer)은 피부가 정상적인 기능을 하고 건강한 상태인 경우, 10~20%에 이른다. 각질층의 수분량이 감소하면 유연성이 소실되어 굳어지며 잔주름이 생기거나 각질층이 벗겨진다. 각질층의 수분량은 피부의 고주파 전기전도도(conductance)를 측정하여 간접적으로 평가한다. 발한하지 않는 조건하에서 측정된 전기전도도는 각질층수분량과 좋은 상관관계를 보인다.

건강한 피부는 경피수분손실량(Trans epidermal water loss, TEWL)이 적다. 측정은 피부 표면상의 습도 기울기로부터 산정한다. 각질층의 수분 베리어 기능은 각질층 세포 내에 빽빽하게 밀집된 구조와 각질층의 비후한 세포막, 세포간지질 등에 의해 유지된다. 피부가 거칠어지면 TEWL이 증가하고 각질층의 베리어 기능이 저하한다. 안면의 TEWL은 10~15g/sq-cm/hr으로, 피복 부위인 몸통 및 팔다리 5g/sq-cm/hr의 배 이상이라 알려져 있다.

정상적인 각화가 일어나면 각질세포에 핵이 존재하지 않는다. 각질세포에 핵이 존재하는 정도를 불완전 각화도(Incomplete keratinization)라 한다. 염증 등에 의해 표피증식이 현저히 높아지면, 각화 속도가 비정상적으로 증가한다. 그렇게 되면 핵이 남은 상태로 각질세포가 생성된다. 안면과 두피에서 종종 유핵세포의 덩어리가 반점상으로 출현하는데 이것이 바로 거친 피부, 비듬이다. 핵의 유무 조사는 접착테이프로 표피층의 각질층을 떼어내어(skin surface biopsy, SSB) 조직염색 후 현미경으로 관찰한다. 유핵세포의 출현비율이 높을수록, 또한 모공이 눈에 잘 띈다.

2.8. 민감피부

민감피부란 용어는 예전부터 화장품 유저를 중심으로 널리 사용되었다. 즉, 아직 피부과학적으로 명확한 정의는 없다. 화장품적으로 정의를 내리면 명확한 피부병변이 없음에도 불구하고 외적인 여러 요인에 반응하여, 피부에 유해한 반응이 일어나기 쉬운 성질의 피부라 할 수 있다. 여러 외적 요인으로는 건조·온도 변화 등의 환경요인, 스트레스·생리 등의 내적 요인, 화학물질(화장품)·땀 등의 자극요인이 있다. 성인 여성 70% 정도가 스스로를 민감피부라고 생각하지만 아이러니하게도 민감피부용 화장품을 많이 사지는 않는다.

2.9. 피부상재균

피부에는 항상 수많은 미생물들이 조화롭게 살아가고 있다. 따라서 이상적인 스킨케어 제품은 피부 위의 미생물을 멸균하지 않고, 피부상재균총(skin microbiome) 중 유해균이라 알려진 황색포도구균의 생착 및 증식을 억제하고, 피부포도구균의 생착을 저해하지 않는 것이다. 이를 조금 더 학문적으로 표현하면 피부상재균총의 밸런스를 건강하게 유지시키는 것이 좋은 스킨케어 제품이다. 이 개념은 장내 미생물, 구강 내 미생물 등에도 동일하게 적용된다.

대표적인 상재균으로는 세균으로서 아크네균(Propionibacterium acnes) 및 포도상구균(Staphylococcus spp.), 진균으로서 말라세치아(Malazzezia spp.) 등이 있다. 피부상재균의 역할은 피지막의 일부를 구성하고, 피부를 약산성으로 유지시키고, 건조 및 자외선으로부터 피부를 지키며 병원균의 침입을 막는다.

피부상재균은 일반적으로 해롭지 않으나, 과잉증식할 경우 염증성질환이 일어난다. 예를 들어 지선성모포(脂腺性毛包) 속에 아크네균이 과잉증식하면 심상성좌창(acne vulgaris: 여드름)이 생긴다. 또, 모포 속에서 포도상구균이 과잉증식하면 모포염(folliculitis)이 생기고, 말라세치아의 경우는 말라세치아모포염(Malassezia folliculitis)이 생긴다. 두피에 비듬균이 과잉증식하면 역시 비듬이 생긴다.

2.10. 여성호르몬

여성은 갱년기를 거치면서 여성호르몬의 분비가 감소하는 영향으로 피부가 안 좋아지는 것을 직접 경험한다. 따라서 갱년기 여성의 여성호르몬에 대한 니즈는 커서 병원에서는 호르몬 요법을 시도할 수 있지만, 화장품에서는 호르몬을 사용할 수 없으므로 여성호르몬과 유사한 구조를 갖고 있어서 유사기능을 할 것으로 기대되는 유사여성호르몬, 즉 이소플라본을 활용한다. 이소플라본은 콩에 많이 들어 있다(예, genistein, daidzein). (남성이 청국장 등 콩 식품을 많이 먹으면 어떻게 될까?)

03 | 모발과학

3.1. 모발

피부각질층과 유사한 성분(keratin 단백질)으로 구성되어 있고, 구성 아미노산 중 시스테인 함량이 14～18%로 많아 딱딱하다. 모발 수는 평균 약 7～14만 개이다.

모발의 성장 속도는 동양인의 경우 정수리 0.44mm/day, 옆머리 0.39mm/day인데, 한 달에 보통 1cm 정도 자란다. 동양인의 모발 단면은 원형에 가깝고 흑인의 모발 단면은 타원형에 가깝다. 백인은 중간에 해당한다.

모발은 모주기를 갖는다. 즉, 태어나서부터 죽을 때까지 모발이 자라는 것이 아니라, 하나의 모발은 약 5~6년 정도만 자라고 그 후 빠지게 되며, 그 자리에 새로운 모발이 나게 된다. 자연탈락 모발 수는 하루에 70～120개이다.

3.2. 모발구조

모피질(CORTEX)은 모발 중에서 85～90%의 비율을 차지한다. 모수질(MEDULLA)은 모발 중심부에 존재한다. 모소피(CUTICLE)는 모발 중에서 10～15%의 비율을 차지하는데, 비늘과 같은 껍질들이 6～8겹 겹쳐 있다. 모발의 외곽을 보호하지만, 빗질 등의 자극에 의해 상하거나 부러지기 쉽다. 모발의 대부분은 코텍스이지만, 모발 단면적의 약 15%에 지나지 않는 큐티클이 모발의 구부림에 대한 응력의 약 60%를 담당하고 있고, 탄력, 낭창함, 광택에 중요한 역할을 미친다는 것이 알려져 있다. 즉, 우리가 체감적으로 느끼는 모발 손상은 주로 큐티클의 손상에서 유래한다.

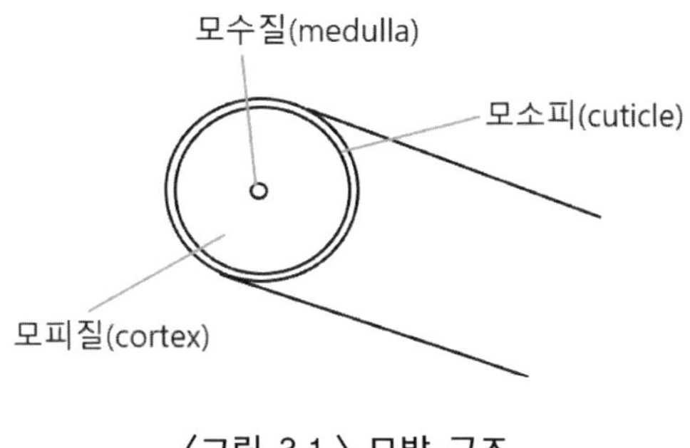

〈그림 3.1.〉 모발 구조

큐티클 표면에는 소수적인 성질과 윤활성을 부여하는 성분인 18-methyl eicosanoic acid가 존재한다. 따라서 모발 위에 물방울을 올려놓으면 접촉각이 크다. 손상된 모발에는 이 성분이 떨어져 나가 있어서 친수성이 증가한다. 이렇게 되면 접촉각이 작아진다. 즉, 정상 모발은 샴푸를 할 때 모발이 물에 잘 적셔지지 않고, 헹굴 때 잘 엉키지 않지만, 손상된 모발은 친수성을 띠는 모발 때문에 모발이 물에 잘 적셔지고 헹굴 때 엉키기 쉬워서 말리고 나면 곱슬머리처럼 헝클어지기 쉽다.

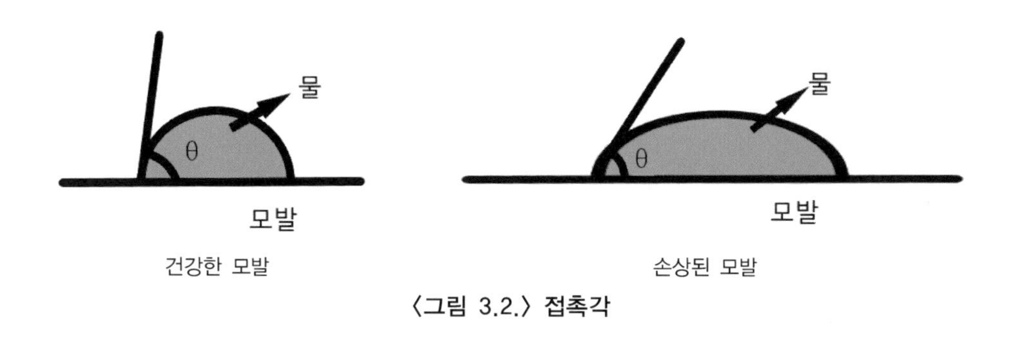

〈그림 3.2.〉 접촉각

3.3. 모발색

모발색은 인종에 따라 흑색, 갈색, 금색, 적색 등 다양하다. 그러나 색소는 단 2종류이다. 흑갈색의 진멜라닌인 유멜라닌(eumelanin)과 황적색의 아멜라닌인 훼멜라닌(phaemelanin)이다. 3% 이하로 들어 있는 이 두 색소의 크기와 수의 밸런스가 모발의 색을 결정한다. 즉 흑발일수록 유멜라닌이 많이 들어 있고, 금색, 적색일수록 유멜라닌의 비율이 적다.

멜라닌 색소는 매우 큰 분자이고 물에 난용이다. 그래서 세발할 때 멜라닌이 녹아 나오지 않는다(녹아 나온다면 헹굴 때 먹물이 될 것이다). 브리치 처리나 자외선에 의해 멜라닌이 분해되면 드디어 멜라닌이 용출되고, 모발의 색이 칙칙하게 된다.

3.4. 모발 내 존재하는 결합

모발은 기다란 케라틴 단백질로 구성되어 있는데, 단백질 분자 사이에 분자 간 인력 또는 결합이 존재하여 강건한 성상 및 형태를 유지한다(S. D. Gershon et al., Cosmetics-Science and Technology, p.178, Wiley-Interscience, 1972).

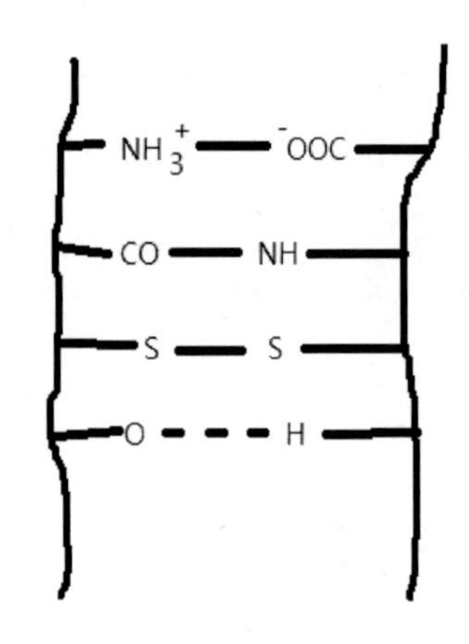

① 염결합: 양이온과 음이온 간의 정전기적 결합. 케라틴 섬유강도에 약 35% 기여. 산 및 알칼리에 쉽게 분해
② 펩타이드결합: 글루타민산 잔기의 $-COOH$와 라이신 잔기의 $-NH_2$ 사이에 H_2O가 제거되면서 생성. 공유결합이므로 강한 결합
③ 시스틴결합: 모발 웨이브 생성의 기본. 환원제로 절단 후 모발을 원하는 형태로 변형시키고 산화제로 다른 위치끼리 결합
④ 수소결합: 아마이드기의 약간 음전하를 띠는 산소와 카르복실기의 약간 양전하를 띠는 수소 사이의 결합. 세발 후 모발을 건조시키면서 웨이브를 만들 때 사용

〈그림 3.3.〉 모발 내에 존재하는 결합

일상생활에서 자주 하는 파마는 시스틴결합을 끊고 롤로 감은 후 다시 새로운 시스틴결합을 만드는 과정이다. 제1제, 즉 시스틴결합을 끊는 것은 알칼리성 물질(환원제)로 암모니아와 모노에탄올아민이 있다. 제2제, 즉 시스틴결합을 다시 이어주는 물질(산화제)은 과산화수소 또는 브롬산나트륨이 있다.

매일 머리를 감고 드라이할 때 빗질하면서 웨이브를 일시적으로 줄 수 있는데, 이것은 수소결합을 샴푸 하면서 끊고, 드라이하면서 새로운 수소결합을 만들면서 웨이브를 주는 것이다. 수소결합은 비교적 약한 결합이므로 웨이브가 오래가지 못한다.

파마든 웨이브든 언젠가는 다시 원상태로 모발이 펴지는데, 그것은 더욱 강력한 결합인 염결합과 펩타이드 결합이 원상태로 계속해서 잡아당기고 있기 때문이다.

3.5. 모발 손상

모발 손상의 화학적인 요인으로는 파마, 염색할 때 사용되는 약물을 들 수 있다. 이것들은 세포간지질이나 단백질을 녹여내어, 수분유지기능을 상실하게 한다.

환경적인 요인으로는 자외선(디설파이드 결합파괴로 시스테인산 생성, 인장강도 약화, 유멜라닌분해로 적색화)과 건조(낮은 모발수분 함유량은 손으로만 만져도 손상되기 쉽다) 및 드라이어(80℃ 이상 고온에서 단백질 파괴) 등의 열을 들 수 있다(Fragrance Journal, 2010.11.). 자외선에 의해 모발 내부의 관능기에 변화, 즉 카르보닐기(C=O)가 형성되는데, 카르보닐기는 자외선 조사에 의한 잠재적 데미지의 마커(척도)가 된다.

물리적인 요인으로는 거친 샴푸 행위(마찰 시 큐티클이 벗겨짐)나 젖은 상태에서의 블로우(드라이어로 건조시키면서 빗질)를 들 수 있다. 특히 드라이어 사용 시 모발 표면온도는 100℃ 전후에 도달하고, 큐티클 표면에 세로 방향의 작은 균열이 생긴다. 헤어아이롱의 경우는 200℃ 정도의 온도에 모발이 노출되게 하여 큐티클 표면에서 수증기가 큐티클을 들어 올려 블리스터를 발생시키고, 반복된 헤어아이롱 처리에 의해 벗겨지는 현상이 발생하게 된다. 디메티콘코폴리올 등 열로 인한 모발 데미지를 방지하는 원료도 나와 있다.

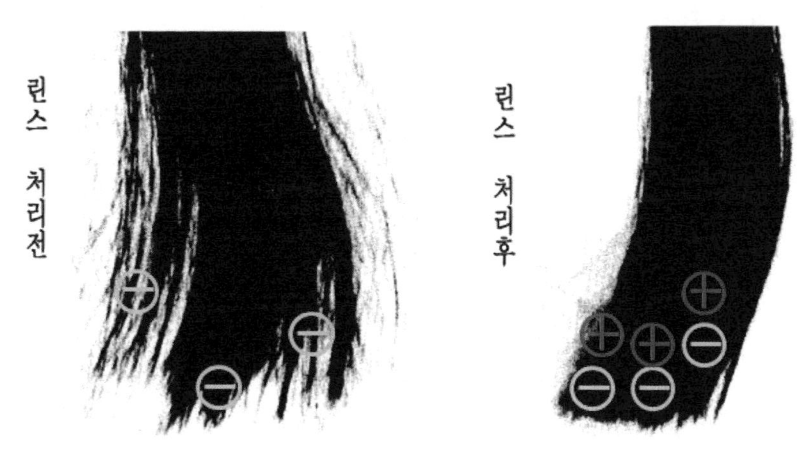

〈그림 3.4.〉 브러싱에 의한 모발대전 및 린스의 대전방지효과

비누로 머리를 감으면 모발에 있는 유분이나 더러움을 떨어뜨리지만, 헹굴 때 물 중의 경도성분인 칼슘, 마그네슘과 결합하여 물에 녹지 않는 점착성의 비누앙금(석검)이 생성된다. 비누앙금은 충분히 헹구더라도 두피나 모발에 잔류하며, 가려움의 원인이 되며, 모발의 윤기나

빗질을 나쁘게 한다.

모발은 약산성일 때 가장 자연스럽고 건강한 상태라고 말할 수 있는데, 비누는 약알칼리성이므로 모발을 팽윤시키므로 비누로 세발을 계속하면 큐티클이 벌어지게 된다. 이 상태에서 과도한 빗질이나 세발 등에 의해 큐티클이 떨어지며, 지모나 절모의 원인이 된다.

〈그림 3.5.〉 모발의 손상(전자현미경 사진)

3.6. 헤어케어 제품

전통적으로 린스 등 헤어 제품에 사용되는 컨디셔닝 소재는 3가지, 즉 고급알코올, 양이온성계면활성제(또는 폴리머), 실리콘오일이 있다.

탈색, 염색, 자외선 등에 의해 손상된 모발은 공통적으로 친수성으로 변해 있다. 따라서 아미노변성 실리콘처럼 친수화된 모발표면에 흡착하기 쉽게 설계된 실리콘 등을 함유하는 린스, 컨디셔너는 손상된 모발을 회복하는 데 큰 도움이 된다.

또 기본적으로 모발 자체가 아미노산으로 구성되는 단백질이므로, 아미노산이나 가수분해 단백질을 모발에 보충해 주어 모발을 회복시키는 데 도움을 주고 있다.

3.7. 제품의 사용성 평가

제품의 사용성 평가는 직접 사람이 감아보는 것이 최선이나 편의상 헤어 트레스(hair tress)를 이용한다. 제품을 적용시킨 트레스를 손으로 만져보며 평가하거나, 보다 객관적인 데이터를 구하기 위해 기기를 이용한다.

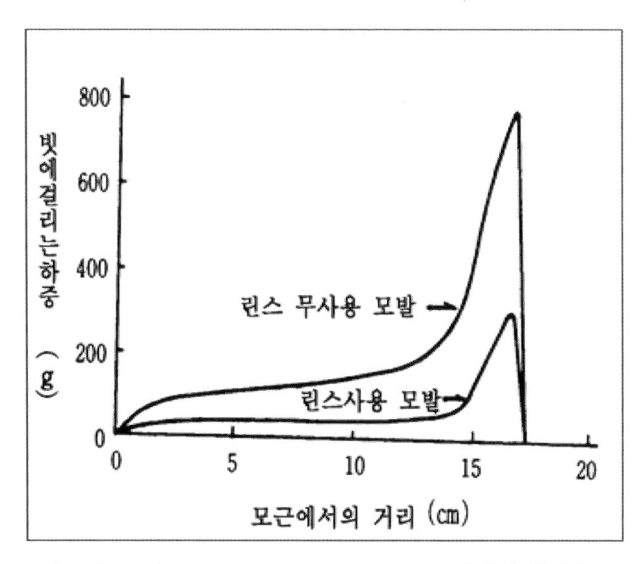

〈그림 3.6.〉 INSTRON COMBING TEST(빗질 용이성)

3.8. 비듬

두피 상재 미생물의 종류에는 약 35종이 있고 이를 크게 3종류로 나누면 ① aerobic cocci (호기성구균), ② yeast 속의 Pityrosporum ovale(호기성균), ③ P. acnes, C. acnes(혐기성균)로 구별된다.

3.8.1. 비듬이란

비듬은 염증을 수반하지 않으며 쌀겨 모양의 두피각질의 탈락 현상으로 정의된다. 영어로는 "Dandruff"이고, 학술용어로는 인설(Scale)이다. 소아나 노인에게는 드물며 가끔 가려움(소양감)을 동반하기도 한다.

비듬의 원인은 다음 네 가지로 요약된다.

① 두피 상존 미생물(피티로스포름 Pityrosporum, P.ovale) 증식

② 두피각질세포의 과각화

③ 피지의 과다분비, 내분비호르몬의 변화

④ 영양공급의 불균형, 유전적인 요인, 기후 등

3.8.2. 비듬원인균

비듬의 원인 중의 하나인 두피상존 미생물 중에서 피티로스포름 오발레(Pityrosporum ovale)를 일반적으로 비듬원인균이라 한다.

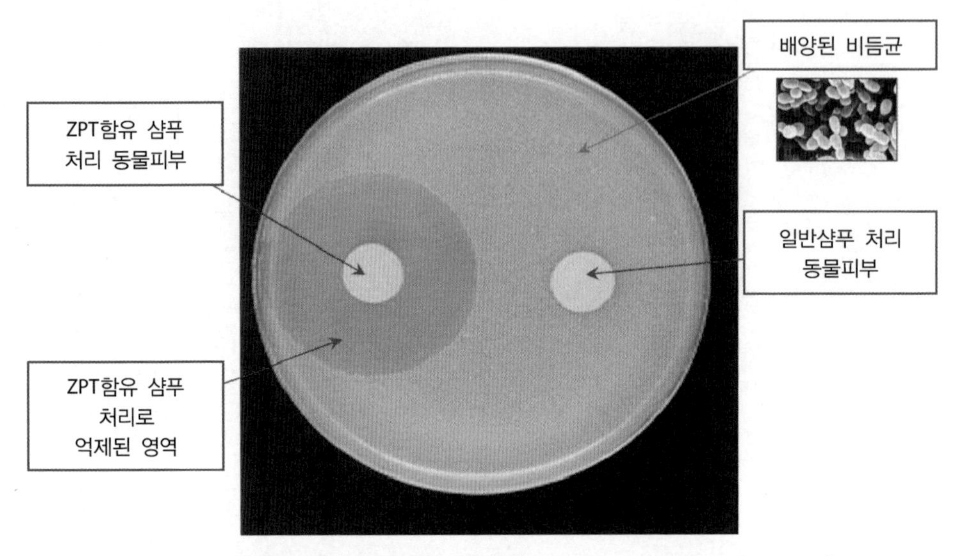

〈그림 3.7.〉 항비듬효과측정법: SDDM(skin disc diffusion method)

비듬원인균인 피티로스포름 오발레는 정상인 두피에서는 두피상재 미생물 중 46%이지만 비듬을 지닌 두피에서는 74%로 과대 증식하여 비듬을 생성한다.

비듬방지 샴푸는 비듬원인균인 피티로스포름 오발레의 증식을 억제할 수 있는 항균제 징크 피리치온(Zinc pyrithione)이나 클림바졸(Climbazole)을 사용하여 비듬을 방지한다.

3.9. 속눈썹

3.9.1. 속눈썹의 주기

속눈썹도 모발이므로 성장과 탈모를 반복한다. 휴지기는 성장기의 거의 2배로 두발에 비해 길다. 여러 자료를 종합하면 속눈썹의 성장기모 비율은 15~40% 전후에 있다고 보면 된다. 그러나 주기는 패널마다의 개인차, 속눈썹마다의 차가 큰 경향이 있다.

〈표 3.1.〉 속눈썹의 생리특성

길이	모주기	성장기 모비율	성장기 기간	성장 속도
6.97±1.18mm	116.8±16.5일	6.8±5.9%	37.6±5.8일	0.182±0.018mm/일

* 일본인, Fragrance J., 2007.05.

일본인 여성의 속눈썹 길이는 7~11mm의 범위에 있지만, 개인차는 1.5배 이상이다. 또 속눈썹의 길이는 동일인에서도 차이가 있어서, 가장 긴 것과 가장 짧은 것의 차가 약 3.5mm로 큰 경우도 있다. 속눈썹이 뻗어나가는 각도가 일본인 등 동아시아인에서는 아래를 향하는 데 비해 백인은 위를 향하고 있다는 보고가 있고, 또 속눈썹의 부착각이 한국인은 119°, 백인은 132°로 인종 간에 유의한 차가 있다는 보고도 있다. 동아시아인의 위 눈꺼풀은 백인에 비해 지방이 많고, 속눈썹의 뿌리 부분이 눈꺼풀에 숨겨지기 쉬운 구조로 되어 있다. 이 때문에 속눈썹의 부착각은 작고, 외관적으로 길이도 짧아 보이는 것으로 생각된다. 또 일본인의 속눈썹 형상은 직모가 가장 많고, 강하게 컬이 된(곱슬) 형상은 보이지 않는다. 이렇게 아래를 향하고 일직선인 속눈썹을 갖는 동아시아 여성에게서, 컬 효과에 대한 니즈가 높게 나오는 경향이 있다고 생각된다.

한국인의 속눈썹 성장 속도는 0.150mm/일, 백인은 0.143mm/일이라는 보고가 있다. 두발의 성장 속도 3.5~4.5mm에 비해, 속눈썹은 두발의 절반 이하의 성장 속도를 갖고 있다고 말할 수 있다. 속눈썹의 길이는 성장 속도가 빠를수록 긴 경향이 있다. 속눈썹 양모제도 개발되어 시판되고 있는데, 성장기의 속눈썹에 작용하여 효과를 내게 된다. 속눈썹에도 피지샘이 있지만 작다.

04 | 계면활성제

4.1. 계면활성제란

계면활성제(Surfactant, surface active agents)란 경계 면에 흡착하여 계면의 성질을 현저히 변화(계면장력 저하 등)시키는 물질을 말한다. 유화, 가용화, 분산, 세정, 습윤, 기포, 대전방지, 살균 등의 목적으로 사용되고 있다. 수천 종이 존재하지만, 그중 가장 안전한 계면활성제가 화장품용으로 사용된다(3~4%). 식품에 사용되는 계면활성제도 화장품에서 자주 사용된다. 즉, 글리세린지방산에스터(모노글리세라이드), 설탕지방산에스터(슈거에스터), 솔비탄지방산에스터(솔비탄에스터), 프로필렌지방산에스터(PG에스터), 레시틴 등은 식품에 사용되는 주된 계면활성제이지만, 화장품에서도 유화제품에 주로 사용되는 계면활성제이다. 요즘 화장품은 전성분 표기를 하고 있고, 식품도 거의 대부분 성분을 표시하고 있어서 비교해 보는 것은 간단하다.

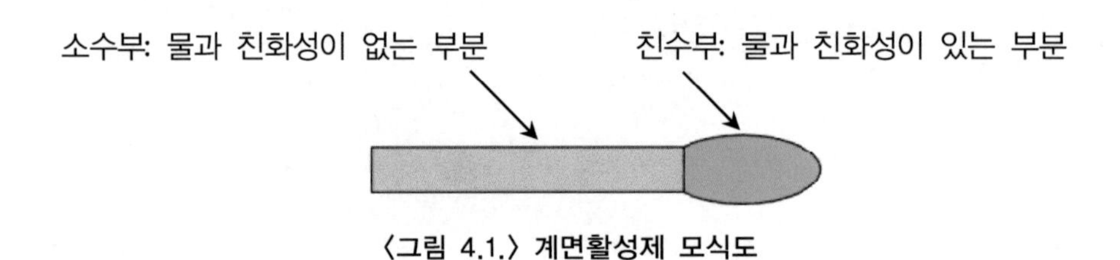

〈그림 4.1.〉 계면활성제 모식도

계면활성제는 분자 내에 물을 좋아하는 친수성 부분(친수기)과 물을 싫어하는 친유성 부분(친유기 또는 소수기)을 가지고 있어서, 표면 또는 계면에 모이기 쉽고, 소량으로도 표면 또는 계면의 성질을 변화시킬 수 있는 물질이다. 화장품에서 계면활성제는 피부에 좋을 건 없고 나쁠 수도 있지만 제형, 즉 가용화・유화제품을 만드는 데 있어서 없어서는 안 되기 때문에 어쩔 수 없이 사용하는 물질이다. 따라서 이상적인 화장품개발은 무계면활성제 시스템(surfactant free)으로 만드는 것이지만 아직 과학기술적으로 해결되지 못하고 있고, 화장품용 계면활성제가 또 그렇게 유해하진 않다.

계면활성제를 분류하는 방법으로 가장 많이 사용되는 것은 이온성으로 분류하는 방법이다. 계면활성제를 물에 녹였을 때(용해) 전리하여 이온으로 되는지(이온성), 되지 않는지(비이온성)를 기준으로 한다. 또 물에 녹아 생성되는 이온의 종류에 따라 음이온성계면활성제, 양이온성계면활성제, 비이온성계면활성제, 양성계면활성제로 분류한다. 비이온성계면활성제는 친수부가 수산기(-OH) 또는 산화에틸렌축합물(-[-OCH_2CH_2-]$_n$-)과 같은 이온화되지 않고 물에 녹기 쉬운 원자단으로 구성된다. 양성계면활성제는 문자 그대로 한 분자 내에 양이온과 음이온 두 성질을 갖는 것이다.

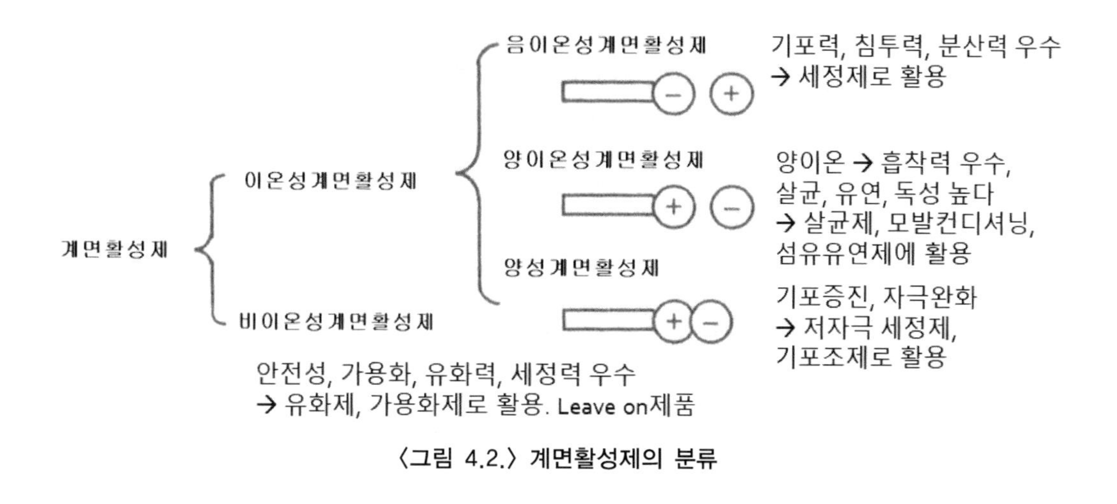

〈그림 4.2.〉 계면활성제의 분류

음이온성계면활성제는 일반적으로 세정력이 높아 세정제로 쓰이고, 양이온성계면활성제는 양이온 특성상 젖은 모발과 젖은 섬유가 음이온을 띠므로 흡착이 잘되는 성질을 이용하여 컨디셔너(정전기 방지)로 사용하고, 또 양이온의 중요한 특징인 살균능력을 이용하여 살균제로 쓰인다. 양성계면활성제는 단독 사용일 경우 마일드한 세정제로 쓰이거나, 음이온성계면활성제와 함께 사용되어 거품증진제로 사용되는데, 천연 양성계면활성제인 레시틴의 경우 베지클 제조용・천연유화제로 사용된다. 비이온성계면활성제는 상대적으로 이온성계면활성제보다 피부안전성이 우수하여 기초화장품에 주 계면활성제로 사용된다.

계면활성제라는 용어는 일반명이다. 계면활성제는 용도에 따라 별도의 이름을 갖는다. 물과 오일을 섞는 유화 목적으로 사용되면 유화제(emulsifier), 향을 물에 녹이는 데 사용되면 가용화제(solubilizer), 세정 목적으로 사용되면 세정제(detergent)이다. (식품 회사에서는 계면활성제를 사용하면서 계면활성제라고 표현할까요? 아이스크림 만드는 데 꼭 필요한데)

4.2. 계면활성제의 성질

계면활성제는 공통적으로 화학구조상에 물에 대하여 친화성을 나타내는 친수기(hydrophilic group)와 물에 대하여 친화성을 나타내지 않는 소수기(hydrophobic group)를 가지고 있다. 소수기는 일반적으로 오일에 대하여 친화성을 나타내므로 친유기(lipophilic group, 탄화수소기)지만, 친유성도 적은 플루오로카본기나 실리콘기인 것도 있다. 계면활성제는 친수기와 친유기를 갖고 있기 때문에 어느 한쪽이 더 강하게 되면, 계면활성제 전체적으로 봤을 때 친수성이 되든가, 친유성이 될 수 있다. 이것은 친수기와 친유기의 성질의 상대적 강도(hydrophilic-lipophilic balance, HLB)에 따라 결정된다.

① 친수기들의 친수성 세기 순서
$-OSO_3^-Na^+$, $-SO_3^-Na^+$, $-NH_4^+Cl^-$ > $-OPO_3^-Na^+$, $-COO^-Na^+$ > $-OH$, $-O-$

이온은 강한 친수성을 나타낸다. 계면활성제 내에 이온이 없으면 친수성이 약한 수산기(-OH)나 이써기(-O-)를 다량 가지고 있으면 친수성을 높일 수 있다.

② 소수기들의 소수성 세기 순서
불소화 탄화수소 > polysiloxane기(silicone) > 지방족탄화수소기(lauryl기, oleyl기) > 지방족측쇄, 방향족 탄화수소기(dodecyl benzene, nonyl phenol) > 소수기 속에 약친수기 결합형

우리가 흔히 알고 있는 물과 상극인 오일은 지방족탄화수소기에 해당하는데, 오일보다 더 물을 싫어하는 것으로 실리콘과 불소화 탄화수소가 있다. 실리콘은 강한 소수성과 실키한 사용성이 있어서 선스크린에 많이 사용되고 있고, 탄화수소의 수소(H)가 불소(F)로 치환된 불소화탄화수소는 물을 싫어하고 오일도 싫어하여 땀(물)과 피지(오일)에 강한 메이크업 제품을

만드는 데 활용된다.

Griffin 등은 많은 유화실험을 거쳐 각종 계면활성제의 친수·친유 정도를 조사하고, 그것을 수치화하여 각 계면활성제의 HLB값(HLB number 또는 value)을 구하였다. HLB값을 계면활성제의 화학구조로부터 계산하는 방법도 제안하였다. 그 후 J. T. Davis는 계면활성제 분자를 단위의 화학기로 분해하고, 그 각각의 고윳값(기수)을 정하고 이것을 다음 식과 같이 합계하여 구하는 방법을 고안하였다.

$$HLB\text{값} = \sum(\text{친수기의 기수}) + \sum(\text{친유기의 기수}) + 7$$

〈표 4.1.〉 친수기·친유기 기수

친수기 기수		친유기 기수	
$-SO_3Na$	38.7	$-CH_2-$	-0.475
-COOK	21.1	$-CH_3$	-0.475
-COONa	19.1	=CH-	-0.475
N 4급아민	9.4	기타	
에스터 솔비탄	6.8	$-(CH_2CH_2O)-$	0.33
에스터	2.4	$-(CH_2CH(CH_3))-$	-0.15
-COOH	2.1		
-OH	1.9		
-O-	1.3		
-OH 솔비탄	0.5		

가와우에는 비이온성계면활성제의 HLB값을 그 분자구조로부터 구하는 방법으로서 다음 식을 제안하였다.

$$HLB\text{값} = 7 + 11.7\log\frac{M_w}{M_o}$$

여기서 M_w는 친수기의 분자량, M_o는 친유기의 분자량이다.

〈표 4.2.〉 계면활성제의 HLB값과 용도

친수성/친유성 비율	HLB값	수용액에서 거동	주요 용도
0/100	0		1~3 소포제
10/90	2	1~4 비분산	
20/80	4	3~6 약간 분산	4~6 W/O유화제
30/70	6		
40/60	8		7~9 습윤제
50/50	10	6~8 교반하면 분산	8~18 O/W유화제
60/40	12	8~10 안정적 분산	
70/30	14	10~14 투명분산	13~15 세정제
80/20	16	14~ 투명용액	
90/10	18		16~18 가용화제
100/0	20		

* ICI Americas Inc.: The HLB System: A Time-saving Guide to Emulsifier Selection, ICI Americas, Incorporated(1984).

Polyethylene glycol형 비이온성계면활성제는 HLB=E/5(E는 polyethylene glycol의 질량%)로 계산한다. 다가알코올형 비이온성계면활성제는 HLB=20(1-S/A)로 계산한다. 이온성계면활성제의 HLB값은 정해진 계산식은 없고 여러 표준 oil에 대해 emulsifying test를 통해 실험적으로 결정한다.

계면활성제의 HLB가 낮을수록 계면장력을 떨어뜨리는 데 효과적이다. 즉, 계면에 계면활성제가 빽빽이 들어설수록 계면장력을 낮춘다.

HLB 3 이상이면 물에 분산이 가능하고 HLB 10 이상이면 물에 용해한다.

4.3. 수용액 중에서 계면활성제의 거동

모든 표면·계면에는 에너지가 존재한다. 예를 들어 물의 표면장력(표면에너지)은 72dyne/cm이다. 계면활성제의 농도를 높여 나가면 표면장력은 특정 농도에 도달할 때까지 계속 내려가지만, 특정 농도 이상이 되면 거의 일정하게 된다. 그 이유는 다음과 같다.

계면활성제를 물에 녹이면 처음에는 물속에서 자유롭게 돌아다니거나, 표면에 흡착한다. 표면에 흡착할 때는 물을 좋아하는 부위가 물을 향하고 물을 싫어하는 부위가 공기를 향한다. 계면활성제의 농도를 점점 높이면 물속의 계면활성제의 농도가 높아지고 또 표면의 계면활성제 층도 치밀해진다. 더 이상 물에도 녹을 수 없고, 표면에도 들어갈 틈이 없게 되는 농도에 도달했을 때 계면활성제를 더 넣어준다면 어떻게 될 것인가? 일반적인 경우에서는 용해도에

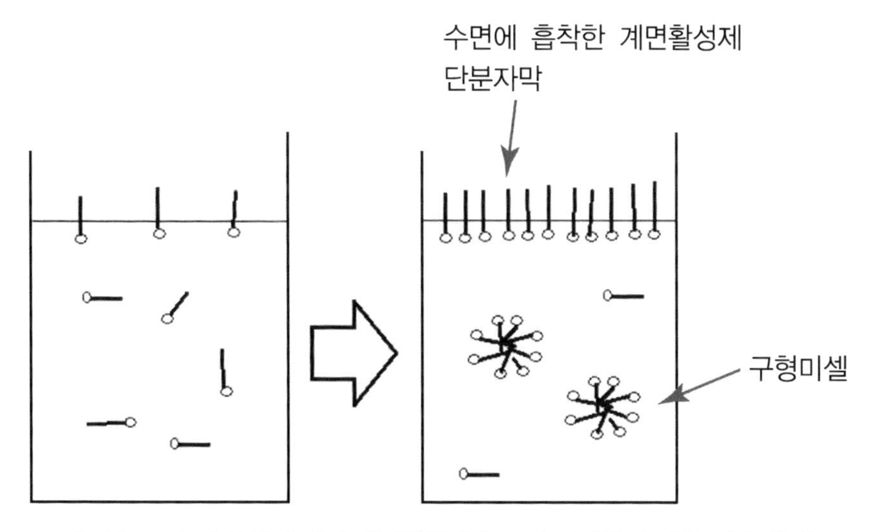

〈그림 4.3.〉 수용액 속에서 계면활성제 농도가 증가함에 따른 미셀 형성

해당하여 더 이상 녹지 못하고 덩어리로 분리되어 있을 것이다. 그러나 계면활성제는 물속에서 물을 좋아하는 부위를 물 쪽으로 향하게 하고 물을 싫어하는 부위를 안쪽으로 모아 구(축구공 모양) 형태로 집합체를 이뤄 물에서 계속 녹아 있을 수 있다. 이런 현상은 물에 녹는 단백질의 양상과 일치한다. 물에 녹는 구형 단백질도 구성 아미노산의 친수성 곁사슬을 물 쪽으로 향하게 하고 친유성 곁사슬을 안쪽으로 모아 물에 녹을 수 있게 한다.

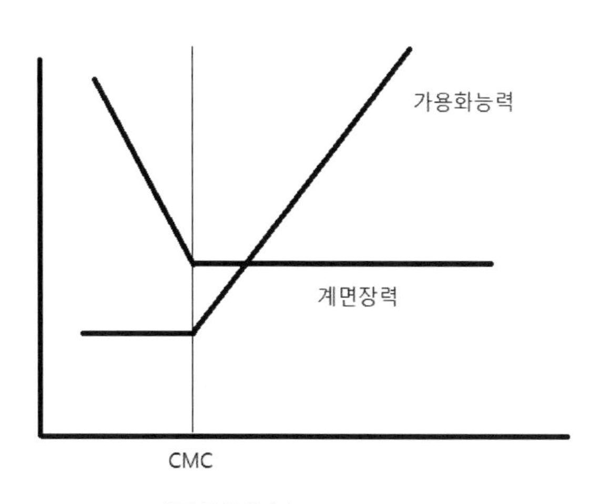

〈그림 4.4.〉 cmc 전후에서 물리적 변수의 변화

이 계면활성제 집합체를 미셀(micelle)이라고 하고, 미셀이 생기는 최소농도를 임계미셀농도(critical micelle concentration, cmc)라 한다. cmc 이상으로 계면활성제를 넣어주면 미셀의 수와 미셀 하나당 참여하는 계면활성제의 수를 증가시키지만, 표면에는 계면활성제가 더 이상 들어갈 수 없으므로 표면장력의 저하는 일어나지 않는다. 즉 표면장력이 일정하게 되는 최소농도를 측정하여 cmc를 구할 수 있다. 일반적으로 제품에서 계면활성제를 사용하는 경우, cmc 이상의 농도에서 사용한다.

계면활성제는 농도 증가에 따라 미셀, 베지클, 액정 등 수용액 중에 여러 분자집합체를 형성한다. 액정(liquid crystal)이란 mesophase로서 결정과 액체의 중간적 상태(액정은 액체의 액, 결정의 정으로 만든 용어)이다. 결정만큼 분자배열이 규칙적이진 않지만, 액체만큼 불규칙적이지 않은 상태이다. 일반적으로 고체와 액체의 중간적 유동성을 띤다. 크게 두 가지로 분류할 수 있다

① thermotropic 액정: 결정격자를 부분적으로 열로 파괴한 것(온도가 변함에 따라 액정이 변형됨)이다.
② lyotropic 액정: 용매로 파괴한 것(농도에 따라 액정이 변형됨)이라고 할 수 있다. 계면활성제회합체는 일반적으로 계면활성제가 물에 고농도로 녹아 있을 때 만들어진다. 액정으로서 회합체는 무한히 성장하는 것으로 여겨진다. 액정 중 라멜라상(lamellar phase 혹은 neat phase)이란 회합체가 층상으로 충진된 것이다.

계면활성제의 농도에 따른 미셀형상 변화는 학문적 관점에서 흥미가 있지만, 실제품에서는 별 관심이 없다. 오히려 계면활성제의 농도에 따른 점도의 변화는 실제품 생산에 큰 영향을 준다. 계면활성제의 농도 증가에 따라 구형 미셀 → 실린더형 미셀로 형상 변화가 일어나고 결과적으로 점도의 변화를 크게 준다. 즉, 처음에는 계면활성제의 농도 증가에 따라 구형 미셀의 수가 증가하고, 또 미셀당 참여한 계면활성제 수가 증가(미셀 크기 증가)하여 점도의 상승이 이어지지만, 계면활성제의 농도가 더 높아지면 구형 미셀이 실린더형으로 바뀌면서 미셀 상호 간의 인력이 적어져 점도의 급격한 하락이 일어난다(International Journal of Cosmetic Science, 1, 71~90, 1979).

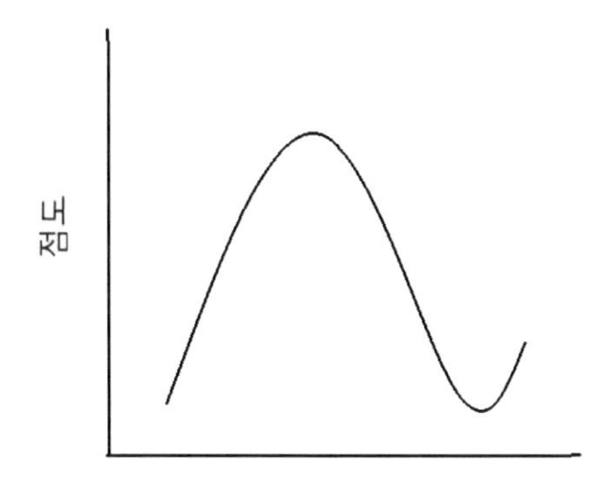

〈그림 4.5.〉 계면활성제(or salt) 농도에 따른 점도 변화

실제 세정제품에서 계면활성제는 10~20% 사이로 처방되는데, 이 농도는 구형 미셀 형성 구간이므로 제품의 점도가 낮게 나오면 계면활성제를 더 첨가하여 점도를 높일 수 있음을 알 수 있다. 계면활성제 투입보다 훨씬 저렴하게 같은 효과를 줄 수 있는 방법은 소금(salt)을 투입하는 것이다. 소금의 투입은 물속에 자유롭게 녹아 있는 계면활성제를 석출시켜 미셀에 들어가게 하거나 새로운 미셀을 만들게 하여(salting out) 계면활성제를 추가하는 것과 똑같은 효과를 낸다.

**** 화장품을 점증시키는 방법 4가지**

① 계면활성제 추가 투입 또는 salt 투입
- 대상: 샴푸 같은 계면활성제 고농도 수용액
- 계면활성제(salt) 추가 투입으로 구형 미셀의 개수 및 크기 증가로 점증
- 추가 도중 미셀이 실린더 형태로 바뀌게 되면 오히려 점강됨을 주의
- 약간 점도를 낮출 경우는 폴리올이나 에탄올을 첨가

② 폴리머 점증
- 대상: 젤이나 수분크림
- 폴리머의 농도 증가로 점도가 증가
- 이 경우에는 salt를 집어넣으면 폴리머의 석출로 인해 급격히 점도가 떨어짐

③ 왁스 점증
- 대상: 로션, 크림제형, 폼클렌저
- 폴리머의 도움도 일정 부분 받지만 왁스가 주된 점증 요인

- 상온에서 딱딱한 고체인 왁스(고급알코올 등)가 계 전체의 경도를 올리게 됨

④ 내상의 증가
- 오일(외상) 속에 물방울(내상)을 많이 집어넣으면 넣을수록 점도 증가(W/O 유화)
- 선크림의 점도 증가에 크게 기여하는 것은 내상의 증가

4.4. 구름점과 크래프트점

구름점(cloud point)은 비이온성계면활성제가 실온에서 물에 깨끗하게 녹아 있다가 온도를 올려 일정 온도에서 갑자기 석출되어 뿌옇게 되는 온도를 말한다. 폴리에틸렌글리콜(PEG, $-(OCH_2CH_2)_n-$)을 친수기로 갖는 계면활성제에서 주로 나타나는 현상으로서, 온도 상승에 의해 분자운동이 활발해져 폴리에틸렌글리콜의 이써 산소와 물과의 수소결합이 절단되게 되어, 물에 대한 용해성이 저하되고 석출된다. 이것을 학문적으로 표현하면 구름점에서는 계면활성제의 회합수가 무한히 커지고 계면활성제 고농도상과 희박상으로 상분리가 일어난다. HLB와 밀접한 상관관계를 나타내므로 비이온성계면활성제의 품질관리 지표로 이용된다.

크래프트점(krafft point)은 이온성계면활성제가 실온에서 물에 깨끗하게 녹아 있다가 어느 온도 이하에서 물에 대한 용해도가 급격히 떨어져 석출되는 온도를 말한다. 간단히 말하면 물 속에서 계면활성제수화결정의 융점이다. 이 온도를 넘으면 계면활성제수화결정이 용해하여 미셀을 형성하고, 급격히 물에 용해된다. 그러므로 수화결정의 융점이 낮은 계면활성제의 크래프트점은 낮아진다.

〈표 4.3.〉 Krafft temperature

종류	크래프트점(℃)
$C_{12}H_{25}SO_4Na$	16
$C_{14}H_{29}SO_4Na$	30
$C_{16}H_{33}SO_4Na$	45
$C_{18}H_{37}SO_4Na$	56
$C_{16}H_{33}(OCH_2CH_2)_3SO_4Na$	19
$C_{18}H_{37}(OCH_2CH_2)_3SO_4Na$	32

* 신화장품학, p.236.

향을 가용화한 비누의 예를 들면, 크래프트점 이하가 되면 계면활성제가 석출되어 향과 함께 물 위로 떠오르게 되고, 크래프트점 이상으로 다시 온도가 올라가면 비누는 물에 용해하지만 향은 석출된 상태로 남게 된다. 그리고 흔들어주고 시간이 지나면 다시 향이 깨끗하게 가용화된다.

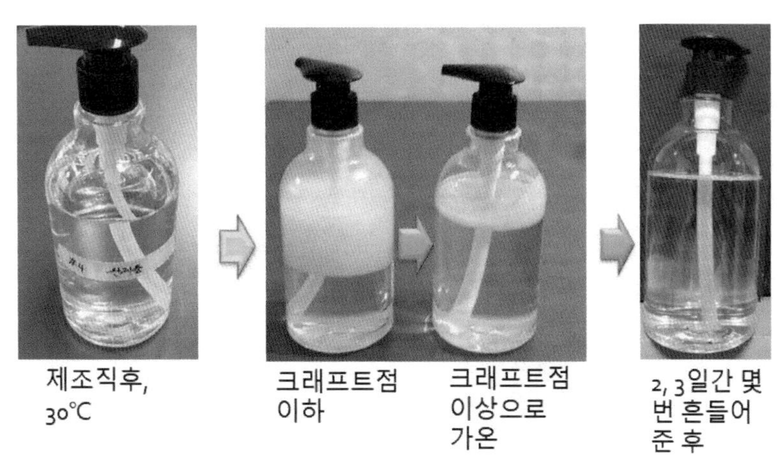

〈그림 4.6.〉 크래프트 포인트 전후의 양상

4.5. 계면활성제의 종류

4.5.1. 음이온성계면활성제

1950년대까지 주된 유화제였다. 현재는 세정제로 주로 사용한다. ABS수지 등을 만드는 과정, 즉 유화중합 시에도 사용한다.

4.5.1.1. 비누(Soaps, $RCOO^-M^+$)

비누는 오일(트리아실글리세롤)의 지방산을 염기로 중화시켜 만든다. 중화시키는 대이온에 따라 비누의 물성은 크게 달라진다.

예로써, 탄소수 12개짜리 지방산을 NaOH로 중화하면 $CH_3(CH_2)_{10}COO^-Na^+$가 생성된다. 물을 싫어하는 부위는 탄소와 수소로 구성된 탄화수소($CH_3(CH_2)_{10}$) 부위이고 물을 좋아하는 부위는 음이온(COO^-) 부위이다.

① **NaOH로 중화된 비누**는 물에 용해성이 좋지 않다. 매우 hard하여, stick 제품(탈취제, 코롱)에서 geling agent나 점증제로 사용한다. 흔히 보는 막대형 비누제조에 주로 사용된다.

② **KOH로 중화된 비누**는 딱딱하지 않은 페이스트상이고, 광택이 있다. 물에 용해성이 좋고 부드러우며, 거품생성도 좋아서 클렌징폼에 주로 사용된다.

③ **Organic bases**(ethanol or isopropanol amine, $CH_3CH(OH)CH_2NH_2$)로 중화한 비누는 고광택, 고안정성 soft 크림형상이 된다. 변색이 잘 생긴다.

④ **Triethanolamine**(TEA, $N(CH_2CH_2OH)_3$)으로 중화한 비누는 광택이 우수한 소프트한 크림타입이 된다. L-알기닌 NH: $C(NH_2)NH(CH_2)_3CH(NH_2)COOH$ 등 염기성 아미노산도 중화제로서 사용된다.

⑤ **Polyvalent로 중화**(Ca^{2+}, Mg^{2+}, zinc, aluminum)된 비누는 물에 용해성이 거의 없다. O/W 유화제로는 쓰이지 않지만, W/O 유화제로는 사용된다. face & body 파우더에서 metallic stearates는 피부에 부착력이 좋아 오랫동안 water proof film을 지속한다.

지방산은 C12~C22의 포화지방산이 대부분을 차지하고, 일부 불포화지방산(올레산)도 사용된다. 일반적으로 지방산의 탄소수가 증가하면 비누의 용해도는 감소한다. 탄소수가 적은 지방산(C10~C12)은 물에 잘 녹고 기포가 잘 생기기 때문에 세안크림, 세이빙크림에 사용된다.

〈표 4.4.〉 나트륨 비누의 기포력과 알킬기와의 관계
(Ross&Miles법, 0.25%, 35℃)

나트륨 비누	기포 높이(mm)	
	기포생성 직후	5분 후
카프린산나트륨	0	0
라우린산나트륨	217	208
미리스틴산나트륨	350	350
팔미틴산나트륨	37	32
스테아린산나트륨	25	21
올레산나트륨	268	269

중화 시 지방산을 중화하고도 염기가 남는다면 비누는 알칼리성이 높아져 다른 성분의 가수분해를 촉진하고 피부 자극을 유발할 수 있다. 반대로 염기가 부족하여 지방산 일부가 그대

로 존재한다면 비누는 뒷감이 greasy하지 않고 matte한 감을 남기고 메이크업이 잘 붙도록 하고 유화입자 주위에 액정을 이뤄 외관이 매우 보기 좋은 진주 광택을 내게 한다.

비누의 태생적 단점은 pH가 알칼리성이라는 것이다. 아무리 "천연비누"라는 미사어구로 치장을 해도 pH에 변화를 줄 수 없다. pH는 지방산 및 알칼리의 종류에 따라 약간 다르다. 일반적으로 pH가 8 이상이 아니면 피부에 대한 자극이 없고, 장시간 도포 시 조직에 해가 없다고 여겨지지만 비누는 그 이상이다.

〈표 4.5.〉 지방산 비누의 pH(2.5%)

비누	pH
스테아린산나트륨	9.90
올레산모노에탄올아민	9.45
야자유칼륨	9.40
스테아린산트리에탄올아민	8.87
올레산트리에탄올아민	8.80
야자유트리에탄올아민	8.30

4.5.1.2. sodium lauryl sulfate(SLS, $CH_3(CH_2)_{11}OSO_3Na$)

라우릴알코올(C12)을 황산화 한 후 알칼리(NaOH)로 중화한 것이다. SLS의 lauryl은 탄소수가 12개란 뜻의 관용명인데 계통명으로는 dodecyl이므로, sodium dodecyl sulfate(SDS)라고 표기하기도 한다. 라우릴알코올은 알킬기가 짧아 저온에서 물에 잘 녹고 기포생성이 좋으며 세정작용이 양호하여 샴푸기제와 치약의 발포제로써 사용된다. Ammonium lauryl sulfate(ALS)는 NaOH 대신에 NH_4OH로 중화한 것이다.

SLS의 최대 단점은 Krafft point가 겨울철에 처해질 수 있는 16℃이어서, 투명제형이면서 투명용기인 제품에 사용할 경우, 여름에는 투명한데 겨울에는 뿌옇게 석출되는 현상이 나타날 수 있다.

라우릴알코올의 폴리옥시에틸렌유도체를 황산화 한 후 알칼리로 중화한 sodium laureth-3 sulfate(SLES, $CH_3(CH_2)_{11}(OCH_2CH_2)_nOSO_3Na$ n=3)는 SLS에 비해 크래프트 포인트(krafft point)가 낮아서 저온에서 석출되는 현상이 없다. 따라서 투명제형이면서 투명용기인 세정제품의 주요 계면활성제로 사용된다. 사용 후 모발에 비교적 촉촉한 사용성을 남긴다.

4.5.1.3. 디소듐라우레스설포석시네이트/Disodium Laureth Sulfosuccinate

SLS, SLES보다 마일드한 콘셉트로 세정제에 들어간다.

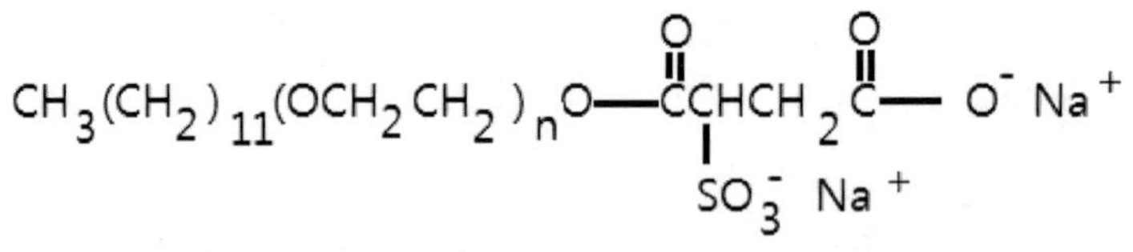

$$CH_3(CH_2)_{11}(OCH_2CH_2)_nO-\overset{O}{\overset{\|}{C}}\underset{SO_3^- \ Na^+}{\underset{|}{C}}HCH_2\overset{O}{\overset{\|}{C}}-O^- Na^+$$

디소듐라우레스설포석시네이트(Disodium Laureth Sulfosuccinate)

4.5.1.4. 세정제의 생분해

보통 비누의 음이온들은 토양과 하수처리장의 박테리아들에 의해 파괴된다. 다시 말해 생물학적 유기체(박테리아)에 의해 분해(이온들을 대사)된다. 비누를 대체할 목적의 합성세제 중 친유 사슬에 알킬 가지를 갖는 세제는 박테리아가 분해하지 못한다. 곧은 사슬이 가장 생분해성이 높다.

4.5.2. 양이온성계면활성제(cationic surfactants)

친수성 부위가 양이온을 띠는 계면활성제이다. 아민염형과 4급암모늄염형 두 가지로 크게 구별한다. 화장품에서는 주로 4급암모늄염형이 사용된다.

4.5.2.1. 알킬암모늄염

Behentrimonium Chloride는 린스에 많이 사용되는 헤어컨디셔너이다.

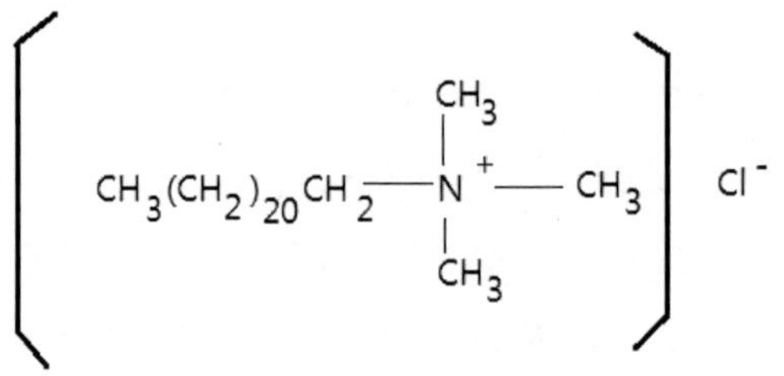

$$\left[CH_3(CH_2)_{20}CH_2-\overset{CH_3}{\overset{|}{\underset{CH_3}{\underset{|}{N^+}}}}-CH_3 \right] Cl^-$$

Behentrimonium Chloride

4.5.2.2. 벤잘코늄염

벤잘코늄염은 양이온을 띠고 있어서 음전하를 띠는 단백질표면(모발)에 흡착할 수 있다. 알킬기도 클수록 흡착성이 커진다(C14 이상부터 급격히 증가, C16~C18 최고). 즉, 모발 케라틴의 등전점(pH 5.0) 이상에서 모발은 음전하를 띠므로, 양이온성 계면활성제가 모발에 잘 흡착하고 계면활성제의 알킬기 부분은 모발 위에서 린스효과를 준다. 양이온은 또 대전방지 효과도 낸다.

린스 성분으로써 모발에 흡착한 양이온성계면활성제는 세발 시 알킬기가 클수록 잘 안 떨어진다. 2~3회 물로 세척하면 C18인 계면활성제는 20~22% 제거되고, C12인 계면활성제는 30~40% 제거된다. 모발에 결합하면 친유부가 윤활성을 내는 특성으로 인해 헤어린스, 헤어토닉, 데오도런트 등에 사용된다.

같은 이치로 양이온성계면활성제는 섬유린스로 작용할 수 있다. Lauryldimethylbenzylammonium chloride는 물에 불용이며 섬유유연제의 주원료가 된다. 섬유유연제는 표면장력을 낮추는 능력은 낮고 친유성이 강하다.

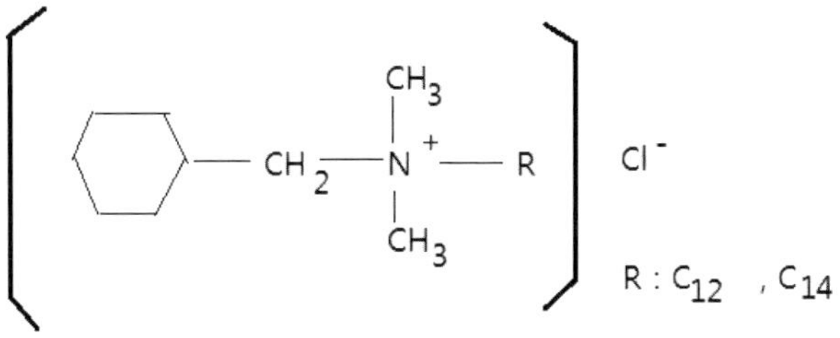

$$\left[\bigcirc - CH_2 - \overset{CH_3}{\underset{CH_3}{N^+}} - R \right] Cl^-$$

$R : C_{12}\ , C_{14}$

Lauryldimethylbenzylammonium chloride

양이온성계면활성제는 그람양성(Gram Positive)균에 상당한 살균효과가 있고, 그람음성(Gram Negative)균, 박테리아드에도 유효하다. Alkyl pyridium염 중 C16 알킬기가 가장 강력하고, Benzalconium염 중에서는 C14가 가장 강력하다. 일반적으로 C12~C16이 최대, C10 이하와 C18 이상에서 저하한다. 특히 염화벤잘코늄과 염화벤제토늄은 살균성이 강하기 때문에 살균, 소독제로 사용된다. 살균력이 강한 만큼 피부에도 나쁜 영향을 준다. 샴푸나 린스처럼 사용 후 바로 물로 씻어내는 타입이 아니고 그대로 두는 제품이라면 사용한도로 규제한다. pH 4 이하에서 살균력이 저하하고, 중성 또는 알칼리 환경에서 살균성이 향상한다. 온도는 높을수록 좋다(겨울철 주의).

4.5.2.3. 3급 아마이드아민

4급암모늄염에 비해 마일드한 컨디셔너이다.

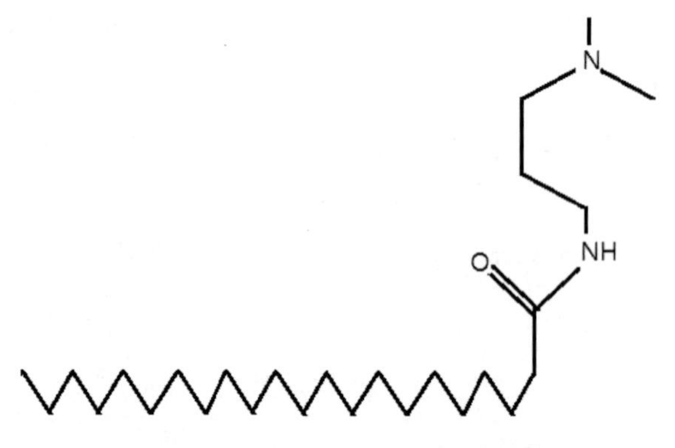

Behenamidopropyl dimethylamine

**** 2015년 7월 1일부터 아기 물티슈를 비롯한 각종 인체세정용 물티슈는 화장품법 적용**

물티슈에 방부제로 쓰이고 있던 세틸피리디늄클로라이드(CPC) 성분은 영유아 물티슈에 사용 불가. 이 당시 식약처 '화장품 안전기준 등에 관한 규정'에 의하면 CPC는 살균 · 보존제로의 사용은 금지됐지만, 이를 원료의 배합제로 사용하는 것에 대해서는 제재를 할 수 있는 기준이 없었다. 그러나 CPC 성분은 미국과 유럽 등의 경우 안전성이 검증돼 용도에 구애받지 않고 널리 사용되고 있었다.

CPC는 구조상 친수부(양이온 N^+)와 친유부(탄화수소)를 갖는 양이온성계면활성제이다.

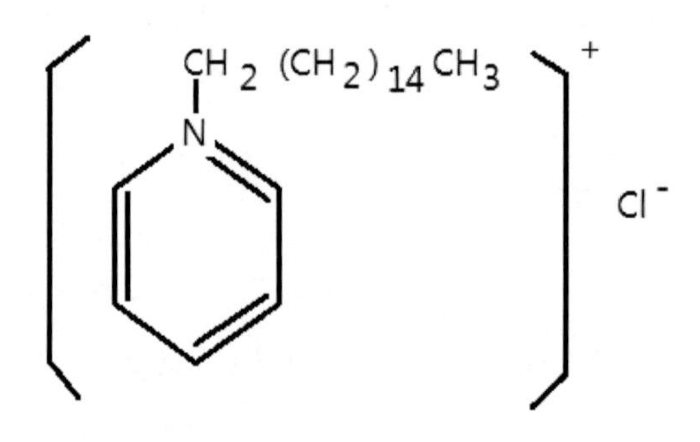

(CPC) Cetylpyridinium Chloride

4.5.3. 양성계면활성제

한 분자 중에 음이온활성기($-COO^-$)와 양이온활성기($-NH_2^+$) 둘 다 가진다. 산 환경에서는 주위에 H^+가 많아 $-COO^-$가 COOH가 되므로 음이온활성은 없어지고 양이온활성만 남고, 알칼리 환경에서는 주위에 OH^-가 많아 $-NH_2^+$에서 H^+를 빼앗기고 -NH로 되어 양이온활성이 없어짐으로써 음이온활성만 나타낸다. 양성계면활성제는 주로 세정성과 살균성을 겸비한다. 화장품에 주로 사용되는 것은 베타인형, 합성 이미다졸린 유도체이고 그 외에 천연의 레시틴이 오래전부터 사용되어 왔다. 레시틴은 인산에스터형의 음이온활성기와 4급암모늄염의 양이온활성기를 가진다.

일반적으로 음이온성계면활성제보다 피부 자극성이 낮아 단독 사용 시 저자극 세정제의 기제로 사용되고, 음이온성계면활성제와 병용 시에는 세정력은 음이온성계면활성제가 역할을 하므로 점도를 올리고, 큰 기포를 만들고 속포성(거품을 신속히 만들어내는 성질)을 높이는 역할을 한다.

4.5.3.1. 베타인형

베타인형은 실제 사용되고 있는 것 중에서 가장 간단한 구조이다. 4급암모늄염 양이온부와 카본산염형의 음이온부로 구성된다. 물에 투명하게 녹고, 기포성, 세정성이 우수하다. 베타인형은 산성~알칼리성 환경에서도 물에 잘 녹고, 등전점(음이온 양이온이 동시에 존재하는 pH)에서도 침전의 우려가 없어 넓은 pH 영역에서 사용이 가능하다.

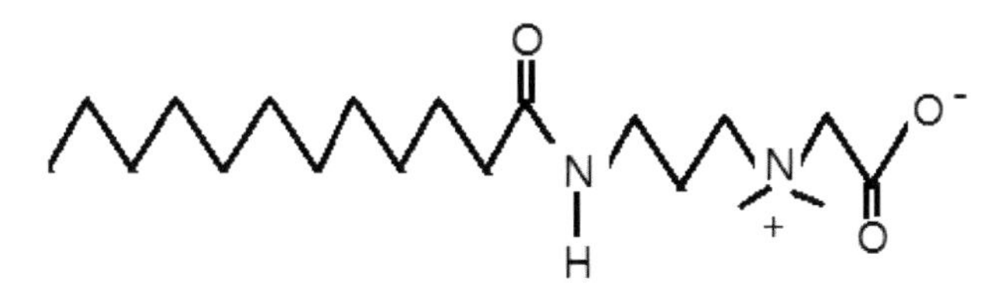

Cocamidopropyl betaine

여기서 coc-는 coconut 유래 지방산임을 의미한다.

$$\begin{array}{l} \qquad\qquad\qquad\qquad\quad CH_2CH_2O\ CH_2COONa \\ \quad O \qquad\qquad\qquad\quad | \\ \quad \| \\ RC-NH-CH_2CH_2-N-CH_2\ COONa \end{array}$$

Disodium cocoamphodiacetate, R=Coco(즉, 코코넛 유래의 alkyl)

4.5.3.2. 이미다졸린형

독성, 피부 자극 또는 눈점막 자극이 거의 없어서 안전성이 높다. 베이비샴푸에 사용된다.

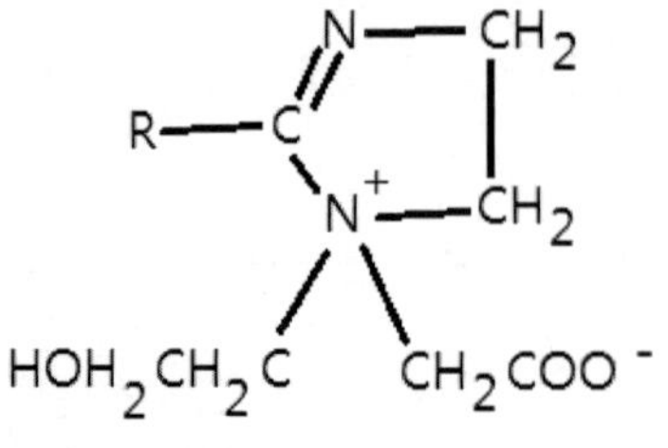

이미다졸린형 양성계면활성제, R은 탄화수소

4.5.3.3. 레시틴(lecithin)

레시틴(글리세린 인산을 함유하는 인지질의 하나)의 어원은 그리스어의 난황(lekithos)이다. 산업계에서 사용되고 있는 유일한 천연계면활성제라 할 수 있고, 대두(콩)유, 난황(계란 노른자)유의 인지질 중에 함유되어 있다. 즉, 대두레시틴은 대두유 정제 시의 부산물이고, 난황레시틴은 난황 중에 약 30% 함유되어 있는 인지질을 분리한 것이다. 인지질은 인체의 세포막의 주성분이기도 하다. 소수기를 2개 가지고 있어서 친유성이 강해 물에 녹지 않는다. pH에 따라 + 또는 - 전하를 가질 수 있는데, 등전점은 6.7이다. 즉, pH 6.7 이하에서 + 전하를 띠고 그 이상에서 - 전하를 띤다. 대두레시틴은 단일화합물이 아니고, 포스퍼티딜콜린(phosphatidyl choline) 35%, 포스퍼티딜에탄올아민(phosphatidyl ethanolamine) 28.5%, 포스퍼티딜이노시톨(Phosphatidyl inositol) 18% 등의 혼합물이다. 예부터 화장품원료로 이용되었는데, 주로 안료의 분산효과, 헤어토닉의 양모효과 및 유화제로써 이용되었다.

대두레시틴의 HLB는 7~8 정도로 낮다. 이것을 수산화(-OH) 한 수산화레시틴은 HLB가 10~11로서 친수성유화제로써 기능이 우수하다. 사용성이 소프트하고, 비이온성계면활성제와 달리 끈적임이 거의 없다. 반면, 경시적 착색 등 불안정한 점이 있다. 난황레시틴은 대두레시틴에 비해 포스퍼티딜콜린이 많아(73~84%) O/W형 유화제로 적합하다.

레시틴을 수중에 분산하면 지질2분자층이 형성되고, 내부에 수상을 포함하는 폐쇄형의 리포솜이 생긴다. 리포솜의 안쪽 막 지질로서 포스퍼티딜콜린이 효과적이므로 난황레시틴이 적합하다.

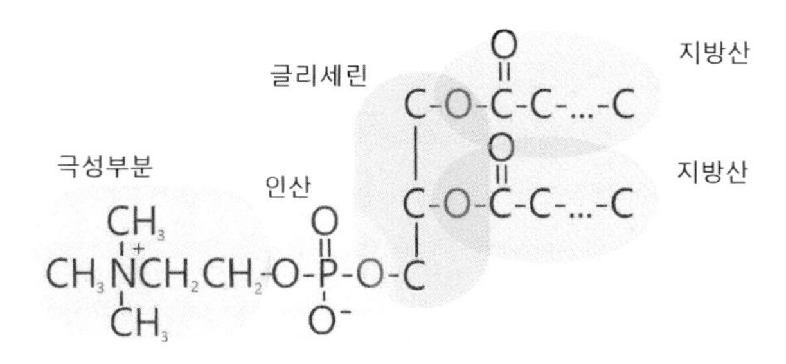

포스퍼티딜콜린

포스퍼티딜콜린의 구조는 오일과 일부 닮았다.
오일의 구조는 글리세린에 세 개의 지방산이 결합되어 있다.

그 외의 레시틴으로 Lysolecithin은 지방산 2개 중 1개가 제거되어 친수성이 향상된 원료이다.

4.5.4. 리포솜(liposome)

인지질 또는 특정 당지질을 주 구성성분으로 형성되는 2분자막을 갖는 지질소포체(작은 주머니)를 말한다. 1964년, Bangham이 발견한 이후 생체막모델로서, 또 최근에는 약물수송체로서 연구가 진행되고 있다.

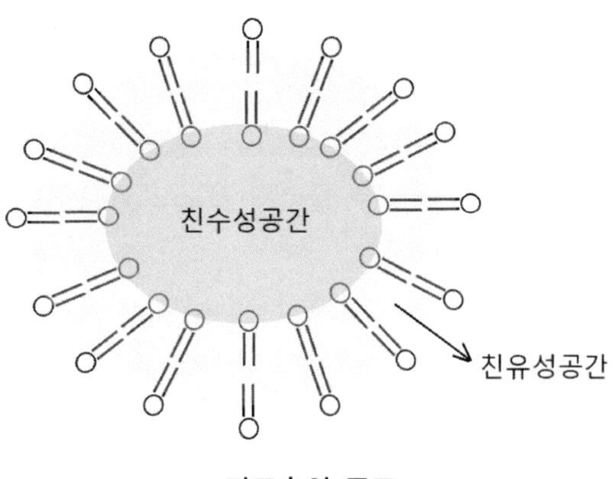

리포솜의 구조

리포솜의 안정성은 인지질의 순도, 콜레스테롤의 배합비율이 중요하다. 세포막도 인지질 외에 여러 성분이 세포막의 안정성에 큰 영향을 주고 있다. 콜레스테롤은 막의 젤-액정 상전이 온도를 없앰으로써 안정성을 향상시킨다. 일반적으로 인지질 1몰당 콜레스테롤 0.2몰 이상 첨가한다. 세라마이드를 첨가한 리포솜도 가능하다. 리포솜이 첨가된 화장품을 피부에 바르면 리포솜은 피부 위에서 액정 형태를 유지하면서 우수한 수분증발방지 효과도 낸다.

4.5.5. 비이온성계면활성제(nonionic surfactants)

수용액 중에서 이온으로 해리하는 활성기를 갖고 있지 않은 계면활성제로서, 종류도 매우 많고, 화장품에 유화제, 가용화제 또는 분산제 등으로 널리 사용된다. 분자구조를 볼 때 친유기로는 지방산과 고급알코올에서 유래한 탄화수소가 해당하고, 친수기로는 글리세린, 설탕 등에서 유래한 다가알코올(-OH), 산화에틸렌에서 유래한 폴리에틸렌글리콜(…-CH_2CH_2O-…) 등이 해당한다. 친유기의 알킬기 길이 또는 개수와 친수기 산화에틸렌의 결합도를 변화시킴으로써, 친유성이 강한 것부터 친수성이 강한 것까지 다양한 HLB를 갖는 계면활성제를 합성할 수 있다.

4.5.5.1. 다가알코올 에스터형

친수기는 프로필렌글리콜, 글리세린, 솔비톨, 설탕 등 다가알코올(-OH기가 많다는 뜻이다)이다. 그중에서 화장품, 의약품, 과자, 식품 등에 광범위하게 사용하고 있는 원료로서 glyceryl monostearate(GMS)가 있다. 통용되는 원료 이름이 glyceryl monostearate이지만 순도는 40~70%로서 브로드하고, 기타 diester와 최대 5%의 free glycerin과 미반응 stearic acid로 구성된다. 화장품원료는 순수 시약을 사용하지 않고 순도가 높지 않은 원료를 흔히 사용하기 때문에 처방 시 기타 성분으로 무엇이 들어 있는지 인지하고 있어야 나중에 문제 발생 시 대처가 가능하다. 녹는점(M.P.)은 55~65℃이다(순수 글리세린모노스테아레이트의 융점은 81.5℃이다).

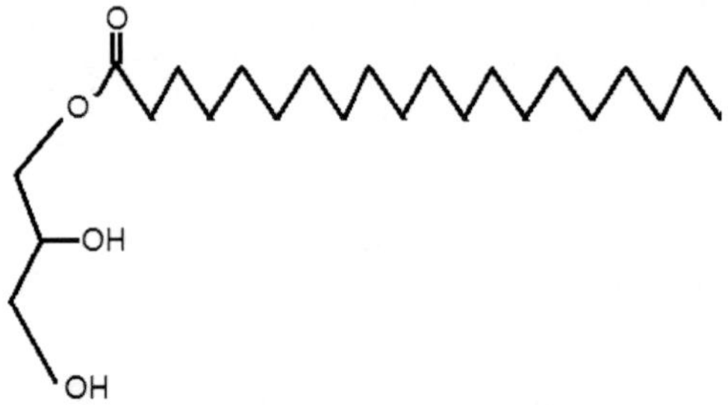

지방산모노글리세라이드,
glyceryl mono-fatty acid ester

W/O형 유화제이지만, 다른 O/W형 유화제와 병용하여 O/W에멀션을 더욱 안정화시킬 수도 있다. 이것에 비누(칼륨이나 나트륨으로 중화된 stearic acid salt) 혹은 친수성 비이온성계면활성제를 배합한 자기유화형(self-emulsifying) 타입도 있다. 거의 독성이 없고 제형의 점도를 높인다. 유지에는 융점 이상에서 자유롭게 용해하나, 상온에서는 결정성이 강하여 0.1~0.2% 정도 용해하고 나머지는 다 석출된다. 물에도 거의 용해하지 않고 융점보다 몇 ℃ 아래에서 크림상으로 분산된다. 특이한 점은 융점의 몇 ℃ 이상에서 급격히 젤화하여 투명하고 견고한 젤을 만든다.

White waxy solid로서 립스틱에서 경도 조절, slip감을 주고 제품을 불투명화, 샴푸에서는 펄감을 준다. 약 1~5%를 제형에 넣고 cooling하면 매우 미세한 crystal이 용액 중에서 석출되어 매우 매력적인 외관을 만든다. 현재 스테아린산 외에 라우린산, 미리스틴산, 팔미틴산, 올레산, 리노레인산, 리시놀레인산의 모노글리세라이드, 또 이소팔미틴산, 이소스테아린산의 모노글리세라이드도 각각 특징을 살려 널리 이용되고 있다. 기타성분이 젤 형성 능력에 큰 영향을 준다. 즉, 다른 브랜드의 GMS로 대체 시 문제가 발생할 수 있다.

4.5.5.2. 솔비탄지방산에스터(sorbitan fatty acid ester)

감미료인 sorbitol은 stearic acid와 반응하면서 자신도 축합되어 링을 형성하여 sorbitan이 된다. 모노, 디 및 트리 에스터가 있고, 모노 → 디 → 트리가 됨에 따라 친유성(저 HLB값)이 커진다. 지방산의 종류에 따라 여러 종류의 HLB값도 얻어진다. 현재 화장품에 이용되고 있는 것으로는 라우린산, 팔미틴산, 스테아린산, 올레산의 모노에스터가 많다. 이 계면활성제는 단독 유화제로 사용하는 것은 거의 없고, 친수성계면활성제와 병용하여 사용한다(O/W유화제조). 트리에스터는 유화력이 작아서, 유화제보다는 유성기제 중에 안료의 분산성을 향상시키려는 목적으로 사용하는 경우가 많다.

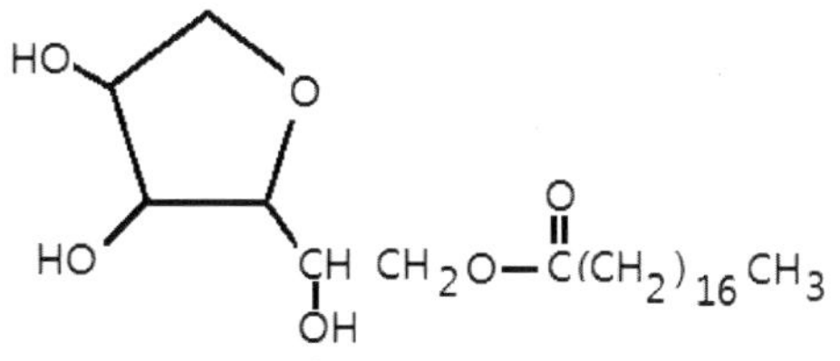

HO
O
HO
CH $CH_2O-\overset{O}{\overset{\|}{C}}(CH_2)_{16}CH_3$
OH

Sorbitan monostearate

4.5.5.3. 솔비탄지방산에스터의 산화에틸렌축합물

솔비탄지방산에스터에 산화에틸렌을 부가한 것이다. 분자 중 3곳에 산화에틸렌사슬이 결합할 수 있다.

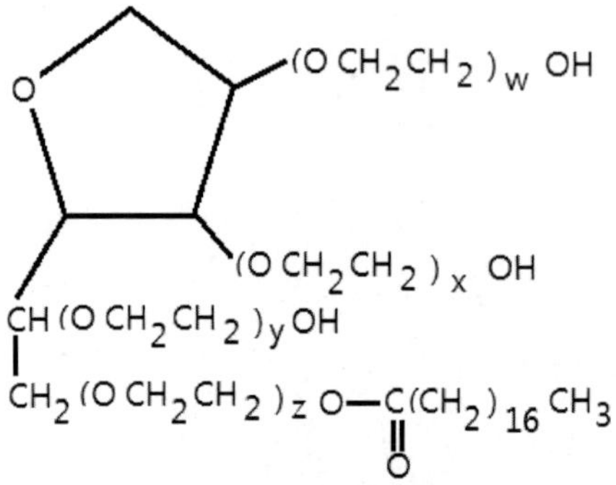

$(OCH_2CH_2)_w OH$

$(OCH_2CH_2)_x OH$

$CH(OCH_2CH_2)_y OH$

$CH_2(OCH_2CH_2)_z O-C(=O)(CH_2)_{16}CH_3$

Polysorbate 60

w+x+y+z=평균 20

Polysorbate 60은 Polyoxyethylene sorbitan monostearate(20 OE)으로써 HLB가 약 15로 친수성이 큰 계면활성제이다. 가격이 싸고 O/W 유화력이 우수하다. 밀착감보다는 가볍고 미끌거림이 있어서 로션에 주로 사용되고, 사용성과 유화력의 향상을 위해 친유성계면활성제(솔비탄지방산에스터 등)를 조합하여 함께 쓴다.

** **산화에틸렌**(ethylene oxide, E.O.), **폴리에틸렌글리콜**(polyethylene glycol, PEG)

산화에틸렌의 모습은 다음과 같다.

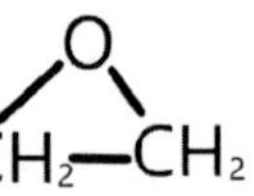

CH_2-CH_2 (O 고리)

산화에틸렌이 물과 반응하게 되면 링이 끊어지고 ethylene glycol(glycol은 -OH가 두 개라는 뜻)이 된다.

$H-OCH_2CH_2-OH$

이 ethylene glycol에 산화에틸렌이 자꾸 링이 끊어지면서 결합하게 되면

$$H\text{-}OCH_2CH_2\text{-}O\text{-}CH_2CH_2O\text{-}CH_2CH_2O\text{-}CH_2CH_2O \cdots$$

이 되어 polyethylene glycol이 된다. PEG가 친수성인 이유는 이써인 산소(O)가 물과 수소결합을 하기 때문이다.

아무튼 Ethylene glycol(E.G.), PEG라는 용어 모두 $-CH_2CH_2O-$가 분자 내에 들어 있다는 의미이다. 또 산화에틸렌은 자연에 존재하지 않으므로 완전 '합성'이다. 따라서 이것이 붙어 있는 계면활성제는 완전 '합성계면활성제'이다.

4.5.5.4. 고급알코올의 산화에틸렌축합물

$$RCOH + n(CH_2CH_2O) \rightarrow RC(OCH_2CH_2)_nOH$$

즉, 탄소수 C12~C18인 고급알코올에 산화에틸렌을 부가한 것이다. 일반적으로 폴리옥시에틸렌알킬이써라고 불린다. 고급알코올과 산화에틸렌과의 이써 결합은 화학적으로 안정하여, 산, 알칼리 또는 가열 등의 조건하에서 가수분해되기 어려운 특징이 있다. 화장품에는 유화제품에 많이 사용된다.

▶ **상품 예** Ceteareth-12

cetearyl alcohol(C16+C18)에 평균 에틸렌옥사이드(E.O.)부가몰수는 12몰이다. HLB 13.9이고, PIT(전상유화법)유화제로 쓰인다. PIT 유화공정의 키는 w/o에서 o/w로 전상시킬 때 유화를 신속히 냉각하여 합일에 의한 상분리가 일어나지 않도록 하는 것이다.

4.5.5.5. 지방산의 산화에틸렌축합물

$$RCOOH + n(CH_2CH_2O) \rightarrow RCO(OCH_2CH_2)_nOH$$

지방산에 산화에틸렌을 부가한 것이다. 친유기와 친수기 사이에 에스터결합(-COO-)으로 연결되어 있다. 폴리에틸렌글리콜지방산에스터라고 일반적으로 부른다. 주로 스테아린산이나 올레산에 산화에틸렌을 8~12몰 부가한 것이 사용된다. Polysorbate 60보다 밀착감이 좋아서 크림의 유화제로 주로 사용된다. 산화에틸렌이 20몰 정도가 되면 유화력은 저하하지만, 가용화제, 유화보조제로써 사용될 수 있다.

▶ **상품 예** Polyethylene glycol stearate(40 OE), HLB 17

〈표 4.6.〉 Polyoxyethylene 부가 비이온성계면활성제의 명명

명명	INCI name	비고
PEG-2 stearate	PEG-2 stearate	아라비아숫자는 부가몰수
Polyethylene glycol(3) distearate	PEG-3 distearate	괄호 안의 숫자는 부가몰수
Polyethylene glycol 100 distearate	PEG-2 distearate	아라비아숫자는 부가된 PEG의 분자량
Polyoxyethylene(2) distearate	PEG-2 distearate	괄호 안의 숫자는 부가몰수
Stearic acid monoester of polyethyleneglycol(200)	PEG-5 stearate	괄호 안의 숫자는 부가된 PEG의 분자량

4.5.5.6. 기타 산화에틸렌축합물

PEG-40 Hydrogenated Castor oil

x+y+z=40, 스킨로션의 가용화제로 자주 쓰인다.

$$\begin{array}{l} CH_2O(CH_2CH_2O)_x\text{—}R \\ | \\ HCO(CH_2CH_2O)_y\text{—}R \\ | \\ CH_2O(CH_2CH_2O)_z\text{—}R \end{array}$$

PEG-40 Hydrogenated Castor oil

x+y+z=40

Emalex GWIS 115

PEG-15 Glyceryl monoisostearate, 비이온성 세정제이다.

Emalex OD-25JJ

Octyldodeceth-25, 가용화제로 사용된다.

4.5.5.7. 블록폴리머형

산화프로필렌을 중합한 폴리프로필렌글리콜에 산화에틸렌을 축합(폴리에틸렌글리콜)한 것이다. 분자량 1,000~2,500의 폴리프로필렌글리콜이 친유기 역할을 하고 폴리에틸렌글리콜이 친수기 역할을 한다. 이 사슬의 길이는 중합도로 자유롭게 변화시키는 것이 가능하여, 광범위하고도 연속적인 HLB값을 얻을 수 있다. 화장품에서 기포를 적게 내고 인체에 대한 독성이 낮기 때문에 정발제, 로션, 샴푸 등에 이용된다.

$$HO(CH_2CH_2O)_x\,(\underset{\displaystyle CH_3}{\underset{|}{C}}HCH_2O)_y\,(CH_2CH_2O)_zH$$

블록폴리머형 계면활성제

4.5.5.8. 당지방산에스터(sucrose fatty acid ester)

설탕은 수산기를 8개나 갖고 있어서, 다른 다가알코올에 비해 친수성이 강하다. 친유성의 지방산을 붙여 에스터화 하면 계면활성제가 된다(슈크로오스지방산에스터). 지방산의 종류와 결합몰수를 변화시키면 넓은 범위의 HLB값(1.0~15.0)이 얻어진다. 모노에스터와 디에스터 이상의 것들이 혼합되어 있다. 즉, HLB가 높은 것은 모노에스터가 70%대까지 높게 차지한다. HLB값이 높은 것이라도 에틸렌옥사이드 축합물과 다르게 cloud point가 없고 기포생성도 적다. 가장 큰 특징은 인체에 무독, 무자극, 또 방부제를 불활성화시키지 않는 것이다. 천연유래유화제로써 사용되고 식품유화제로도 이용된다. 이 계면활성제는 비POE계(PEG free)이며 피부 온도에서 고상이기 때문에 피부 안전성이 우수하다. 또 설탕 대신에 glucose를 붙인 타입도 많이 사용되고 있다.

Sucrose fatty acid ester

Alkyl glucoside(coco-glucoside, myristylglucoside, laurylglucoside)

C14-22 alcohol & C12-20 alkyl glucoside

Alkyl polyglucoside는 세정력이 우수하고, 비이온성이지만 기포력이 우수하여 식기용 세제, 샴푸 등에 사용된다.

Alkyl polyglucoside

4.5.5.9. 폴리글리세린지방산에스터(polyglycerin fatty acid ester)

글리세린의 중합도와 지방산의 종류 및 결합몰수의 변화를 통해 다양한 종류를 만들 수 있다(HLB 3~13). 식품에서도 유화제 및 기포제 등으로 사용되고 있고, 화장품에서는 내염성과 내산성이 우수하여, 설탕지방산에스터는 사용이 곤란하였던 약산성 영역에서도 높은 유화력을 나타낸다.

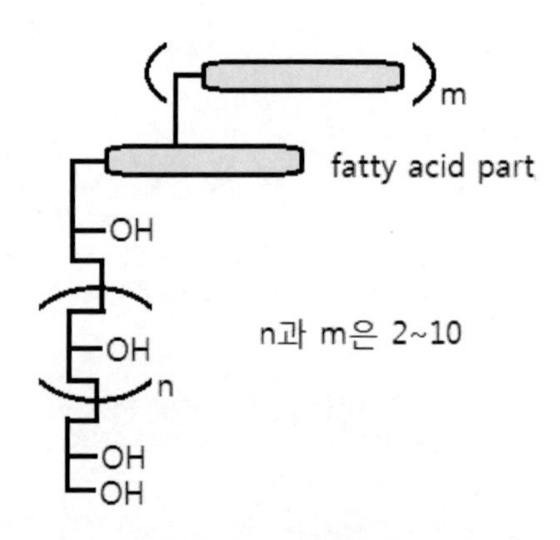

polyglycerin fatty acid ester

**** 옥시에틸렌(−OCH_2CH_2−)과 수산기(−OH) 비교**

① 폴리옥시에틸렌사슬과 폴리글리세린사슬(수산기)의 수화력의 차이로서, 폴리옥시에틸렌계 계면활성제보다 폴리글리세린계 계면활성제가 함수율이 항상 높다.

② 옥시에틸렌(-OCH_2CH_2-) 친수기 부분은 친유적 구조(에틸렌 구조, -CH_2CH_2-)를 갖기 때문에 유상에 용해하기 쉬워 오일 속에서의 cmc가 크다.

③ 수산기(-OH)는 친수성이 강하고 또 소유기로서도 강력하다. 수산기를 많이 갖고 있는 다가알코올을 친수기로 하는 비이온성 계면활성제는 소유성이다.

4.5.5.10. 실리콘계 계면활성제

실록산결합골격(-Si-O-, silicone chain)에 여러 유기 관능기가 결합한 계면활성제이다. 실리콘 유래라서 사용성도 산뜻하고 촉촉하다.

물과 실리콘오일로 구성된 선크림에는 일반 계면활성제보다 분자 내에 물을 좋아하는 부분과 실리콘을 좋아하는 부분이 공존하는 실리콘계 계면활성제를 사용하여야 한다. 물을 좋아하는 부분은 다가알코올(-OH)이거나 산화에틸렌($-OCH_2CH_2-$)이고, 실리콘을 좋아하는 부분은 실록산결합골격(-Si-O-)이다.

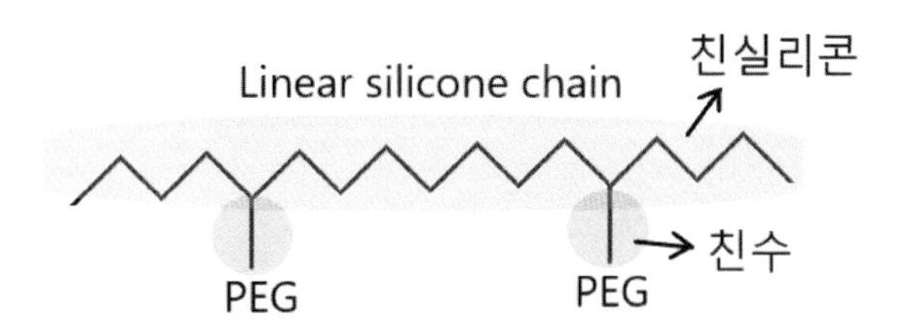

실리콘계 계면활성제 예(PEG-10 dimethicone)

4.5.6. 바이오서팩턴트(천연계면활성제)

비누를 비롯해 식물 유래 레시틴이나 사포닌, 동물 유래의 담즙산과 카세인 등이 천연에 존재하는 계면활성제이다. 천연계면활성제 중에서도, 특히 미생물에 의해 생성되는 것을 바이오서팩턴트(이하, BS)라고 부른다. 일반적으로 복수의 관능기를 갖고 합성계면활성제와 비교하여 매우 복잡하고 벌키한 구조인데도 불구하고, 분자의 형태·배향이 균일한 분자군으로서 얻어지는 것이 큰 특징이다. 그 결과, 계면에서 효율적인 분자집합과 배향이 가능하게 되어, 기존 계면활성제에 비해 더 낮은 농도에서 기능을 발휘할 수 있다. 또 생체적합성과 생분해성이 우수하고, 다양한 물리화학적, 생화학적 특성을 보이는 등 친환경적이고, 합성계면활성제와 시너지효과를 내는 등 차세대 소재로서 기대된다.

일반적으로 BS는 대두유, 유채기름 등 식물유지류를 원료로 하여 미생물을 배양하는 과정에서, 균체 외로 분비되어 배양액 중에 축적된다. 통상의 경우, 식물소스에 따른 생산성의 차이는 그다지 없어서, 각종 유지를 폭넓게 이용하는 것이 가능하다. 생산균으로는, 일반적으로 효모균이나 세균(낫토균)이 알려져 있다.

BS는 분자 중에 존재하는 친수기의 구조 차이로부터 몇 가지로 분류되는데, 특히 친수기가 당형인 BS는 생산성이 가장 높고, 원료 면 · 기능 면(생체에 대한 당사슬의 특이적 작용)에서도 장점이 있기 때문에 가장 왕성히 연구가 진행되고 있다.

대표적인 상업화된 천연계면활성제인 서팩틴(Surfactin)은 고초균(Bacillus subtilis)이 발효 생산하는 것을 1968년에 有馬, 垣沼들이 처음으로 발견하였다. 2014년 연간 수 톤의 규모로 제조되고 있고, 서팩틴을 배합한 화장품의 판매가 시작되었다. 카르본산 부위가 나트륨염으로 된 음이온성계면활성제인 서팩틴나트륨으로 활용된다. 일본 표시명은 서팩틴Na이고, INCI name은 Sodium Surfactin이다. 피부 일차 자극성은 농도 2.5% 이하의 영역에서는 무자극이다. CMC는 0.0003wt%(3ppm)로서, SDS의 1/300 정도로 작다.

BS가 폭넓은 분야에서 실용화되지 못하고 있는 데에는 미생물생산의 코스트가 아직 크다는 문제가 있다. 앞으로 바이오테크놀로지의 비약적 혁신과 주변기술의 진보에 의해 머지않아 해결될 것으로 기대된다.

**** 천연화장품이란**

천연화장품을 만들기 위해서는 전 성분이 천연이어야 한다. 물과 오일은 천연에서 쉽게 얻을 수 있다. 물과 오일을 잘 섞는 역할은 계면활성제와 폴리머가 담당하는데, 그렇다면 천연계면활성제와 천연폴리머가 필요하다. 천연계면활성제는 실용화된 것은 레시틴밖에 없다. 천연폴리머로는 그나마 기능이 사용할 만한 것이 잔탄검밖에 없어서 이 두 가지를 이용해서 천연화장품을 만든다. 천연계면활성제와 천연폴리머는 기능이 약하여 유화가 분리되는 일도 빈번히 발생한다. 천연화장품은 커다란 마케팅거리이지만, 제형의 불안정으로 인한 대처도 마케팅적으로 해결해야 한다.

4.6. 의약품용 계면활성제

의약품용 계면활성제로는 천연의 레시틴과 PEG가 붙어 있는 합성인 polysorbate가 일반적으로 사용되고 있다. 계면활성제가 약제에 함유되어 있지만, 약제는 치료가 매우 큰 관심사이고 또 질병을 치료하는 기간만 인체에 적용되므로 계면활성제의 안전성 측면은 크게 부각되는 일이 드물다.

주사제에 계면활성제는, 지용성약물과 난용성약물의 가용화제, 유화제, 분산제로써 사용된다. 병원에서는 포도당 링거 외에 우유처럼 백탁인 수액을 혈관에 투여하기도 한다. 이것은 지질을 혈관을 통해 체내에 공급하는 것이다. 지질은 대두유가 주로 활용되고 혈액은 물 베이스이니 대두유를 물에 유화시켜 넣어준다. 대두유를 물에 유화하기 위해서는 계면활성제가 필요한데 천연계면활성제인 레시틴이 이용된다.

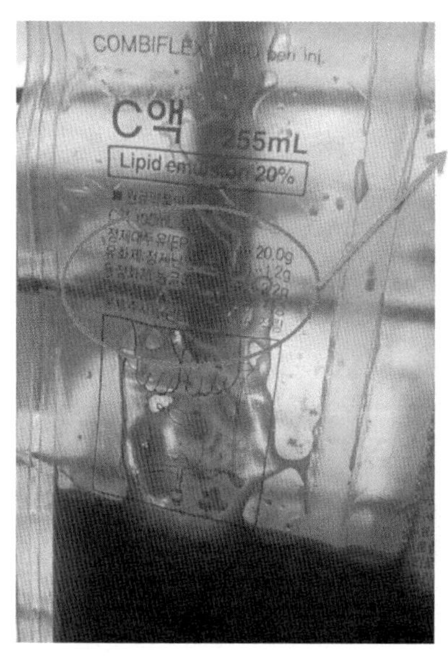

100mL중
- 정제대두유 20.0g
- 유화제 : 정제난인지질 1.2g

〈그림 4.7.〉 유화제형 의약품 예시

4.7. 세정과 피부상태

세정처리 후 각질층 수분량을 보면, 세정처리 직후에는 각질층이 함수하고 있기 때문에 증대하고 그 후 급격히 건조한다. 물만으로 처리하면 거의 세정 전의 수준으로 돌아가지만 세정제로 세정하면 세라마이드류 등이 없어진 각질층은 세정처리 전보다 수분량이 감소하여 건조한 상태가 된다. 이러한 상태가 반복되면 각질층 벗겨짐이나 베리어 기능이 저하하여 일상에서 접하는 환경 중의 자극성 물질이 피부 내로 침투하기 쉽게 됨으로써 염증 등의 원인이 될 수 있다.

현대사회는 매일 세정하는 습관이 있기 때문에 세라마이드류의 용출을 억제한 세정제 등 마일드한 세정제를 사용하거나, 세정 후 로션을 바르는 것이 피부건조를 막는 데 유용하다고 할 수 있다.

4.8. 계면활성제의 INCI name

화장품에 사용되는 계면활성제들의 INCI name과 상품명을 아래 표에 정리하였다.

INCI는 International Nomenclature Cosmetic Ingredient의 약자이고 INCI names는 화장품 성분을 규정하기 위해 국제적으로 통용되는 체계적인 이름이다. 화장품 회사에서 일할 때 또는 DIY로 원료를 취급할 때 INCI name을 모르고 상품명으로만 원료를 알고 있으면 상품명이 주는 이미지로 원료의 정체를 착각할 수 있다. 즉, INCI name을 통해 기본적으로 원료가 합성인지 천연인지를 구별할 수 있고, 그 외 많은 정보를 얻을 수 있다.

〈표 4.7.〉 대표적 계면활성제의 INCI name과 상품명

용도	상품명	INCI name	HLB
W/O유화제	ABIL EM 90	Cetyldimethicone Copolyol	~5
음이온, 아미노산계 세정제	ACYLGLUTAMATE CK-11	Potassium N-cocoyl-L-Glutamate	
보조 W/O유화제	ALUMINIUM STEARATE	Aluminium stearate	
보조 O/W유화제	AMERCHOL L-101	Mineral oil (and) Lanolin alcohol	
음이온, 아미노산계 세정제	AMINOSOAP LYC-12	Lysine Cocoate	
음이온, 아미노산계 세정제	AMISOFT LS-11	Sodium Lauroyl Glutamate	
음이온, 아미노산계 세정제	AMISOFT MS-11	Sodium Myristoyl Glutamat	
보조 O/W유화제	ARLACEL #165	Glyceryl stearate (and) PEG-100 stearate	11.0
W/O유화제	ARLACEL #186	Glyceryl oleate (and) Propylene glycol	2.8
보조 O/W유화제	ARLACEL #60	Sorbitan stearate	4.7
W/O유화제	ARLACEL #83	Sorbitan sesquioleate	3.7
가용화제	CEODOL 2016	Octyldodeceth-16	
W/O유화제	CRILL 6	Sorbitan isostearate	
보조 O/W유화제	DK ESTER F-160	Sucrsoe stearate	
비이온계 세정제	EMALEX GWIS 115	PEG 15 Glyceryl monoisostearate	
비이온계 세정제	EMALEX GWIS-200(EX)	Glyceryl diisostearate	
가용화제	EMALEX HC-60	PEG 60 hydrogenated Castor oil	
가용화제	EMALEX OD-25JJ	Octyldodeceth-25	
보조 W/O유화제	EMALEX SS 5050	Methyl polyethylene siloxane copolymer	
W/O유화제	EMULGADE PL-1618	Cetearyl alcohol (and) cetearyl glucoside	
PIT 유화제	EUMULGIN B1	Ceteareth-12	13.9

용도	상품명	INCI name	HLB
보조 O/W유화제	GMS #105	Glyceryl stearate(친유형)	3.0
보조 O/W유화제	GMS #205	Glyceryl stearate(자기유화형)	11.0
비이온계 세정제	Glucopon 650EC	Coco glucosides	
세정제	LDE	Lauriamide DEA	
세정제	LMDE	Lauriamide DEA	
세정제	MITAIN CA	Cocamidopropyl betaine	
O/W유화제	Montanov 68	Cetostearyl glucoside 20% & cetostearyl alcohol 80%	9.3
O/W유화제	Montanov 202	Arachidyl alcohol 50~60% behenyl alcohol 25~35% and arachidylglucoside 10~20%	8.3
보조 O/W유화제	MYRJ #52 S	PEG-40 stearate	16.9
보조 O/W유화제	MYRJ #59(FLAKE FORM)	PEG-100 stearate	18.8
가용화제	NIKKOL HCO-40	PEG-40 hydrogenated caster oil	12.5
가용화제	NIKKOL HCO-60	PEG-60 hydrogenated caster oil	14.0
보조 O/W유화제	NIKKOL MGS-B	Glyceryl stearate(친유형)	3.0
세정제	Olivem 300	Olive Oil PEG-7 Esters	11
O/W유화제	Olivem 700	PEG-4 Olivate	11
W/O유화제	Olivem 900	Sorbitan Olivate	4.7
보조 O/W유화제	PEG 400 DILAURATE	PEG-400 dilaurate	
보조 O/W유화제, 점증제	PEG 6000 DISTEARATE	PEG-6000 distearate	
비이온 세정제, 점증제	PLURONIC L-64	Poloxamer 184	14.3
가용화제	PYROTER CPI-60	PEG-60 hydrogenated caster oil PCA isostearate	
보조 W/O유화제	SILICONE Q2-3225C	Cyclomethicone (and) dimethicone copolyol	
보조 W/O유화제	SILICON Q2-5200	Dimethicone copolyol	
가용화제	SOLUBILISANT LRI	PPG-26-Butethe-26(and) PEG-40 hydrogenated castor oil	
가용화제	SOLULAN C-24	Choleth-24 (and) Ceteth-24	
O/W유화제	TEGO CARE 450	Polyglyceryl-3-methyl glucose distearate	11.5
비이온 세정제	TWEEN #20	Polysorbate 20	16.7
O/W유화제	TWEEN #60	Polysorbate 60	14.9
O/W유화제, 세정제	TWEEN #80 SD	Polysorbate 80	15
O/W유화제	NIKKOMULESE	Polyglyceryl-10 pentastearate (and) Behenyl alcohol (and) Sodium stearoyl Lactylate	

〈표 4.8.〉 대표적 계면활성제의 INCI name과 HLB치

INCI name	HLB	INCI name	HLB
Oleic acid	1.0	Glycerol monooleate	3.8
Acetylated sucrose diester	1.0	Glycerol monostearate	3.8
Lanolin alcohols	1.0	Glycerol monostearate pure	3.8
Ethylene glycol distearate	1.3	Decaglycerol octaoleate	4.0
Acetylated monoglycerides	1.5	Glycerol dilaurate	4.0
Ethylene glycol distearate	1.5	Diethylene glycol monostearate	4.3
Glycerol dioleate	1.8	Diethylene glycol monostearate	4.3
Sorbitan trioleate, Span 85	1.8	Sorbitan monooleate, Span 80	4.3
Sorbitan tristearate, Span 65	2.1	High-molecular-weight fatty amine blend	4.5
Propylene glycol distearate	2.2	Propylene glycol monolauate	4.5
Glycerol distearate	2.4	POE(1.5)nonyl phenol	4.6
Diethylene glycol distearate	2.8	Glycerol monolaurate	4.7
Diglycol stearate neutral	2.9	Sorbitan monostearate, Span 60	4.7
Ethylene glycol monostearate	2.9	PEG 200 Distearate	4.8
Ethylene glycol monostearate	2.9	POE(2)oleyl alcohol	4.9
Glycerol dioleate	2.9	POE(2)stearyl alcohol	4.9
Decaglycerol decaoleate	3.0	PEG 200 dioleate	5.0
Sucrose distearate	3.0	PEG200 distearate	5.0
Glycerol Monoleate	3.4	POEsorbitols wax derivative	5.0
Propylene glycol monostearate	3.4	Calcium stearoxyl-2-lactylate	5.1
Propylene glycol monostearate pure	3.4	Glycerol monolaurate	5.2
Diglycerine sesquioleate	3.5	POE(2)octyl alcohol	5.3
Sorbitan sesquioleate	3.7	POE(2) cetyl ether, Brij 52	5.3
Acetylated monoglycerides	3.8	Sodium-O-stearyl lactate	5.7
PEG 200 dilaurate	5.9	POE(4)nonyl phenol	8.9
Decaglycerol tetraoleate	6.0	Calcium dodecyl benzene sulfonate	9.0
Drewpol 10-4-0	6.0	Isopropyl ester of lanolin fatty acids	9.0
PEG300 dilaurate	6.3	PEG 200 monolaurate	9.3
Sorbitan monopalmitate, Span 40	6.7	POE(4)tridecyl alcohol	9.3
PEG 300 dioleate	6.9	POP/POE condensate	9.5
PEG 300 distearate	6.9	POE(4) lauryl ether, Brij 30	9.7
Drewpol 3-1-0	7.0	PEG 400 dilaurate	9.7
N,N,-Dimethyl stearamide	7.0	POE(5)sorbitan monooleate	10.0
PEG400 distearate	7.2	PEG 300 monooleate	10.2
High-molecular-weight amine blend	7.5	POE(40)sorbitol hexaoleate	10.2
POE(5)lanolin alcohol	7.7	PEG 300 monostearate	10.3

INCI name	HLB	INCI name	HLB
Polyethyleneglycol ether of linear alcohol	7.7	PEG400dilaurate	10.4
POE octyl phenol	7.8	POE(20)sorbitan tristearate, Tween 65	10.5
PEG 300 dilaurate	7.9	POE(5)nonyl phenol	10.5
Diacetylated tartaric acid esters of monoglycerides	8.0	PEG 600 dioleate	10.6
POE(4)stearic acid (monoester)	8.0	POP/POE condensate	10.6
Soya lecithin	8.0	PEG 600 distearate	10.7
PEG 200 monostearate	8.1	POE(20)lanolin (etherandester)	11.0
PEG 200 monooleate	8.2	POE(20)sorbitan trioleate, Tween 85	11.0
PEG 400 dioleate	8.3	POE(8)stearic acid (monoester)	11.1
Sodium stearoyl lactylate	8.3	POE(4)stearic acid, Myrj 45	11.1
Drewpol 6-1-0	8.5	Glycerol monostearate S.E.A.S.	11.2
PEG 400 distearate	8.5	PEG 300 monolaurate	11.4
Sorbitan monolaurate, Span 20	8.6	POE(50)sorbitol hexaoleate	11.4
POE(6)tridecyl alcohol	11.4	PEG 600 monooleate	13.6
PEG 400 monooleate	11.6	PEG600 monostearate	13.6
Alkyl aryl sulfonate	11.7	POE(10) octyl phenol	13.6
PEG 400 monostearate	11.7	POP/POE condensate	13.8
PEG 600 dilaurate	11.7	Tertiaryamines:POE fatty amines	13.9
PEG400 monostearate	11.7	POE(24) cholesterol	14.0
POE(8) nonyl phenol	12.3	PEG 1000 dilaurate	14.2
POE(10) stearyl alcohol, Brij 76	12.4	POE(14) nonyl phenol	14.4
POE(10) oleyl alcohol, Brij 97	12.4	POE(13) lauryl alcohol	14.5
POE(8) tridecyl alcohol	12.7	PEG 1540 distearate	14.6
POP/POE condensate	12.7	PEG 600 monolaurate	14.6
POE(8)lauric acid (monoester)	12.8	PEG 1540 dioleate	14.9
POE(10) cetyl alcohol	12.9	POE(20) sorbitan monostearate, Tween 60	14.9
Triethanolamine oleate soap	12.9	Acetylated POE(9) lanolin	15.0
Acetylated POE(10)	13.0	POE(16) lanolin alcohols	15.0
PEG 400 monolaurate	13.0	POE(20)stearic acid, Myrj 49	15.0
PEG400 monolaurate	13.1	POE(20) sorbitan monooleate, Tween 80	15.0
POE(20) glycerol monostearate	13.1	Sucrose monolaurate	15.0
PEG 1000 dioleate	13.2	POE(20) oleyl alcohol, Brij 93	15.3
POE(16) lanolin alcohol	13.2	POE(20) stearyl alcohol, Brij 78	15.3
PEG 1000 distearate	13.3	PEG1000 monooleate	15.4
POE(10) nonyl phenol	13.3	POE(20) tallow amine	15.5
POE(4)sorbitan monolaurate	13.3	POE(20) sorbitan monopalmitate, Tween 40	15.6

INCI name	HLB	INCI name	HLB
POE(15) tall oil fatty acids	13.4	PEG 1000 monostearate	15.7
PEG 600 monostearate	13.5	POE(20) cetyl alcohol, Brij 58	15.7
PEG 1540 dilaurate	15.8	POE(50) stearic acid(monoester)	17.9
PEG 1000 monooleate	15.9	POE(70) dinonyl phenol	18.0
POE(20) nonyl phenol	16.0	Sodium Oleate	18.0
POE(25) propylene glycol monostearate	16.0	PEG 4000 dilaurate	18.1
PEG1000 monolaurate	16.5	POE(20) castor oil(ether,ester)	18.1
PEG 1000 monolaurate	16.6	PEG 6000 dioleate	18.4
POP/POE condensate	16.8	PEG 6000 distearate	18.4
PEG 1540 monostearate	16.9	PEG 4000 monooleate	18.7
POE(20) sorbitan monolaurate, Tween 20	16.9	PEG 4000 monostearate	18.7
POE(23) lauryl alcohol POE(23) lauryl ether, Brij 35	16.9	PEG 6000 dilaurate	18.7
POE(40) stearic acid(modester)	16.9	POP/POE condensate	18.7
PEG 1540 monooleate	17.0	PEG100 stearate, Myrj 59	18.8
POE(25) soya sterol	17.0	PEG 4000 monolaurate	19.0
POE(50) lanolin(etherandester)	17.0	PEG 6000 monooleate	19.1
POE(30) nonyl phenol(9016-45-9)	17.1	PEG 6000 monostearate	19.1
PEG4000 distearate	17.3	PEG 6000 monolaurate	19.3
PEG 1540 monolaurate	17.5	Potassium Oleate	20.0
PEG 4000 distearate	17.6	N-cetyl-N-ethyl morpholinium ethyl sulfate(35%)	30.0
PEG 4000 dioleate	17.7		

05 | 가용화, 유화

기초화장품의 제형은 크게 가용화, 유화이다. 이 두 제형은 계면화학적 현상을 응용한 것이다. 가용화(solubilization)는 물에 녹지 않는 오일을 계면활성제가 형성하는 마이셀을 이용하여 물에 녹인 것으로, 오일분자가 들어 있는 마이셀의 크기는 5~10nanometer(1nm=10^{-9}meter)이다. 스킨, 투명에센스 등 투명제형이 여기에 속한다. 유화(emulsion)는 오일이 물에 분산(또는 물이 오일에 분산)되어 있는 것으로, 분산된 오일입자의 크기는 약 1micrometer(1㎛=10^{-6}meter)이다. 크림, 로션, 에센스 등 백탁제형이 여기에 속한다.

5.1. 가용화

5.1.1. 기초화장품에서 가용화, 유화기술

가용화는 19세기 중반경부터 관찰되었지만 "solubilization"이란 말이 사용되기 시작한 것은 1936년 J. W. MacBain에 의해서이다. 계면활성제가 없던 과거에 스킨로션에 친유성인 향을 많이 녹여 진한 향이 나게 하는 방법이 없었으나, 계면활성제가 만드는 micelle을 이용하여 향을 가용화하면 강한 향취가 나는 스킨로션을 만들 수 있게 되었다. 이때 계면활성제를 가용화제(solubilizer)라 하고, 가용화된 액체나 고체를 피가용화물(solubilizate)이라 한다.

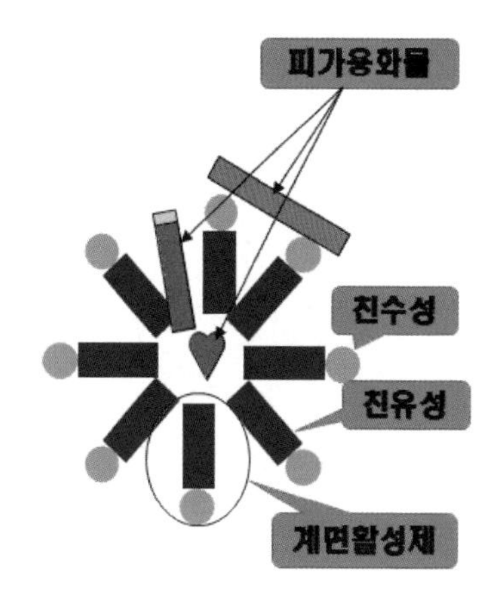

〈그림 5.1.〉 가용화 모식도

물에 향을 가용화하는 방법은 일반적으로 가용화제와 피가용화 물질(향)을 미리 혼합 후 수상에 가한다. 에멀션과 비교하여 가용화는 열역학적으로 안정한 계(변하지 않고 그 상태를 유지)이다. 따라서 가용화된 스킨로션은 안정하다고 할 수 있다(쉽게 얘기해서 스킨로션은 제조 후 아무 변화가 일어나지 않는 게 정상이다. 왜냐하면 그 상태가 안정하기 때문이다). 가용화가 일어나기 위해서는 계면활성제가 cmc 이상의 농도로 들어 있어야 한다.

피가용화물이 가용화될 때 미셀의 3가지 영역 중 하나에 존재하게 된다.

① 미셀의 바깥쪽에 흡착: 화장품원료에서 다가알코올과 수용성염료와 같은 친수성분자

② 미셀의 내부에 용해: 유동파라핀과 같이 비극성인 것

③ 미셀을 이루는 계면활성제와 함께 배열: 지방산, 고급알코올 등과 같이 분자 내에 극성기와 비극성기를 둘 다 갖고 있는 것

5.1.2. 가용화의 일반적 경향

계면활성제 수용액에 친유성분이 가용화될 때, 총 가용화량은 물에 녹은 양(용해도)과 계면활성제 마이셀에 들어간 양의 합이 된다.

가용화제의 탄소수가 증가하면 일반적으로 가용화량은 증가한다(큰 미셀을 만드는 가용화제이므로). 또 가용화제를 복수로 혼합하면 가용화력은 증가한다(음이온 · 비이온 2성분계가 비이온 2성분계보다 효과적). 가용화제의 알킬기 중에 이중결합 있는 것이 가용화력이 양호하다.

피가용화물의 분자량이 작을수록 피가용화량이 크다. 또 방향족이 지방족보다 큰데, 이것은 물에 대한 용해도가 지배적 영향을 미친다. 그러나 방향족의 고리가 많아지면 급격히 가용화량이 감소한다. 고급알코올처럼 계면활성제와 배열하는 물질은 가용화 보조제가 된다.

첨가물 중 염류는 cmc를 떨어뜨리는데, 가용화를 촉진 또는 방해할 수도(극대, 극소를 나타내기도) 있다. 1가 또는 다가알코올 등 극성물질의 첨가는 일반적으로 가용화량을 증대시킨다(피가용화물의 물에 대한 용해도 증가). 그렇지만 반대의 실험결과도 보고되고 있어서 주의하여야 한다.

알코올은 15% 이상 사용하면 알코올수용액에 계면활성제가 잘 녹아 미셀이 만들어지지 않을 수 있다. 온도가 높을수록 일반적으로 가용화량은 증가한다. 가용화계의 온도를 조절할 때는 cloud point와 Krafft point에 주의하여야 한다.

5.1.3. 가용화제 선택

무엇보다 피부에 안전한 것이 우선이다. 따라서 양이온성계면활성제는 부적격이라 할 수 있고, 주로 비이온성계면활성제를 사용하고 있다. 때로는 피가용화물질(향 등)도 자극원이 될 수 있다.

W. C. Griffin은 가용화제로서 최적 HLB는 15~18이라고 발표하였다. S. J. Strianse와 M. Lanzet은 친수성・친유성 계면활성제의 혼합이 유리하며, HLB는 13~17이 최적이라고 발표하였다.

가용화제의 구조는 피가용화물과 유사한 구조가 유리하다. 물에 친유물질을 가용화 시 가용화제는 우선 물에 투명하게 녹아야 한다. 유상에 물과 다가알코올을 가용화시키는 경우는 가용화제가 유상 중에 투명하게 녹지 않아도, 물과 다가알코올을 첨가하는 과정에서 투명하게 가용화물을 형성하기도 한다. 가용화제의 사용량은 피가용화물의 보통 2~3배, 많게는 5~6 이상 사용된다(향을 녹이기 위해 피부에 좋을 것이 없는 계면활성제를 향보다 5~6배 사용한다는 이야기). 가용화제의 투입량 결정은 실험을 통해 이루어지고, 투명하게 가용화하는 데 필요한 양보다 약간 많이 넣는다.

5.1.4. 가용화의 화장품 응용

수계에서 향의 가용화가 주목적이다. 향 외에 유성에몰리언트, 비타민, 호르몬, 수불용성 색소의 가용화가 있을 수 있다. 비수계에서는, 즉 립스틱 같은 유지제품에 보습제인 glycerin, glycol류를 소량 가용화하기도 하고, Nail lacquer, Polish remover 등 ester형 용제에 수용성 색소를 가용화하기도 하고 유성 두발제품에 물을 가용화하기도 한다.

5.1.5. 가용화제품 제법

스킨로션의 제조과정은 다음과 같다. 먼저 물에 수용성 물질을 녹여 수상을, 에탄올에 계면활성제와 향을 녹여 에탄올상을 만든다. 두 상을 깨끗하게 녹인 후, 수상을 교반하면서 에탄올상을 천천히 투입한다. 에탄올상이 수상에 떨어지는 순간 에탄올은 순식간에 물 쪽으로 녹아 퍼져나가고 남겨진 계면활성제는 cmc 이상이므로 미셀을 만들고 옆에 있던 향은 물에 녹지 못하므로 친유성인 미셀 속으로 들어간다. 제조과정 중 중요 인자로는 교반 속도와 에탄올상 투입 속도이다.

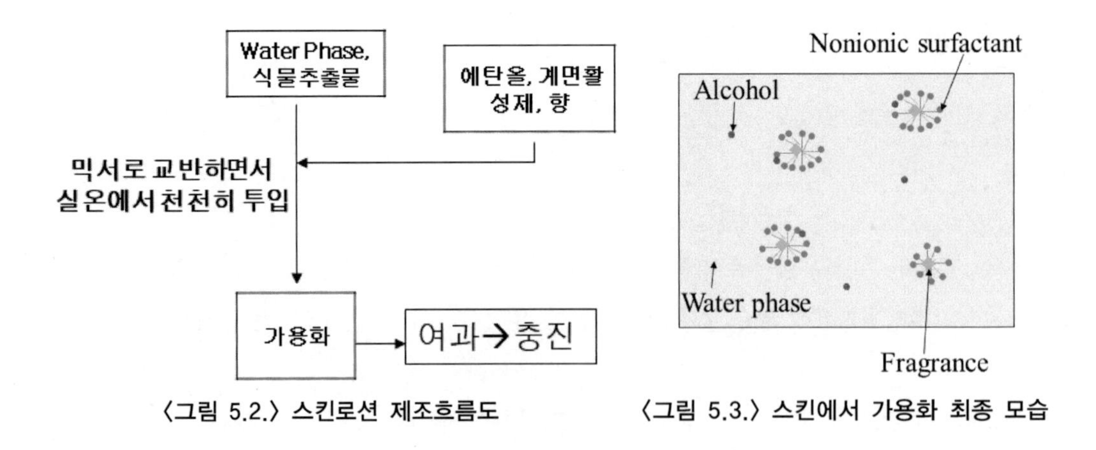

〈그림 5.2.〉 스킨로션 제조흐름도

〈그림 5.3.〉 스킨에서 가용화 최종 모습

** 여과

제조탱크에서 저장용기로 옮겨 담을 때 내용물을 여과하여 담게 된다. 여과는 이물질과 풀리지 않은 내용물(폴리머 등)을 거르게 된다.
여과의 종류는 4가지가 있다.

① 여과포(200~400mesh): 점증제, 고분자 함유 제품
② 카트리지(0.4㎛): 일반 스킨류
③ NRK(0.2㎛): 남성스킨, 아스트린젠트 등 알코올 함량이 높고 침전유발 가능성이 높은 제품
④ Mesh: 1inch × 1inch의 면적 정사각형 속 격자(그물망)의 개수

1inch = 2.54cm = 25.4mm이므로, 100mesh는 10 × 10의 격자가 있고 격자의 크기는 2.54mm이다. 망 규격이 1mm이면 25.4 × 25.4 = 645.16mesh가 된다. 망 규격이 500마이크로미터, 즉 0.5mm이면 (25.4/0.5)(25.4/0.5) = 2580.64mesh가 된다. 180㎛이면 0.18mm이니까 (25.4/0.18)(25.4/0.18) = 약 19,912mesh가 된다.

5.1.6. 상용 가용화제 예

산업계에서 자주 사용되고 있는 가용화제로는 PEG-40 hydrogenated castor oil, PEG-60 hydrogenated castor oil, POE(20)sorbitan oleate 등이 있다.

알킬렌옥사이드 유도체는 가용화 능력이 우수하고 끈적임이 적은 가용화제이다.

$HO-(EO)_a-(AO)_n-(EO)_b-H$

여기서 EO는 옥시에틸렌기, AO는 탄소수 8~12인 1종류 또는 2종류 이상의 옥시알킬렌기, a 및 b는 옥시에틸렌기의 평균부가몰수, n은 옥시알킬렌기의 평균부가몰수이다.

5.1.7. 가용화 실험

향의 함량이 0.07%로 결정되면, 이 향을 녹이기 위한 가용화제의 투입량을 결정하여야 한다. 가용화제를 적은 양부터 조금씩 올려가며 가용화 한계 실험을 진행한다.

〈표 5.1.〉 가용화 한계 실험

성분	#1	#2	#3	#4	#5	#6	#7
Alcohol(95%)	5	5	5	5	5	5	5
향	0.07	0.07	0.07	0.07	0.07	0.07	0.07
1,2-hexanediol	2	2	2	2	2	2	2
PEG-60 hydrogenated castor oil	0.1	0.2	0.3	0.4	0.5	0.6	0.7
D. I. Water	To 100	To 100	To 100	To 100	To 100	To 100	To 100
Glycerine/1,3BG	3/2	3/2	3/2	3/2	3/2	3/2	3/2
히알루론산 나트륨(1%)	1	1	1	1	1	1	1

결과는 예상이 가능하다. 충분한 양의 가용화제가 투입되지 않으면 향은 가용화되지 않아 뿌옇게 석출되고, 충분한 양의 가용화제가 투입되면 투명하게 가용화된다. 가용화제의 함량결정은 조금 과량으로 하여 안정적인 가용화를 기대한다.

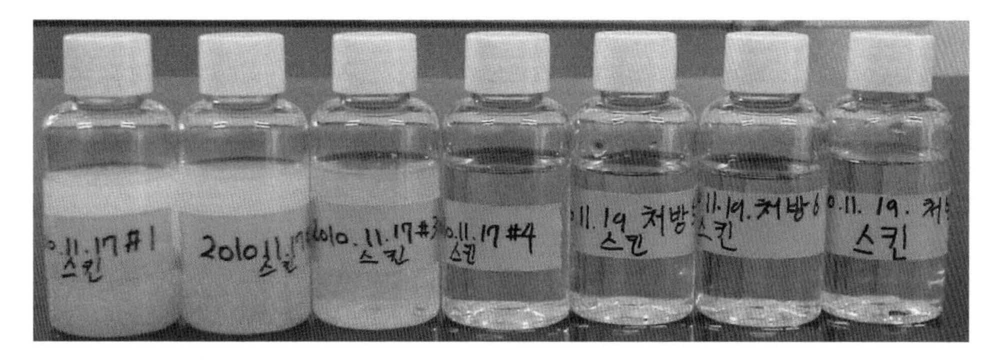

〈그림 5.4.〉 가용화 한계 실험 결과

5.1.8. 제조효율

가용화제품의 제조방법은 물에 녹지 않는 향을 계면활성제와 함께 에탄올에 녹인 후 물에 떨어뜨린다. 이 방법은 오랜 경험을 통해 터득한 것이라 할 수 있다. 만약, 에탄올에 향만 녹이고 투입한 후 나중에 가용화제를 투입하면 어떻게 될까? <그림 5.5.>에서처럼 향이 가용화되는 데 며칠이 걸린다. 즉 가용화효율이 크게 차이가 난다.

〈그림 5.5.〉 향분자가 마이셀 속으로 가용화되는 과정

5.2. 일상생활에서 볼 수 있는 분산(Dispersions), 유화

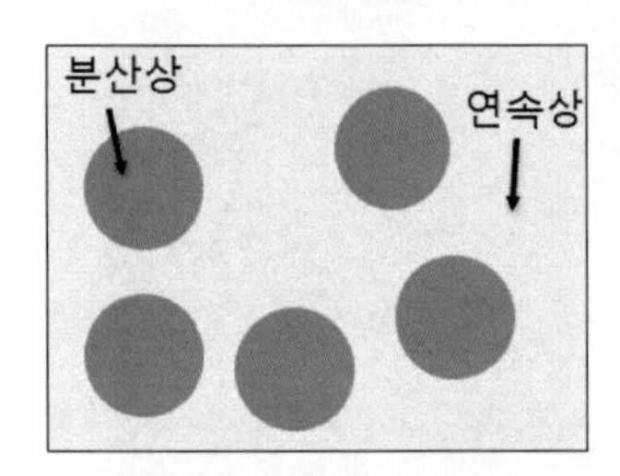

우리가 흔히 일상생활에서 볼 수 있는 분산은 <표 5.2.>와 같다. 한 상에 다른 상이 분리되어 있는 모습이라 할 수 있다. 화장품은 일반적으로 물에 오일이 또는 오일에 물이 분산되어 있는 유화이고, 소비자가 제품을 다 쓸 때까지 이 유화를 유지하게 하는 것이 제형 기술 중 하나이다.

〈표 5.2.〉 분산 예

연속상	분산상	명명	예
기체	액체	에어로졸	구름, 안개, 스모그, 헤어스프레이
	고체	에어로졸	담배 연기, 먼지
액체	기체	폼(foam)	아이스크림, 기포 많은 맥주
	액체	유화(Emulsion)	우유, 유화화장품(로션, 크림)
	고체	졸(Suspension)	잉크, 진흙탕, 페인트

연속상	분산상	명명	예
고체	기체	다공성 고체	스티로폼
	액체	고체유화	버터
	고체	고체서스펜션	콘크리트

* Introduction to colloid and surface chemistry.

** 우유

- 물속에 구상지질(트리아실글리세롤)이 분산되어 있는 유화
- 구상지질의 크기는 수 ㎛
- 물과 구상지질의 계면막은 인지질과 단백질(세포막성분과 유사)로 구성되어 있음

5.2.1. 유화작용

유화를 안정하게 만들기 위해 가한 계면활성제를 유화제라고 부른다. 미세한 입자가 되어 분산되어 있는 부분을 분산상(또는 내상), 미세입자를 감싸고 있는 부분을 연속상(또는 외상)이라 부른다.

에멀션의 종류는 수중유형(oil in water type, O/W형), 유중수형(water in oil type, W/O형), 다중에멀션(multiple emulsion) 세 가지가 있다. O/W형은 물을 외상으로 하고 내상으로 오일이 미세한 입자상으로 분산하고 있는 것을 말한다. W/O형은 역으로 오일을 외상으로 하고, 내상에 물이 미세입자상으로 분산하고 있는 것이다. 다중에멀션(multiple emulsion)은 O/W형의 에멀션이 오일 중에 분산된 계(O/W/O type), 또는 W/O형 에멀션이 물에 분산한 계(W/O/W type)를 말한다.

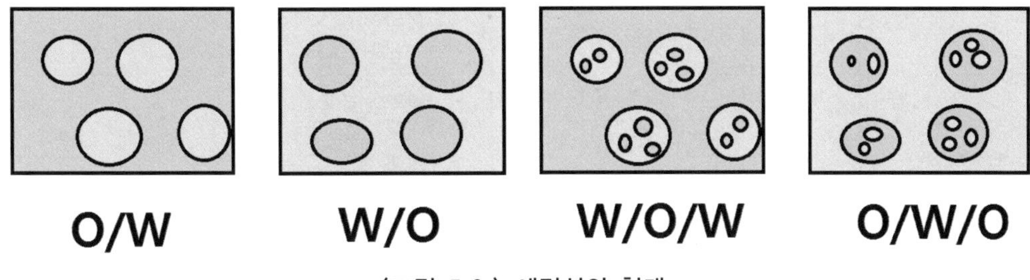

〈그림 5.6.〉 에멀션의 형태

에멀션의 형태가 O/W인지 W/O인지 판별하는 방법으로 다음 세 가지를 들 수 있다.

① 희석법: 에멀션에 외부상과 상용성이 있는 액체를 가하여 액체와 에멀션이 혼화하는가로 판단. 즉 에멀션에 물을 붓고 저어주었을 때 희석이 잘되면 에멀션은 O/W

② 전기전도도법: 에멀션의 전기전도도가 외부상에 의해 결정되는 것을 이용(즉, 외상이 물(O/W)이면 전기가 통하고 오일이면 흐르지 않음)

③ 색소첨가법: 에멀션에 유용성 또는 수용성 염료 분말을 가하고 교반하여 용해 여부로 판정. 즉 수용성 색소를 첨가하여 잘 녹으면 O/W

에멀션의 분산입자의 크기측정은 통상 광학현미경을 이용한다. 내상의 액체 방울의 지름을 측정하는데, 화장품용 에멀션의 입자의 크기는 대체로 0.5~5.0㎛ 정도이다. 입자가 크면 에멀션의 백탁이 덜하고 투명감이 있고 작아질수록 백탁이 심하다.

5.2.2. 유화와 가용화의 비교

유화는 말 그대로 우유와 같이 완전 백탁인데, 유화입자를 0.5㎛ 이하로 더 작게 쪼개어 나가면 푸른색을 띠는 투명감이 있는 뿌연 상(나노에멀션)이 되었다가 더욱 작아지면 회색 반투명상(마이크로에멀션)이 되고, 더 작아지면 투명해진다. 마이크로에멀션이란 에멀션과 달리 열역학적으로 안정한 계로서, 계면활성제 마이셀에 오일분자가 들어간, 즉 팽윤된 미셀의 용액이다. 유화에 비해 많은 양의 계면활성제가 사용된다. 에멀션과 마찬가지로 마이크로에멀션을 형성하는 가용화계에서 계면활성제의 친수성 친유성 밸런스(HLB)가 가장 중요한 인자이다.

아래 표는 마크로에멀션(유화), 마이크로에멀션, 가용화의 차이를 정리한 것이다.

〈표 5.3.〉 에멀션의 크기와 외관

분류	입자의 크기	외관	틴들현상 반사광	틴들현상 투과광	열역학적 안정성
마크로에멀션	1μm 이상	우유색 에멀션	없음	없음	불안정
나노에멀션	0.1~1.0μm	푸른빛을 띠는 흰색 에멀션	약한 청색	약한 적색	
마이크로에멀션	0.01~0.1μm	회색 반투명	청색	적색	안정
가용화용액	0.01μm 이하	투명	없음	없음	

* Fragrance Journal.

** 일본 벳푸 온천물이 푸른빛을 띠는 이유는?

실리카(염화규소)가 수십~수백nm의 입자로 분산하여 청색 빛을 반사한다.

5.2.3. 유화방법

일반적으로 유화제를 모두 오일상에 용해시키고 물과 혼합하여 유화한다(Agent in oil법). 또 흔히 유상을 수상에 첨가하여 O/W형으로, 또는 역으로 수상을 유상에 첨가하여 W/O형을 만든다. 어떤 경우에는 물에 오일을 첨가하여 일단 W/O를 만든 후 나머지 물을 계속 가하여 O/W로 전상시켜 만드는 경우도 있다. 이 경우에는 균일하고 미세한 유화 입자를 기계적 도움 없이 만들 수 있다는 장점이 있다.

5.2.4. 유화안정성

유화제량이 필요량보다 적게 투입되어 만들어진 유화물을 친유성인 플라스틱용기에 보관하면 O/W가 W/O로 바뀌는 경우가 종종 발생한다.

에멀션은 열역학적으로 원래 불안정한 계이어서, 분산입자(오일 방울)는 크리밍(creaming), 응집(flocculation), 합일(coalescence)이라는 현상이 경시적으로 반드시 일어난다.

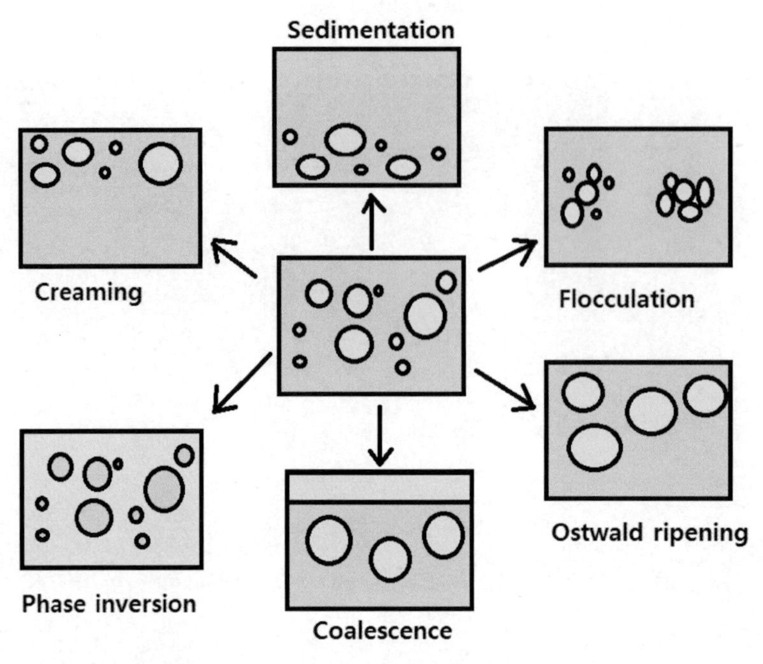

〈그림 5.7.〉 유화의 불안정화

크리밍은 유상과 수상 사이의 비중 차가 있는 경우, 중력에 의해 큰 입자부터 부상 또는 침강하여, 에멀션 상부 또는 하부가 농축된 상태가 되는 현상이다. 특히 로션처럼 묽은 에멀션일수록 이 현상은 생기기 쉽다. 분산상이 20% 이하이고, 비이온성계면활성제만으로 유화한 경우 일어날 가능성이 크다. 석유계 광물유는 식물성오일에 비해 비중이 낮아 크리밍을 일으키기 쉽다. 폴리올(글리세린, 프로필렌글리콜, 솔비톨)을 수상에 첨가하면 수상의 비중이 커져 유상과의 비중 차가 더 커지지만, 수상의 점도를 증가시키고, 수상과 유상 간 계면장력을 떨어뜨리므로 유화를 오히려 안정화시키는 경우가 많다.

크리밍은 Stoke's Law를 따른다.

Stokes' Law $V = \frac{2 \Delta \rho \, g \, a^2}{9 \eta_0}$

a : diameter of drop
$\Delta \rho$: density difference
η_0 : viscosity
g : gravitational acceleration

유화입자가 떠오르는 속도는 물/오일 간의 밀도 차가 크면 빠르다. 그리고 입자가 클수록 빠르기 때문에 입자를 가능한 한 작게 만들어야 한다. 점도(viscosity)가 클수록 입자가 천천히 떠오르기 때문에 로션보다 크림이 더 안정적이라 할 수 있다.

아래 사진은 샘플유화 제조 후 8일이 지난 후의 크리밍 모습이다. 각각은 한 가지 오일만을 사용하여서 오일별로 유화안정성도 비교한 것이다. Dermafeel BGC(합성오일), LP 70(석유계 오일), Jojoba oil(천연왁스오일)에 비해 DC-200F(실리콘오일)가 더 크리밍에 안정적인 결과인데, 실리콘오일이 비교적 쉽게 매우 작은 입자로 유화된 것으로 추측된다.

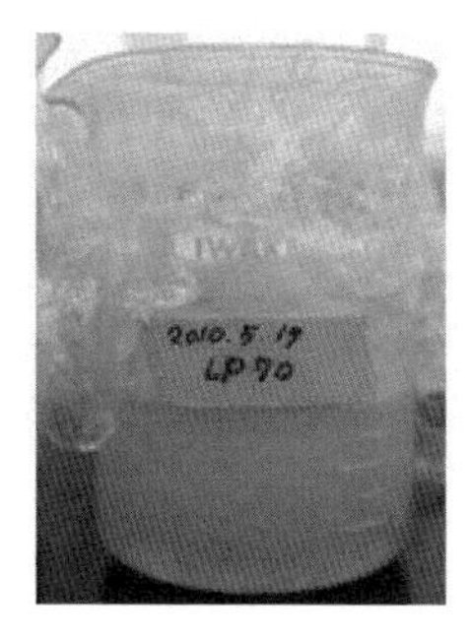

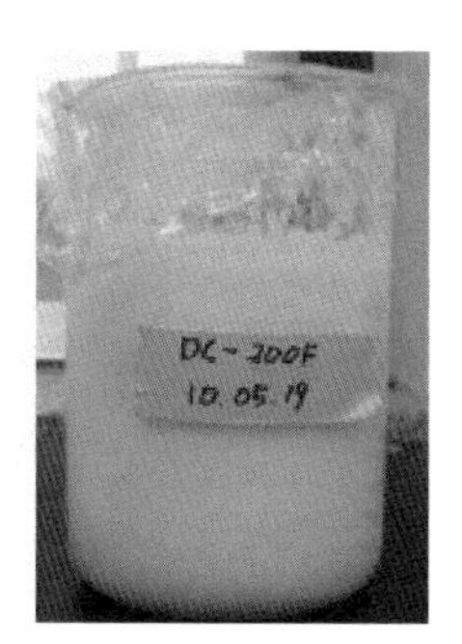

실험실에서도 충분히 주의 깊게 로션을 만들지 않으면 크리밍이 일어날 수 있다. 즉, 유화입자가 매우 크게 제조된 것으로 추측된다.

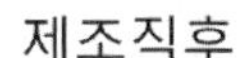

제조직후　　2주후　　1개월후

응집은 분산입자끼리 부착한 후, 차차 집합제를 형성하는 현상이다. 크리밍과 응집은 다시 믹싱하면 없어지고 원상태로 돌아가므로 물리화학적으로는 분리가 아니나, 소비자가 보기에는 크리밍이나 응집은 분리나 불량으로 인식되므로 역시 일어나서는 안 된다.

물과 오일 층으로 분리되는 현상은 오스트발트 라이프닝과 합일로 설명된다. 오스트발트 라이프닝이란 작은 입자의 vapor pressure가 큰 입자의 vapor pressure보다 커서, 작은 입자에서 외부로 나온 오일 분자 농도가 큰 입자에서 외부로 나온 오일 분자의 농도보다 커서 작은 입자 주위에서 큰 입자 주위로 농도구배에 의한 확산이 일어나, 작은 입자는 더욱 작아졌다 결국 없어지고 큰 입자는 더욱 커지는 현상을 말한다. 마치 큰 입자가 작은 입자를 잡아먹은 것 같다는 의미이다. 합일은 오일입자끼리 만나 더 큰 오일입자를 만들어가는 과정을 의미하는데, 입자가 작은 경우에는 오스트발트 라이프닝이 주로 일어나고 큰 입자들에서는 합일이 주로 일어난다. 따라서, 유화는 제조 직후부터 계속해서 입자의 평균 크기가 커지고 있다.

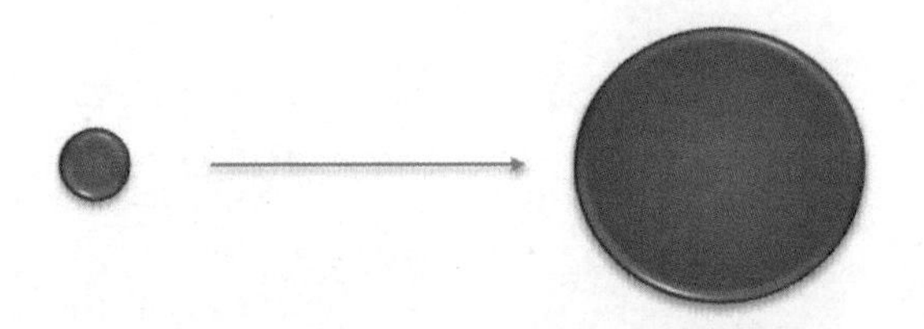

〈그림 5.8.〉 오스트발트 라이프닝에서 오일분자의 이동 모식도

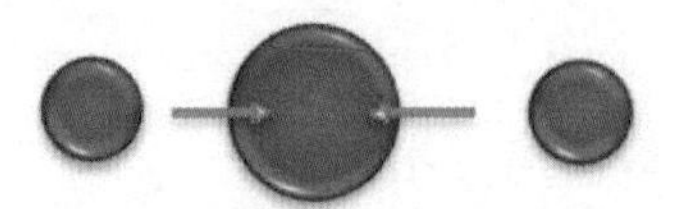

〈그림 5.9.〉 합일에서 오일입자 간의 충돌 모식도

5.2.5. 유화안정화 대책

5.2.5.1. 오랜 경험을 통한 유화안정화 대책

① 유화입자를 작게

Stoke's law에 의해 입자가 작아질수록 안정성이 증가한다.

② 입자분포를 균일하게

오스트발트 라이프닝을 막기 위해 입자 크기를 균일하게 만든다.

③ 외관점도를 높게

내상 입자의 운동성을 떨어뜨려 유화를 안정화시킨다.

5.2.5.2. 처방상에 유화를 안정화하는 방법

① 계면활성제

- 계면장력(에너지) 저하

② 고급알코올

- 계면막 강화

③ 카보머

- 수상에 구조체(그물 모양) 형성으로 합일 방해

5.2.5.3. 유화를 불안정화시키는 요인

① 유화제의 종류 및 사용량의 부적합

② 분산입자의 전하 유무(전하를 띤 쪽이 더 안정)

③ 유상과 수상과의 비중 차가 클수록 불안정

④ 운송 중의 진동, 충격의 정도

⑤ 저장 중의 온도 상승(고온환경) 또는 저하(저온환경)

⑥ 용기의 영향(재질적 및 구조적 영향)

⑦ 사용 중의 영향(수분의 증발, 미생물의 오염)

5.2.6. 유화제의 역할

표면에너지 또는 계면장력 γ 는 상과 상의 경계(면)에 존재하는 에너지다. 자발적 반응이란 엔트로피 증가방향, 에너지 감소방향으로 일어나는데, 유화 후의 상태는 전보다 경계 면(에너지)이 많이 증가한 상태이다. 유화입자를 쪼개면 경계 면이 증가한다는 것을 쉽게 그림으로 설명하면 다음과 같다.

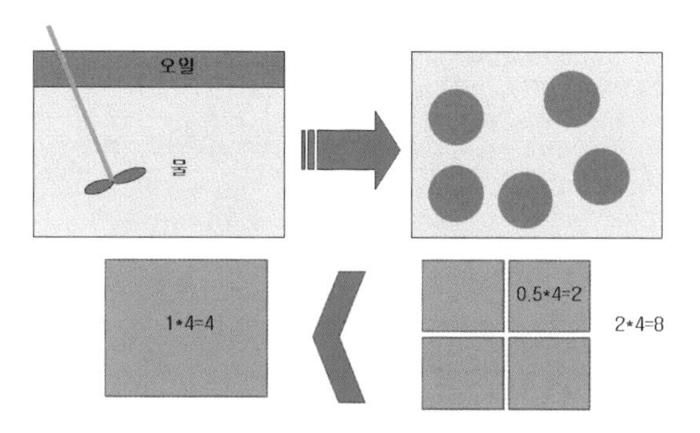

〈그림 5.10.〉 유화 전후의 변화

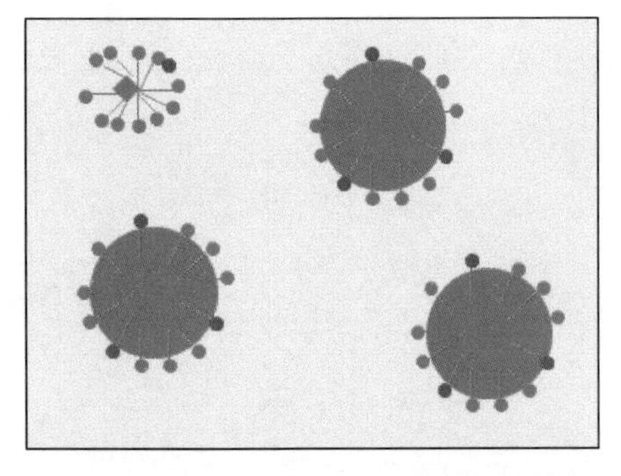

〈그림 5.11.〉 계면활성제의 유화 안정화

사각형을 두 번 쪼개면 둘레의 길이가 2배 증가하는 것을 쉽게 계산할 수 있다. 계면활성제는 친수성과 친유성 영역을 동시에 보유하여 계면에 존재한다. 계면에 존재하면서 계면에너지를 떨어뜨려 유화를 덜 불안정하게 만들어 화장품 사용기간(약 2년) 동안 분리가 일어나지 않도록 한다. 최초의 유화제는 선택의 여지가 없던 시기여서 비누를 사용하였고, 다음으로 음이온성계면활성제, 그리고 비이온성계면활성제(PEG계)가 주류를 이루다가 현재는 천연유래계면활성제가 많이 사용되고 있다. 천연계면활성제는 아직 성능과 경제성 면에서 주류가 되지 못하고 있다.

5.2.7. 유화제형의 장점

① 친수성 물질과 친유성 물질을 쉽게 섞을 수 있다.
② 원료 자체의 외관이나 특성을 숨길 수 있다.
③ 오일을 매우 얇게 피부에 도포하여 그리지(오일리)한 느낌이 없고, 원료 특이취 등을 감출 수 있다.
④ 매력적인 외관, 사용하기 편리한 외관(점도 등)을 자유자재로 만들 수 있다.
⑤ 기능성 성분을 피부에 매우 골고루 도포할 수 있다.

5.2.8. 유화제품 제조법

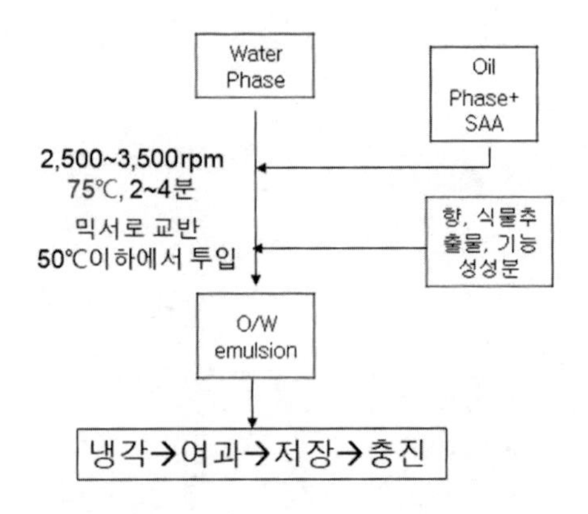

〈그림 5.12.〉 유화제품 제조흐름도

O/W 유화제품의 제조과정은 다음과 같다. 물에 녹는 성분은 물에 녹이고 오일에 녹는 성분은 오일에 녹여 두 상을 준비한다. 폴리올 등 수용성 성분은 물에 실온에서도 잘 녹으나, 왁스는 실온에서 오일에 잘 녹지 않는다. 따라서 오일상을 가열하여 왁스의 녹는점 이상으로 온도를 올리면 왁스가 액체가 되게 하면 오일과 쉽게 잘 섞이게 된다. 이렇게 액체상이 된 수상과 유상을 혼합하고 믹싱하여 유화를 만든다.

5.2.9. 전단력

액체 오일입자를 매우 작게 부수는 힘은 호모믹서 날개의 전단력에 의존한다. 호모날개(터빈) 끝은 V의 속도, 날개를 감싸고 있는 고정자의 속도가 '0'이면, 유화입자 위아래 간의 속도 차이로 인해 유화입자를 작게 부수게 된다.

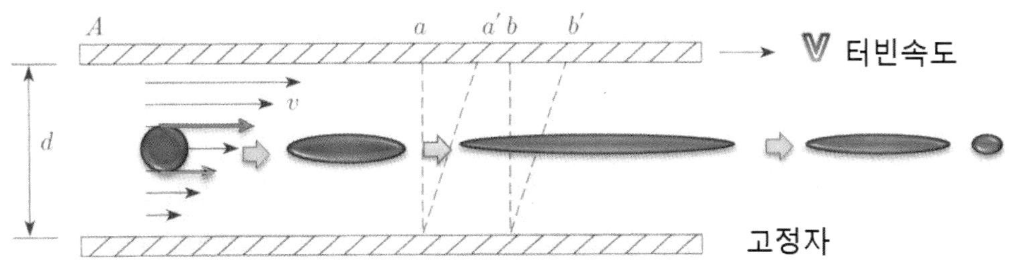

〈그림 5.13.〉 전단력을 이용한 유화입자 쪼개기

5.2.10. 스케일업(Scale up)

실험실에서 소량으로 제조할 때의 품질이 공장에서 대량으로 생산할 때 그대로 나온다는 보장은 없다. 그래서 생산규모를 늘려가며 품질을 확인한다. 실험실에서 4~500g을 제조해 보고, pilot 생산기기로 5L를 생산해 본다. 이 pilot 생산은 연구소 또는 공장에서 진행한다. pilot 생산 이후 공장에 가서 가장 작은 제조탱크(대략 100kg)에서 제조해 본다. 이때까지 제품의 품질이 동일하게 나온다면 안심하고 대량생산이 가능하다고 판단한다.

스케일업 과정에서 고민해 보아야 할 점 중 하나로, 실험실과 공장의 호모믹서 rpm을 들 수 있다. 공장의 기기는 크기가 커서 최대 rpm이 약 3,000 정도밖에 안 나오는데, 빠르게 믹싱할수록 작은 입자가 나오므로 공장의 호모믹서는 최대로 가동된다. 공장과 동일한 품질의 유화를 만들기 위해서 실험실에서 공장과 동일한 rpm으로 실험하는 것이 아니라 호모믹서 날개 끝의 속도를 비슷하게 맞춰주며 실험하게 된다. 만약, 실험실과 공장의 호모믹서의 rpm을 3,000으로 동일하게 하고 날개 끝의 속도를 비교해 보면, 실험실 호모믹서의 날개 길이가 r_1이고 공장의 호모믹서의 날개 길이가 r_2일 때, 날개 길이의 비만큼 속도도 증가한다.

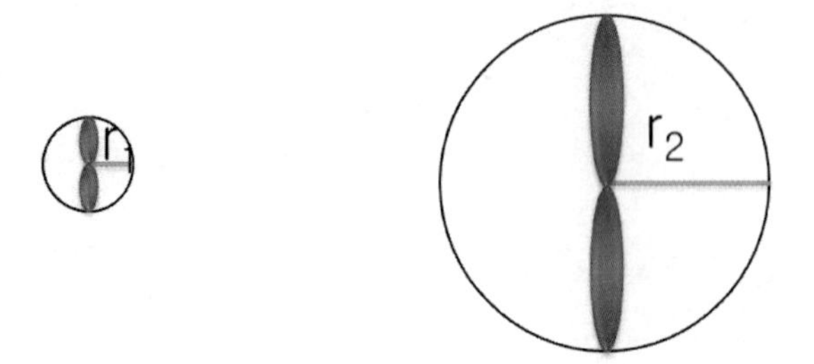

* V_1 (실험실 호모믹서의 날개 끝 속도) = 원주의 길이 × rpm = $2\pi r_1 \times 3000$ / 1min
  V_2 (공장 호모믹서의 날개 끝 속도) = $2\pi r_2 \times 3000$ / 1min
  V_2 / V_1 = r_2 / r_1 = 20cm / 2cm = 10배
  → 즉, 공장 호모믹서의 날개 길이가 실험실 호모믹서의 날개 길이보다 10배 크면 날개 끝의 속도 차이도 10배가 된다.

〈그림 5.14.〉 호모믹서 날개의 크기가 다른 경우의 날개 끝 속도 비교

따라서, 공장과 실험실 간의 호모믹서 날개 끝의 속도를 비슷하게 맞춰주기 위해 실험실에서는 호모믹서의 rpm을 공장보다 더 크게 설정하여 실험한다.

5.2.11. 외관

오일상(phase) 성분의 성질과 양, 유화입자의 크기, 모양에 영향을 받는다. 일반적으로 오일은 광택을 좋게 하고, 왁스는 광택을 줄이고 매트한 사용감을 준다. 액정의 과다생성은 광택을 줄인다. Stearic acid/palmitic acid의 경우 7:3의 비율은 진주광택이 나오지 않지만, 45:55의 비율은 진주광택이 나오는 특이한 경우도 있다.

5.2.12. 유화에서 오일의 영향

극성이 비슷한 오일과 왁스류의 혼합, 즉 예를 들어 liquid paraffin, paraffin wax, ceresin 등 서로 비극성인 것을 혼합하면, 상호용해성이 커서 온도에 매우 민감하게 된다. 이것은 계절변화에 따른 점도변화가 크다는 것을 의미한다. 여름철에 퍼짐성이 증가하고 겨울철에 퍼짐성이 나빠진다. 식물성오일과 지방산 글리세라이드 조합도 마찬가지이다.

비극성오일에 극성기를 갖는 고체왁스를 조합, 즉 예를 들면 비극성오일인 LP(클렌징크림, 마사지크림 등의 주성분)와 극성 고체 유지인 지방산, 고급알코올을 섞으면, 상호용해성이 적어서 온도에 저항적이고 퍼짐성이 양호하다. 이것은 극성기가 갖는 왁스가 계면에 배열하여 계면막을 두껍고 견고하게 하기 때문이다.

고화제(solidifying agent)는 액상오일에 배합하여 오일상을 고형화하는 것이다. 고화제가 되기 위한 조건은 분자 중 극성기와 비극성기가 공존하여야 하고, 융점은 40~50℃ 이상이어야 한다. Stearyl alcohol, 카나빌알코올, 콜레스테롤 등이 여기에 속한다. 콜레스테롤은 융점이 높지만, 쌍극을 갖기 때문에 고화제로서 이상적이다.

클렌징크림은 피부상에서 유동성을 가져야 하므로 유상은 피부온도에서 액화될 필요가 있다. 따라서 융점은 35~38℃ 정도인 왁스를 사용하여야 한다. 비즈왁스를 많이 넣으면 유상의 융점이 지나치게 높아져 생성에멀션이 고화되고 광택이 감소한다. 융점이 낮은 라놀린의 첨가는 크림을 연화시킨다.

〈표 5.4.〉 왁스(고형유성성분)의 유화점도에 미치는 영향

왁스 종류	제조 후 익일 실온점도(cPs)
STEARIC ACID	14500
CETANOL K	23700
GMS105	13700
WECOBEE SS	2650

* 실험조건: 오일은 기존 로션 처방에 각 오일 하나만 12% 사용하였고, 왁스는 기존 로션 처방에 각 왁스 2% 사용하였다.

5.2.13. 계면활성제의 유화제로서 필요요건

에멀션의 생성은 계면자유에너지의 증대를 수반하기 때문에 생성된 에멀션은 에너지적으로 안정한 방향, 즉 유화입자가 합일하여 2상으로 분리한 상태로 이행한다. 여기서 유화입자의 합일을 방지하기 위해서는 유화입자와 외상 사이에 형성되는 계면막의 강도를 높이는 것이 필요하다.

좋은 에멀션(유화입자가 미세하고 경시안정성이 우수한)을 얻기 위한 스트레티지는, 우선 ‘계면활성제를 가능한 한 효율적으로 계면에 배향시키는’ 것이고, 이어서 ‘강도가 높고 점탄성이 큰 계면막을 형성시키는’ 것이다. 이를 위해서 계면활성제가 가져야 할 필요요건은 용액계 속에서 분자상으로 용해하지 않고, 저농도에서부터 미셀 등 분자회합체를 형성하는 ‘강한 소매성(물

에도 오일에도 분자용해하기 어려운 성질)'과 그 회합체가 젤 및 액정 등에 의해 고차원적 분자 집합체로 발전하는 '높은 자기조직성'을 갖는 것이라고 말할 수 있다.

5.2.14. 유화제

비이온성계면활성제가 화장품에 사용되기 시작한 것은 1950년부터 sorbitan 지방산ester(예 arlacel계) 및 이것의 산화에틸렌유도체(예 tween계)가 화장품에 쓰이기 시작하면서부터이다. 위 둘을 병용하여 주로 사용하였고, 에멀션이 유동성이 좋아서 온도변화에 따라 점도변화가 크다. 에멀션은 pH가 중성이 되고, 안정성이 우수하며, 전해질에 대해 비교적 안정하다. 음이온성계면활성제에 비해 다량 사용하여야 안정한 에멀션이 되고, 피부에 끈적임을 남긴다. 다가알코올 에스터는 glyceryl monostearate 등인데, HLB가 낮고 비교적 방부력이 약하다. 이 밖에 지방알코올 ether(지방알코올+PEG)도 사용되는데, pH가 알칼리로 가면 유화력, 운점이 떨어진다. 비이온성계면활성제는 현재까지 경제적이고 성능이 우수한 유화제로서 사용되고 있다.

천연유래유화제가 현재 주 계면활성제로 사용되고 있다. 슈거지방산에스터(sucrose fatty acid ester)나 폴리글리세린지방산에스터(polyglycerin fatty acid ester) 등이다. 계면활성제에 대한 자세한 사항은 계면활성제 장을 참고하기 바란다.

친수성 유화제에 유용성이면서 극성을 갖는 물질을 첨가하면 에멀션은 상당히 안정화된다. Cetyl alcohol, cholesterol처럼 수산기를 갖는 유용성물질은 친수성 유화제와 계면에서 극성결합을 형성하여 계면에 액정을 형성시켜 막을 견고히 한다. 이것을 보조유화제라 한다. 알킬기에 이중결합이 있으면 계면에 촘촘히 배열하지 못하게 되어 보조유화의 능력이 떨어진다.

5.2.15. 전상(phase inversion)

전상이란 O/W 유화가 W/O로 또는 W/O 유화가 O/W로 바뀌는 현상을 말한다. G. H. A. Clowes는 Olive oil과 물로 유화실험을 하는 도중에 전상현상을 발견하였다. 현재, 전상의 활용은 미세한(투명감 있는) 유화물을 제조하는 데 응용되고 있다. 전상이 일어날 수 있는 조건은 내상과 외상의 상비율, 유화제의 성질 및 농도, 온도, 유상의 성질 등이다.

내상의 비율이 점점 많아지면 내상입자끼리 점점 가까워지고 합일이 일어난 후 전상되어 연속상(continuous phase)이 된다.

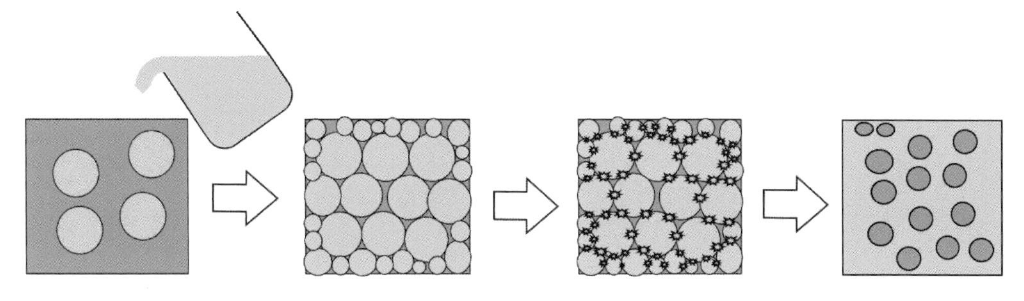

〈그림 5.15.〉 내상비(오일 함량) 증가에 따른 전상

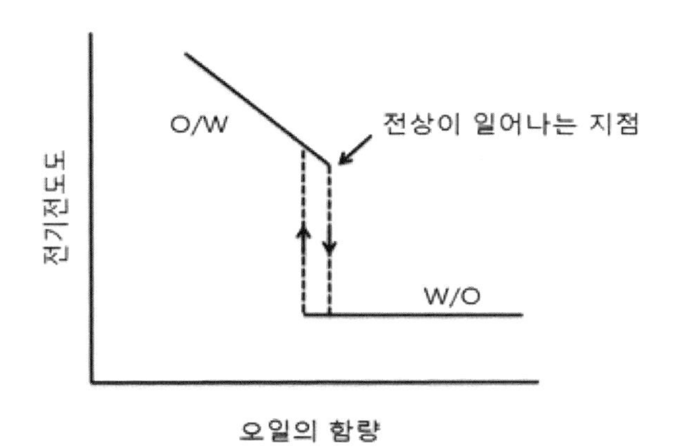

〈그림 5.16.〉 전상과정에서 외상의 전기전도도 추이

일단 생성된 에멀션을 전상시키려면, 특정물질 첨가나 온도변화로 유화제의 친유/친수 성질을 변화시켜야 한다. 지방산 칼륨 및 나트륨염은 온도상승에 따라 친수성이 증가하므로 w/o형으로 제조 후 온도를 올리면 o/w로 전상시킬 수 있다. POE형 비이온계면활성제는 온도의 상승과 함께 친수성이 저하($-OCH_2CH_2-$의 산소와 물 사이의 수소결합 파괴)하므로 o/w가 w/o로 전상된다. 지방산알칼리염(예, 지방산Na^+염) 유화제형에 2가(예, $CaCl_2$) 또는 3가 양이온염을 첨가하면 유화제의 친수성이 저하(예, 지방산Ca^{2+})하여 o/w가 w/o로 전상된다. 비이온성계면활성제에 극성이 비교적 낮은 물질 첨가(cetanol, cholesterol)도 o/w를 w/o로 전상시킬 수 있다.

피부상에서도 전상이 일어나고 있다. 피지(Sebum)는 피지샘에서 분비된 직후 w/o형으로 존재하나 다량의 땀과 접하게 되면 o/w형으로 전상되고, 또 수분이 증발하면 다시 w/o형으로 전상된다. 이것을 자동전상이라 한다. 로션, 크림 특히 클렌징크림은 피부에 바를 때는 o/w 상태이나 여러 번 문지르게 되면 수분이 증발하면서 점점 뻑뻑해지다가 갑자기 미끄러지는 느낌을 주는데 이때 w/o로 전상이 된다. 클렌징크림은 w/o로 전상이 되지 않으면 메이크업을 멜팅하는 능력이 발휘되지 못한다. 즉, o/w는 외상이 물이어서 메이크업을 녹이지 못하고 w/o로 전상되어 외상이 오일이 되면 비로소 메이크업을 녹일 수 있게 된다.

5.2.16. 유화물의 냉각

고온에서 유화시킨 유화물은 다시 실온까지 냉각시켜야만 한다. 냉각방법에는 급랭과 서랭이 있다. 급랭은 열교환기를 사용하여 유화물을 통과시켜 약 30초 짧은 시간 안에 65℃ → 30℃로 냉각시키는 방법이다. 왁스의 결정이 작게 형성되고, 제조 직후보다 익일점도가 급격히 증가한다. 서랭은 제조탱크 내에서 유화물을 그대로 두고 쿨링워터를 돌리면서 냉각하는 방법이다. 왁스 결정이 커지고 비교적 익일점도 증가 폭이 적다. 일반적으로 setting에 걸리는 시간(제조 후 점도, 경도 등 제형특성이 일정해지는 시간)은 polar한 오일일수록, wax가 많을수록 늘어난다.

5.2.17. 에멀션 점도의 경시적 변화

크림, 로션은 여름과 겨울에 점도 차가 발생한다. 즉, 여름철에 제품의 온도가 올라가 제형의 점도가 낮아지고 겨울철에 제품의 온도가 내려가 제형의 점도가 높아진다. 유상의 특성이 이것에 크게 영향을 끼칠 수 있다. 또 비이온성계면활성제 중 융점이 10~30℃ 범위 내에 있는 것도 영향을 미친다. 따라서 융점이 높은 고급알코올 또는 cholesterol을 섞어주면 점도의 계절적 변화를 막아줄 수 있다(여름철 고온에도 융점 이하이므로 고체상태를 유지하여 제형의 점도를 지킨다). 더 나아가, 오일/물 계면에 복합체를 형성시키면 에멀션 안정성을 향상시킬 뿐만 아니라, 점도변화도 방지할 수 있다.

비이온성계면활성제로 만든 크림은 경시적으로 점도가 점점 증가하다 떨어지고 거의 일정해진다(Aging). 이것은 계면활성제가 계면으로 이동하면서 수반되는 현상(평형상태 도달)이다. iso chain을 갖는 계면활성제는 유화력은 우수하나 계면에 정렬하는 데 장시간이 소요(23~25일)된다. 그러나 어찌 되었건 유화는 불안정한 시스템이므로 경시적으로 유화입자는 커지고 있고 분리되고 있어서, 점도는 완전 분리될 때까지 계속해서 떨어지고 있다. 다시 말해, 점도가 떨어진다는 것은 유화입자 사이즈의 증가를 의미하고, 갑작스러운 점도 저하는 유화분리가 급격히 일어나는 것을 의미한다.

5.2.18. 액정(liquid crystal, gel-network system)

유화제와 고급알코올은 물/오일 경계 면에 규칙적으로 혼합배열되어 여러 층의 액정구조를 형성한다. 여러 층의 배열 사이에는 오일과 물이 붙잡혀 있는 구조의 젤네트워크구조 에멀션이 만들어진다. 이런 구조는 피부에 도포 후에도 피부 위에서 피막을 형성하고, 구조 내에 있는 물이 증발되지 않고 남기 때문에 보습효과가 지속된다.

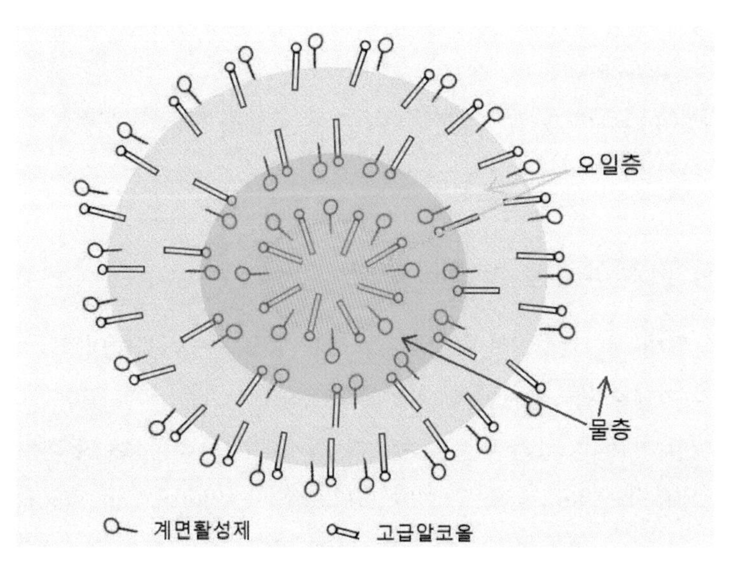

〈그림 5.17.〉 물/오일 경계 면의 액정층 구조

Hexaoctadecanol(3:2)/LE-12/물 3성분으로 만든 크림의 유화입자 주위에 액정이 온도가 떨어짐(냉각)에 따라, 60℃ 이하부터 눈에 띄기 시작하고, 55℃를 넘어서면 유화입자만 한 크기의 액정이 형성된다(『Cetyl alcohol의 물리화학』, p.95). 이 액정이 유화 중에 보존되기 위해서는 제조과정 중에 60℃ 이하에서는 강한 호모믹싱이 없어야 한다.

이 액정을 편광현미경으로 관찰하면 액정이 많이 형성된 경우 maltese cross(별꽃 모양)가 생성되는데 이것이 액정 생성의 증거로도 사용된다.

5.2.19. 에멀션에 미치는 첨가제의 영향

거의 모든 향료는 계면활성(surface activity)이 있다(친유성이지만 친수성이 조금 있다. 즉, 극성기와 비극성기를 갖고 있다). 따라서 계면에 흡착하여 유화시스템의 HLB에 영향을 주어 유화를 불안정화시키고 점도변화를 줄 가능성이 크다. 향료 중 ester계는 극성이 작아 영향이 적지만 alcohol, phenol, aldehyde 및 ketone류는 상당히 영향이 크다. 화학구조상 이중결합을 갖고 있는 것이 비교적 많은데, 유화제 분자의 회합(배열)을 방해하여 점도 저하, 불안정화를 초래할 수 있다. 또 산패, 착색의 우려가 있다. Benzyl alcohol은 조합향료의 한 성분이고, 다른 향료의 보류제로도 사용되는데, 단독 사용 시 계면활성제 배열을 헝클어지게 하여 유화를 불안정하게 한다.

보습제는 제품에서 수분증발방지, 동결방지, 점도유지, 피부유연(보습)의 목적으로 사용된다. Glycerin, sorbitol, propylene glycol 등이 있는데, PG는 살균성도 갖고 있다. 윤활성(lubricity), 퍼짐성(spreadability)을 향상시키고, 특히 수상의 극성을 낮춰서 유화 안정화에 도움을 준다.

5.2.20. 유화안정화의 완결, carbomer

유화안정화를 위해 계면활성제가 투입되었고, 이것만으로는 부족하여 고급알코올을 첨가하여 계면활성제와 함께 계면막을 튼튼하게 만들어 유화안정화를 크게 향상시켰다. 마지막으로 음이온성 폴리머인 카보머(carbopol은 상품명)가 첨가되면 물리적으로 유화입자를 가두는 형태를 취하게 되어(Colloid Polym Sci (2003) 281, 614-623, Jong-Yun Kim etc., LG), 유화제품이 분리되는 일이 매우 드물게 되었다. 이로 인해 처방기술이 간과되는 경향도 보이고 있으나, 처방기술자는 처방의 기본이 되는 유화제 및 처방법에 대해 알고 있어야만 한다.

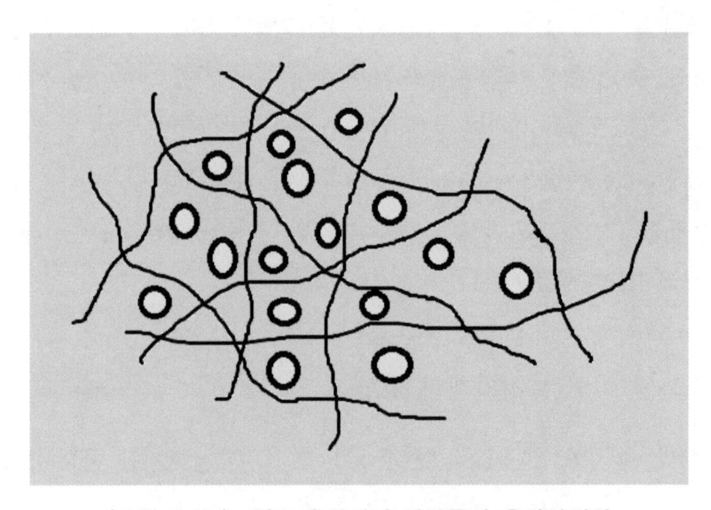

〈그림 5.18.〉 O/W 유화에서 카보폴의 유화안정화

06 | 화장품원료_친유성

화장품원료는 크게 베이스 성분(물에 녹는 성분과 오일에 녹는 성분), 계면활성제, 그리고 특별히 피부에 기능을 주는 원료로 임의로 나눌 수 있다. 여기서는 이 분류법으로 화장품원료를 설명한다.

**** 이상적인 처방이란?**

오랜 기간 처방을 다뤄보면서 얻은 지식을 토대로 정리해 보면, 다음 3가지 기능성분이 들어간 처방이 이상적이라고 생각된다.

① 보습제(90% 담당)
- 폴리올(글리세린), 히알루론산나트륨 등
- 오일(바셀린 등)

② 항산화제(9% 담당)
- 토코페롤, 코엔자임Q10, 비타민 C 유도체 등

③ 각질 제거(1% 담당)
- 중화된 AHA (Sodium lactate 등), Sodium salicylate 등

〈표 6.1.〉 화장품 변천사

연대	히트제품	비고
1990	아이오페 레티놀 2500 라네즈울트라하이드로세럼 (Ceramide 함유)	외환위기 후: 중가격대 시장붕괴. 고가와 저가시장만 살아남게 되어 중가격대가 주류인 LG생활건강의 고전. 아모레는 설화수 등 고가브랜드의 견고함과 레티놀2500 및 세라마이드 함유 고보습화장품의 잇단 히트로 더욱 성장
2000	코엔자임큐텐 환유고(68만 원) 이자녹스 썬밤 댕기머리샴푸, 려샴푸 한방화장품	LG생활건강이 고가화/프리미엄화 전략으로 다시 회복(오휘, 후 브랜드 성공적 론칭) 탈모방지샴푸 시장이 커져 아모레퍼시픽의 참가 한국에서 대세는 한방화장품. 유기농/천연화장품의 시장은 커지지 못함

연대	히트제품	비고
2010	BB크림 (일본에 전파) 줄기세포화장품 달팽이추출물 마스크/팩 에어쿠션	BB크림이 한국에서 유행한 후 일본에 들어가 일본에서도 유행 한국 여성의 마스크/팩 사랑 히트제품이 계속해서 메이크업제품에서 나옴. 기초제품에서 나오기 힘들어짐

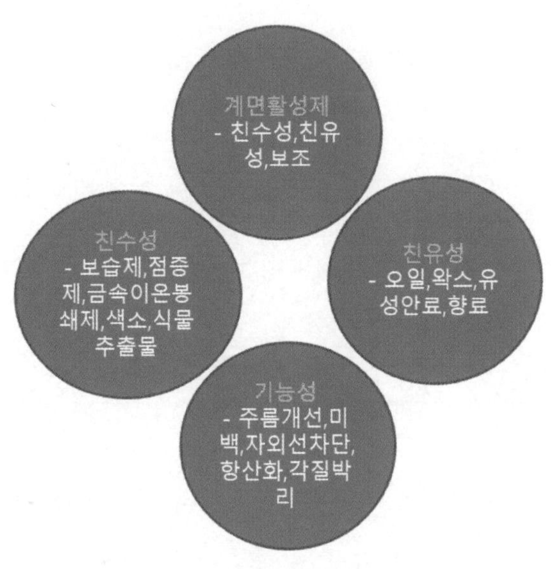

〈그림 6.1.〉 화장품원료의 종류

6.1. 유지(oil and fat)

유지는 화학구조상, 지방산과 글리세린과의 트리에스터(트리아실글리세롤 또는 트리글리세라이드)를 주성분으로 하는 물질이다. 즉, 동식물로부터 채취한 오일 및 지방의 총칭이다. 유동파라핀(파라핀유)과 바셀린 등도 일반적 명칭으로서 "유지"라 칭하지만 화학구조상 본질적으로 다르다.

유지 중에 상온에서 액상인 것을 오일(oil, 기름), 고체인 것을 지방(fat)이라 한다. 화장품원료로서 유지는 천연에서 얻은 것을 탈색, 탈취 등 정제하여 사용한다(시약처럼 특정 성분의 순도를 높이지는 않는다). 천연오일은 사용감이 부드럽고 촉촉한 느낌을 주고 약간 무거운 사용감을 준다. 천연이란 콘셉트는 화장품에 잘 어울릴 듯하지만 천연오일에는 불포화지방산이 많은 비중을 차지하고 있어서 변취의 우려가 크기 때문에 화장품에 사용되는 천연오일은 적다. 대신 변취 우려가 없는 합성오일이나 광물유(석유계)가 많이 사용된다. 천연오일의 변취를 해결하기 위해 경우에 따라서는 부분 또는 완전하게 수소 첨가하여 불포화지방산을 포화시켜 경화유지로 사용한다.

식물성오일, 동물성오일, 사람의 피지 모두 주성분은 트리아실글리세롤이다. 각 오일이 같지 않고 다른 이유는 글리세린에 결합한 지방산의 차이 때문이다. 즉, 지방산 부분의 포화/불포화 비율이 다를 수 있고, 지방산의 탄소수별 비율이 다를 수 있다.

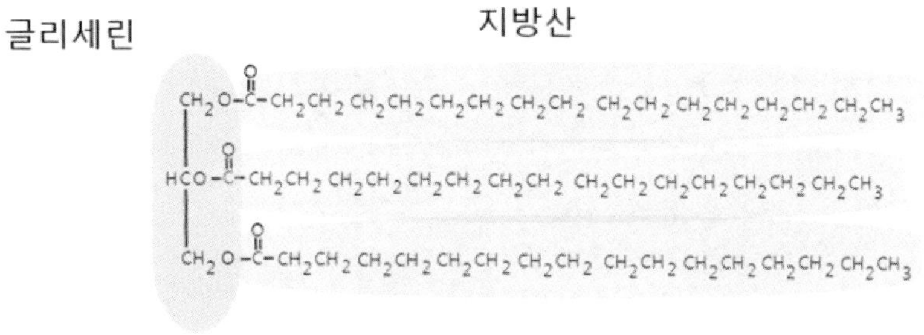

글리세린 지방산

$CH_2O-\overset{O}{\overset{\|}{C}}-CH_2CH_2\,CH_2CH_2\,CH_2CH_2\,CH_2CH_2\,CH_2CH_2\,CH_2CH_2\,CH_2CH_2\,CH_2CH_3$

$HCO-\overset{O}{\overset{\|}{C}}-CH_2CH_2\,CH_2CH_2\,CH_2CH_2\,CH_2CH_2\,CH_2CH_2\,CH_2CH_2\,CH_2CH_2\,CH_2CH_3$

$CH_2O-\overset{O}{\overset{\|}{C}}-CH_2CH_2\,CH_2CH_2\,CH_2CH_2\,CH_2CH_2\,CH_2CH_2\,CH_2CH_2\,CH_2CH_2\,CH_2CH_3$

〈그림 6.2.〉 트리글리세라이드의 구조 예(포화지방산)

〈표 6.2.〉 유지의 주요 지방산 조성

	소기름	야자유	팜유	면실유	올리브유	어유
라우릴산		48				
미리스트산	4	18	1			
팔미트산	30	8	50	26	12	18~25
스테아린산	25	2	5	2	2	
올레산	40	6	41	17	76	75~82
리놀렌산	1	3	7	55	8	

* 일본유화학회지: 유지편람, 丸善(1971).

6.1.1. 카프릴릭/카프릭 트리글리세라이드(caprylic/capric triglyceride)

탄소 8개짜리 지방산 카프릴산(C8)과 탄소 10개짜리 지방산 카프린산(C10)이 혼재된 트리글리세라이드이다. 일반 식물성오일과 같은 구조이어서 부드럽고 촉촉한 사용감을 주지만 탄소길이가 짧아서 일반 식물성오일보다 가벼운, 즉 중간 정도의 무게감을 갖는다. 에탄올에 용해하는 특성이 있고, 산화에 대한 안정성도 좋고 응고점도 낮다(약 -5℃). 식물성오일과 광물

유의 중간 정도의 사용성을 보이고 피부상에 퍼짐성이 아주 좋고, 탄소수가 비교적 적지만 피부자극을 보이지 않는다. 크림, 로션 등에 사용하면 퍼짐성을 개선하고, 또 립스틱을 비롯해 메이크업제품에 사용하면 안료의 분산성을 향상한다. 3% 이상 사용 시 경시에 따라(6~10개월 정도 이상) 변취되는 경향도 보인 적이 있다. 따라서 로션의 경우는 최대사용량을 1.5% 정도로 하는 것이 좋다.

6.1.2. 메도폼씨드오일(Meadowfoam seed oil)

1년생 식물 메도폼의 씨에서 얻는 오일이다. 지방산 중 탄소수가 20인 포화지방산이 62.6%이고 탄소수가 22이면서 이중결합이 하나 있는 불포화지방산이 22.1% 함유되어 있다. 촉촉하고 부드럽지만 탄소수가 20이거나 22인 것의 합은 97%에 달할 정도로 분자량이 커서, 피부 위에서도 무거운 사용감을 준다. 천연 토코페롤도 들어 있어서 가장 안정한 오일 중 하나이다.

6.1.3. 올리브오일(olive oil)

올리브나무(Olea europaea Linné: Oleaceae)의 열매를 압착하여 채취한다. 구성지방산은 올레산이 65~83%로 압도적으로 많고, 그 외 팔미틴산(7~16%), 리놀렌산(4~15%) 등이다. 식물유로서는 드물게 스쿠알렌이 미량 100~710mg/100g 함유되어 있다(식물성 스쿠알렌의 출처이다. 심해 상어의 간에서 추출하는 동물성 스쿠알렌은 동물성이란 표현보다 순화된 천연 스쿠알렌으로 부른다).

6.1.4. 시어 버터(shea butter)

중앙아프리카에 자생하는 시어(Butyrospermum parkii Kotschy(Sapatacea))의 종자(시어 너츠)에서 채취한다. 융점이 33~42℃이기 때문에 상온에서 반고체로 존재하지만 피부에 발리면서 녹는다. 이런 특성은 피부 사용감을 매우 부드럽게 한다. 지방산 조성은 스테아린산과 올레산을 주성분으로 하고, 합하여 90% 가까이 차지하는 점이 특징이다. 또 시어 버터의 큰 특징은 비누가 될 수 없는 비검화물이 많은데(3~10%), 그중에 자외선을 흡수하는 계피산에스터를 함유하기 때문에 275nm에서 최대흡수를 보이고, 자외선으로부터 피부를 보호하는 작용을 한다.

〈표 6.3.〉 Shea butter의 구성 지방산

Shea Butter by Croda Japan co.	함량	
Palmitic acid (C16)	3.7%	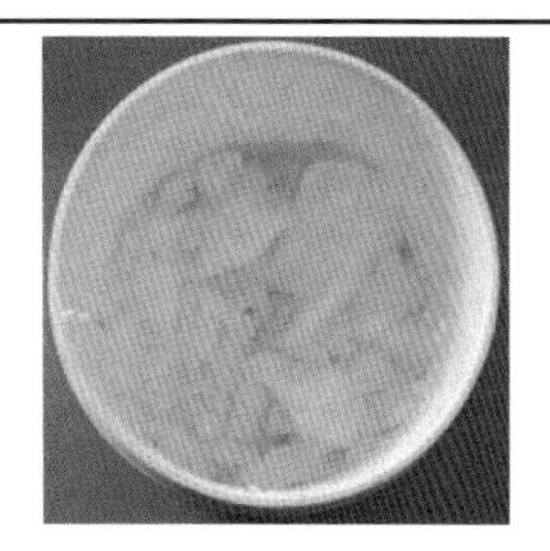
Stearic acid (C18)	41.7%	
Oleic acid (C18:1)	46.0%	
Linoleic acid (C18:2)	5.5%	시어 버터

6.1.5. 경화유(hydrogenated oil, hardened oil)

경화유란 불포화지방산의 이중결합 부분에 수소를 첨가하여 일부 또는 전부를 포화시킨 오일을 말한다. 일반적으로 경화유는 백색으로 냄새가 거의 없는 고체로서 원료유지의 냄새를 억제하고 대신 불포화지방산이 포화지방산으로 바뀌면 융점이 높아진다. 즉, 수소를 첨가하기 전에는 상온에서 액체이지만 수소를 첨가할수록 융점이 올라가 실온에서 고체가 된다. 식물유를 경화유로서 이용하는 경우가 많은데, 아주까리오일, 야자유, 카카오오일 등이 있고, 이 중에서도 경화 아주까리오일은 사용한 역사도 오래되고 유명하다.

▶ 상품 예

Hydrogenated vegetable oil: coconut과 palm kernel oil을 경화시킨 것으로 알킬기는 주로 Lauric acid이다. 융점(M.P.)은 42℃이다.

6.1.6. 오일의 특성치 정의

① 산가(Acid value): 시료 1g을 중화하는 데 필요한 수산화칼륨(KOH)의 양(mg)을 말한다. 즉, 유리지방산의 함량을 알려준다.

$$\text{Acid value} = \frac{(t-b) \times 56.1 \times M}{w}$$

t = 시료의 적정치, b = 시료가 없는 용제만의 적정치, M = KOH 용액의 몰농도, w = 시료의 무게

② 비누화가(Saponification value): 시료 1g을 비누로 전환시키는 데 필요한 KOH의 양(mg)이다. 오일이 비누가 되기 위해서는 트리글리세라이드같이 에스터결합을 갖고 있거나 순수 지방산을 포함하고 있어야 한다. 따라서 각 오일은 고유치를 갖는다. 석유 같은 탄화수소(hydrocarbon)는 에스터결합도 없고 순수 지방산도 포함하고 있지 않으므로 비누화가가 0이고, coconut oil은 250～265, tallow는 193～200이다.

$$\text{Saponification value} = \frac{(b-t)\times 56.1\times M}{w}$$

Saponification equivalent는 KOH 1몰(56.1g)에 의해 비누화되는 시료의 양(g)이다.

③ 요소가(Iodine value): 시료 100g을 포화시키는 데 소요되는 요소의 g 수이다. 시료의 불포화 정도의 척도가 된다.

$$\text{Iodine value} = \frac{126.9\times M\times (b-t)\times 100}{w}\times 1000$$

t = 시료의 적정치(부피), b = blank의 적정치, M = Sodium thiosulphate 용액의 몰농도, w = 시료의 무게

④ 수산가(Hydroxyl value): 시료 1g과 acetylation에 의해 결합할 수 있는 acetic acid의 양을 중화하는 데 필요한 KOH의 mg 수이다. 시료를 먼저 acetylation한 다음 KOH로 적정한다. 시료 중 Free hydroxyl group 양의 척도 겸 시료의 ethoxylation의 정도가 된다.

⑤ 과산화가(Peroxide value): 시료의 산화된 정도를 나타내지만 완전히 산화된 시료는 과산화가가 영으로 떨어지므로 산화된 정도를 항상 신뢰할 수 있는 것은 아니다. 즉, 산패 후 과산화물의 소실 때문이다.

6.2. 왁스(wax)

왁스는 화학적으로 고급지방산(RCOOH)과 고급알코올(R'OH)의 에스터(RCOOR')결합으로 정의된다. 유지처럼 자연계의 동식물체에서 얻어진다. 종래 상온에서 고체인 친유성 물질을 일반적으로 왁스라고 표현하였다. 제약업계에서는 왁스의 의미로 '납(蠟)'이라는 용어를 쓰기도 한다.

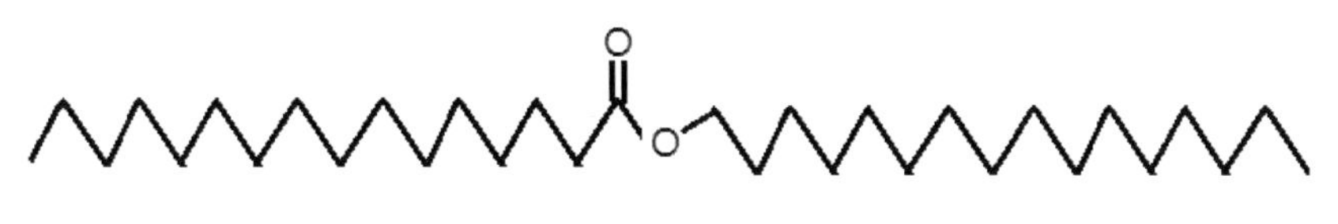

〈그림 6.3.〉 왁스의 기본 구조

고급지방산과 고급알코올 모두 분자량이 큰(C20~C50) 실온에서 딱딱한 고체인데, 이 둘을 화학결합시킨 왁스는 일반적으로 더욱 분자량이 크고 딱딱한 물질이 된다. 예외적으로 왁스 중에는 상온에서 액체(호호바오일) 또는 그 반고체인 것(라놀린)도 있어서 액체왁스, 고체왁스라고 분류한다. 액체왁스인 호호바오일이 상온에서 액체인 이유는 고급지방산과 고급알코올에 이중결합이 있는 불포화이기 때문이다. 불순물로는 유리지방산과 고급알코올, 탄화수소, 수지류 등을 포함한다. 화장품원료로서 고탄소수 왁스류를 사용하는 경우, 일반 유지에는 보이지 않는 특성(고융점(립스틱 등을 고형화), 점도, 광택, 포화성, 유화성, 항산화성 등)을 갖는다.

왁스류를 화장품에 사용하면 제품을 딱딱하게 하는 고형화제로서 제품의 내온도안정성을 높이고, 씩소트로픽한 성질을 주어 사용감을 개선하며, 사용상의 기능을 향상시킨다. 액상오일과 함께 사용하여 오일의 융점을 높이고, 피부상에서의 마찰효과를 개선한다(밀착감 증대, 흡수감 증대, 뻑뻑한 사용감). 피부 면의 소수성피막을 증강시켜 피부로부터 수분이 증산하는 것을 억제한다. 제품 및 사용 면에서 광택을 주고 상품가치를 향상시킨다. 또 성형기능을 개선하고 작업효율을 향상한다.

6.2.1. 벌집왁스(밀랍, Bees wax)

벌집에서 채취한 왁스를 정제한 것이다. 미리스틸팔미테이트($C_{15}H_{31}COOC_{30}H_{61}$)가 주성분이다.

〈표 6.4.〉 Bees wax 조성

성분명	함량
Monoesters(왁스)	38~45%
Hydrocarbons	13~15%
Free fatty acids	10~12%
Diesters	8~12%
Hydroxy-momoesters	4~6%
Free fatty alcohols	1~2%
기타	to 100

비즈왁스

* Apis mellifera.

<표 6.4.>에 유럽벌집의 조성이 나와 있다. 기타성분으로 3백여 종이 1% 이하로 존재하며 bees wax의 특성에도 기여한다. 산가가 높은(유리지방산이 많은) 유럽계의 벌집왁스는 클렌징 크림 또는 콜드크림을 비롯하여 유화계제품의 유성기제로서 예부터 사용되었다. 이것에 붕사(알칼리)를 첨가하면 유리지방산인 세로틴산과 반응하고, 세로틴산나트륨이 유화제로서 콜드크림을 만들게 된다.

벌집왁스는 본래 단맛이 있고 특이취를 가진다. 화장품에 사용하는 경우에는 정제한 것이 이용된다. 정제를 너무 많이 하면, 벌집왁스 본래의 점착성이 없어지고, 부스러지기 쉽게 되므로, 사용 목적을 고려하여 정제의 정도를 고려해야 한다. 최근에는 화장품에서의 사용 목적에 따라 보다 산가가 높은 벌집왁스도 요구되어, 고산가 벌집왁스도 별도로 시판한다. 이것은 벌집왁스를 부분적으로 검화(왁스에스터를 분해)하여, 유리지방산을 많게 한 것이다.

6.2.2. 호호바유(jojoba oil)

호호바 Simmondsia chinensis 또는 Simmondsia californica Nuttall(Euphorbiaceae)의 종자에서 얻어진 액체왁스이다. 상온에서 액체이어서 oil이라 부르게 되었지만, 화학구조상 왁스이다.

주성분은 불포화고급알코올(11-eicosen-1-ol 및 13-docosen-1-ol)과 불포화지방산(11-eicosadecenoic acid 및 oleic acid)이 70%를 점유한다. 불포화왁스에스터이지만 산화되기 어렵고, 내온성이 우수하다. 사용성은 밀착력이 높지만 서걱거림이 심하여 부드러운 감을 주지는 못한다. 흡수된 후에는 서걱거림이 가시고 부드러운 감의 두툼한 막을 형성한다. 일반 식물유에 비해 그리지한 감촉이 적고, 피부에 친화성이 좋다. 수소를 첨가한 호호바오일은 진주 같은 광택이 있는 백색의 반투명한 고체(66~77℃)이다.

6.2.3. 라놀린(lanolin)

양 *Ovis aries* L.(*Baridae*)의 털에 부착되어 있는 왁스상의 물질(wool grease)을 정제한 것이다. 주성분은 라놀린지방산과 라놀린알코올의 에스터이다. 구성성분은 매우 복잡하다. 이러한 복잡한 조성은 라놀린의 포수성(물을 포집하는 성질)의 원인으로 작용한다. 특히 유화제품에 사용된 경우, 유화안정성을 증강시킨다. 라놀린은 피부에 대한 에몰리언트성이 매우 우수하다. 최근에는 유리알코올이 피부의 안전성에 문제가 된다고 여겨지고 있고, 또 천연물이기 때문에 물성의 변동과 안정성의 문제가 있어서, 라놀린 중의 성분을 분획하거나 가공하여 유도체로서 사용하는 경향이 강해지고 있다.

▶ **상품 예** Crodalan SWL: **비알레르기성 라놀린**, Snow white lanolin

〈표 6.5.〉 왁스의 특성치

분류	mp(℃)	AV(산가)	Ⅳ
비즈왁스	62~67	5~8 or 17~22	5~15
라놀린	37~43	<1	18~36
카나우바왁스	80~86	<10	5~14
칸델릴라왁스	68~72	14~24	10~22

6.3. 탄화수소(hydrocarbons)

탄화수소는 아래의 화학식처럼 문자 그대로 탄소와 수소로 구성된 화합물이다. 포화탄화수소인 경우 일반식을 C_nH_{2n+2}라 쓸 수 있고, 이중결합이 하나 있으면 C_nH_{2n}이라 쓸 수 있다.

$$CH_3CH_2CH_2CH_2CH_2CH_2CH_2CH_2CH_2CH_3$$

〈그림 6.4.〉 C10 탄화수소, $C_{10}H_{22}$

또한 극성기를 갖지 않는 화학적으로 매우 불활성(비극성, 물을 매우 싫어한다)물질이다. 화장품원료로서 통상 C15 이상의 파라핀계(포화탄화수소)를 사용한다. 탄소수가 적으면 액체로 존재하고 많아지면 점차 반고체를 거쳐 고체로 존재한다. 석유로부터 얻어지기 때문에 일반적으로는 광물성유지(mineral oil)라고 불리고 있다. 탄소사슬이 직선인 것(노말 normal, n-)과 가지사슬을 갖는 것(이소, iso-)이 있다. 스쿠알란과 프리스탄 등은 동식물성유지로부터 분리 채취되는데, 조성상으로는 탄화수소이다. 탄화수소의 특징은 정제가 쉽고, 무색, 무미, 무취인 것을 얻기 쉽다. 또 화학적으로 불활성이고, 변질의 염려가 없으며, 유화하기 쉽다. 따라서 제형적으로 매우 이상적이다. 석유 유래 원료이기 때문에 가격이 상대적으로 싸서 화장품원료, 특히 오일을 많이 함유하고 값이 싼 클렌징제품에 널리 다량으로 사용된다. 피부 위에서 소수성피막을 형성하는 능력이 커서, 화상 부위 및 추운 날씨 때 발라주면 피부 면에서 수분이 증산하는 것을 억제하고(그 유명한 바셀린이 바로 석유 유래 탄화수소이다), 소수성피막에 의한 메이크업 효과를 높인다. 탄화수소류는 비교적 결정이 되기 힘들다.

탄화수소는 많은 장점이 있지만 사용감이 식물성오일에 비해 촉촉함과 부드러움이 좋지 못하다. 또 석유 유래이기 때문에 거부감을 소비자가 가질 수 있다. 최근 지속가능(sustainable) 사회를 만들기 위해, 석유 유래가 아닌 식물에서 탄화수소를 생산하는 방법이 상업화되었다. SASOL사는 식물에서 직쇄알코올을 추출하고, 탈수·증류·수첨을 실시하여, 여러 종류의 분자량을 갖는 탄화수소(Parafol)를 개발하였다. 이 원료는 휘발성을 갖는 도데칸(상품명: Parafol 12-97) 및 테트라데칸(상품명: Parafol 14-97)과 비휘발성 헥사데칸(Parafol 16-97), 옥타데칸(Parafol 18-97), 도코산(Parafol 22-95)으로서, 100% 식물 유래의 고순도 파라핀이다.

6.3.1. 유동파라핀(liquid petrolatum, mineral oil, paraffin oil)

300℃ 이상에서 증발이 되지 않고 남은 석유 원유에서 고형파라핀을 제거하고 정제한 것이다. C15~C20의 상온에서 액상의 탄화수소의 혼합물이다. 점도에 따라 경질유동파라핀(65~75 saybolt sec/100°F(37.8℃))과 중질유동파라핀(335~365 saybolt sec/37.8℃)으로 크게 구별한다. 거의 모든 화장품에 사용되는데, 특히 불활성이어서 피부에 침투성이 거의 없고, 피부 위의 메이크업을 녹이는 특성을 이용하여 클렌징크림의 주원료로 사용된다. 윤활성을 이용하여 콜드크림과 마사지크림에도 사용된다. 석유 원유에서 얻어진 것이므로, 다핵방향족탄화수소, 황화합물 등이 없는 정제도가 높은 것을 사용해야만 한다.

6.3.2. 바셀린(petrolatum, vaseline)

바셀린

연고 같은 반고체의 파라핀계 탄화수소이다. 주성분의 탄소수는 C24~C34이고, 비결정질이다. 고체의 왁스상 속에 액체의 유상이 분산 존재하는 콜로이드 상태이다. 정제하기 전은 노란색인데 이것을 노란바셀린이라 하고 탈색, 정제한 것을 백색바셀린이라 한다. 화장품에서는 거의 백색바셀린을 사용한다. 유동파라핀과 비슷하게 화학적으로 불활성이어서 클렌징크림, 콜드크림 등에 이용되는 것 외에 립스틱, 아이섀도, 크림형 립스틱 등의 메이크업제품에도 사용한다. 제형에 왁시한 감을 주기 위해 사용한다. 점착성이 있고, 유분감을 주는 특성이 있어서 포마드, 헤어크림 등의 정발제에도 사용된다. 처방상의 배합량이 너무 많으면 여름, 겨울의 온도 차에 의해 제품의 점도가 크게 영향을 받게 된다(여름에 묽은 로션, 겨울엔 크림 모양이 될 수 있다). 제형에 넣으면 점도를 그다지 올리지 않고, 많은 양은 유화를 불안하게 한다.

6.3.3. 파라핀(paraffin, paraffin wax)

석유 원유를 분별 증류할 때 마지막으로 남은 부분을 진공증류 또는 용제 분별하여 얻어진 백색의 약간 투명감이 있는 결정성의 왁스이다. 조성은 C16~C40의 n-파라핀이고, 주성분은 C20~C30이다. 다른 광물성 원료와 비슷하게 무색, 무취, 불활성으로 변질하지 않는다. 예부터 크림류, 립스틱, 남성용 고형정발유 등에 사용되었다. 상용성이 있는 기제와 병용하여 사용할 때 주의점은 여름, 겨울의 온도 차에 따라 제품의 경도가 극단적으로 변화될 수 있다는 것이다.

6.3.4. 세레신(ceresin)

석탄 속에 있는 Ozokerite를 정제한 것이다. 주로 C29~C35의 n-파라핀으로 구성되며, 일부 iso-파라핀도 함유한다. 파라핀에 비해 분자량이 크고, 융점, 경도도 높다. 시판하는 세레신에는 융점을 높게 하기 위해 소량의 카나우바 왁스를 첨가한 것도 있다(일반적으로 융점이 61~95℃이지만, 시판품에는 100℃ 이상의 것도 있다). 융점이 높고, 다른 유성 원료와의 상용성이 낮은 점을 이용하여 립스틱, 립크림 등의 스틱상 제품에 배합하여, 내온도성을 향상시키는 데 사용된다.

6.3.5. 마이크로크리스탈린 왁스(microcrystalline wax)

석유 유래로 분자량이 큰(450～1,000) 이소파라핀을 주성분으로 한 복잡한 화합물이다. C31～C70의 이소파라핀에 소량의 n-파라핀과 나프텐계 탄화수소가 함유되어 있다. 화장품 원료로서는 오일과 잘 혼재하여 오일 방울이 맺히게 하지 않고(sweating), 융점(60～85℃)이 높지만 부드럽고 끈끈하며, 다른 왁스와 혼합하면 결정의 성장을 억제하고, 저온에서도 깨짐성이 없는 등의 이점을 활용하여 립스틱, 립크림, 크림 등에 이용된다.

6.3.6. 스쿠알란(squalane)

깊은 바다에 사는 상어류의 간기름에서 채취한 스쿠알렌(squalene, $C_{30}H_{50}$)을 수소 첨가하여 얻어진 포화탄화수소($C_{30}H_{62}$)이다. 현재는 식물성(olive oil 유래) 스쿠알란을 주로 사용한다. 스쿠알렌은 인간의 피지 중에도 5～10% 정도 함유되어 있다. 스쿠알란은 포화탄화수소이지만, 탄소사슬 중간에 4개의 메틸기를 가지로서 가지고 있어서 차곡차곡 쌓이는 결정성을 억제하여 응고점은 매우 낮다(-60～-65℃). 유동파라핀에 비해 그리지한 감이 적고, 피부에 대한 침투성은 라놀린보다도 우수하다. 피부에 침투해도 자극이 없고, 알레르기 반응도 생기지 않아서, 화장품용 유성기제로서 종래부터 널리 이용되어 왔다.

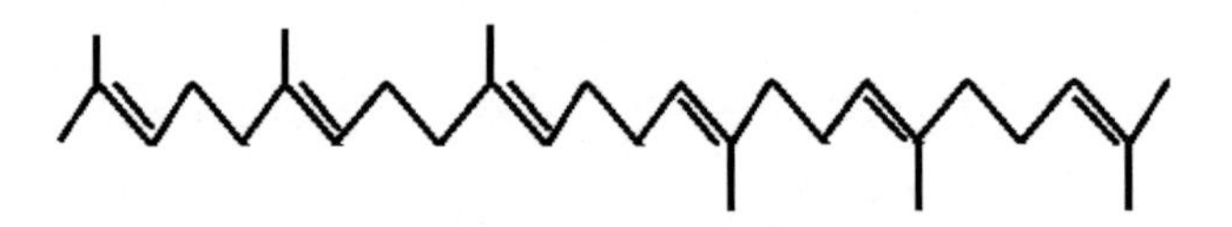

〈그림 6.5.〉 스쿠알렌

6.4. 오일별 특성 비교

6.4.1. 오일의 극성

물과 오일은 서로 섞이지 않는다. 그렇다고 모든 물질이 물에 섞이는 것과 물에 녹지 않고 오일에 섞이는 것으로 나누어지는 것은 아니다. 즉, 물에 녹지 않는 친유성 물질은 물을 아주 싫어하는 비극성(탄화수소)인 물질부터 일부 극성이 있는(에스터 오일) 물질 등으로 연속적으로 존재한다.

또 물에도 오일에도 섞이지 않는 물질도 존재한다. 예를 들면 메이크업제품에서 자주 사용되는 불소코팅은 물과 오일을 배척하는 성질을 제품에 부여한다.

6.4.2. 오일 사용감

오일은 화장품 사용성에 크게 영향을 준다. 일반적으로 분자량이 작은 오일이 가벼운 사용감을 주고 분자량이 큰 오일이 묵직하고 촉촉한 느낌을 준다.

6.4.3. Occlusivity 폐색효과(보습)

** 보습이란?

① 흡습

- 글리세린, 1,3-Butylene Glycol 같은 폴리올(알코올기(-OH)가 여러 개란 뜻)은 물과 비슷한 구조(H-OH)를 가지고 있어서 서로 잡아당기는 흡습을 한다. 따라서, 폴리올을 피부에 바르면 피부 위에 있는 폴리올이 피부 밖 또는 피부 안쪽에서 수분을 빨아들여 흡습한다. 그러므로 폴리올이 도포된 피부는 항상 촉촉하지만 공기가 건조한 겨울철에는 피부 안쪽에서 수분을 빨아들여 흡습하면서 수분을 외부로 뺏기는 상황이 될 수 있다. 일반적으로 스킨로션에는 오일이 없고 폴리올만 들어 있으므로 스킨로션만 바르고 밖에 나가게 되면 이런 상황이 될 수 있다.

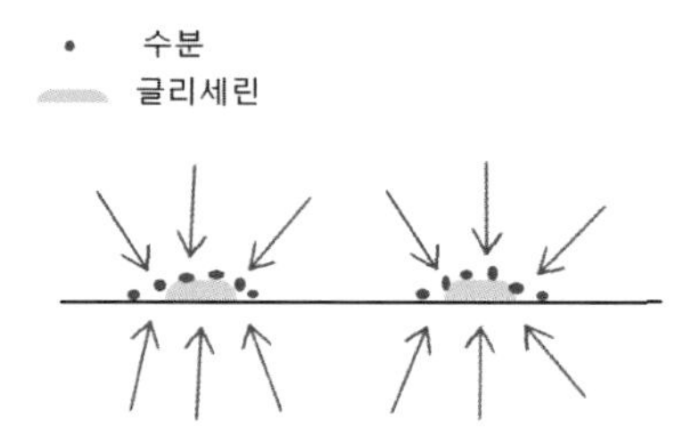

② 폐색효과

- 오일을 피부에 바르면 오일막을 형성하여 수분이 밖으로 빠져나가는 것을 막아 보습이 된다. 따라서, 올바른 보습이란 폐색막을 형성하는 오일과 흡습하는 폴리올을 함께 발라야 한다.

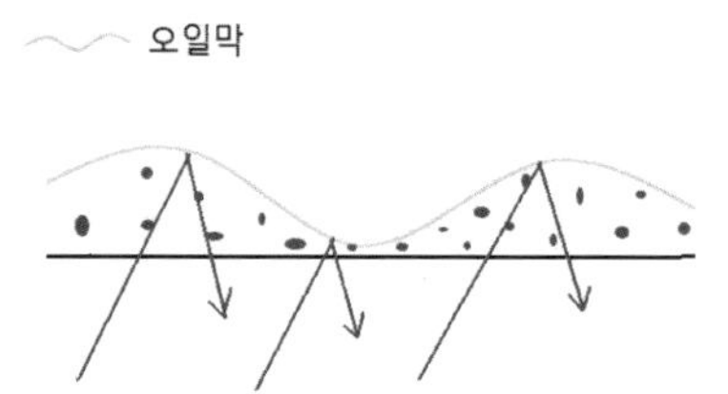

Polar한 오일(대부분의 트리글리세라이드, 에스터, 액상왁스, 합성알콕실레이트)은 모공을 막지 않는 특징을 가지고 있고, Non-polar 오일은 우수한 보습과 보호막을 형성한다. 폐색효과의 순서는 Vaseline > LP > Jojoba oil > Olive oil > IPM이다(Fragrance J., 1999.6.).

즉, 식물성오일은 촉촉한 보습감을 주지만 실제로 그렇게 보습막을 단단히 형성하지는 못한다. 반면에 광물유는 우수한 보습막을 형성하지만, 보습감으로 느껴지지 않는다. 이 두 오일을 적절히 처방하여 보습력과 사용감을 찾아내는 것이 중요하다.

글리세린 같은 폴리올은 보습제로 통용되고 있지만, 실제로는 수분증산을 막지는 못한다. 다만, 자기 주변에 수분을 빨아들여 주변의 건조를 막을 뿐이다. 이런 특성으로 인해, 아토피 환자와 같이 수분증산을 막을 필요가 있는 경우에 글리세린의 사용은 오히려 해가 될 수 있다(Fragrance J., 2010.3.).

6.4.4. 퍼짐성(spreading value)

분자량이 클수록 오일감이 높고 분자량이 작을수록 용해력이 크다. 퍼짐성은 분자량이 작을수록 좋다. 즉, 천연오일은 분자량이 커서 오일리하고 퍼짐성이 적어서 spot care에 적합하고, 합성오일은 분자량이 작아 퍼짐성이 좋으므로 body제품에 적합하다(Cosmetics & Toiletries, Vol. 112, 1997, 101).

**** 화장품의 사용감**

① 유분량 증가
- 경도, 퍼짐성, 피막두께감, 손놀림감 증가

② 유화제 증가
- 경도, 피막두께감 증가
- 퍼짐성 감소

③ 끈적임
- 유분 및 유화제가 증가하면 증가
- 입자 간 인력, 즉 네트워크 증가로 발생한다. 유분량 증가는 입자 수를 증가시키고, 유화제의 증가는 연속상에 미셀 등 자기조직체 형성을 많게(입자 수 증가) 한다.

④ 보습감
- 액상오일만으로는 크림 및 로션과 같은 농후한 보습감을 실현하는 것은 어렵다. 고형상 · 페이스트상의 유제는 유성감이 너무 강하고, 결정화 등 안정성 면에서의 우려가 있다. 따라서 이것들을 적절히 조합하여 배합한다.

6.5. 고급지방산(higher fatty acid)

지방산은 동식물유지(지방산+글리세린) 및 왁스(지방산+고급알코올)의 주요 구성성분이다. 유지 또는 왁스를 가수분해하고, 이것을 결정분별(압착법, 용제분별법) 또는 증류분별하여 얻는다. 탄소수 10(C10) 이하의 지방산은 저급지방산이라 부르고 C12 이상의 것은 고급지방산이라 부른다. 천연유지 및 왁스에서 얻어진 지방산은 거의 탄소수가 짝수의 직쇄상의 포화 또는 불포화지방산이다. 알킬기의 크기, 이중결합의 수(불포화도), 수산기(-OH)의 유무 등에 의해 그 성질이 크게 달라진다.

일반적으로 화장품에 이용되는 지방산은 C12~C22의 포화지방산이 많고, 불포화지방산(예: 올레산, 리놀산, 리시놀산 등)은 일부 특수한 목적으로만 이용된다. 포화지방산은 직쇄상의 모습을 하고 있어서 분자들이 차곡차곡 쌓일 수 있어서 실온에서 고체로 존재한다. 반면에 불포화지방산은 이중결합 부위에서 꺾이는 구조를 취해 차곡차곡 쌓이기 어려워 실온에서 액체로 존재한다. 지방산과 글리세린으로 구성된 지질도 마찬가지로 포화지방산의 비율이 높으면 실온에서 고체가 되고, 불포화지방산의 비율이 높으면 액체가 된다.

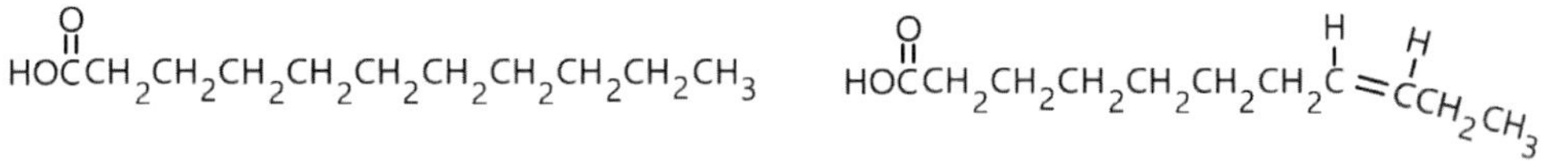

$HO\overset{O}{\overset{\|}{C}}CH_2CH_2CH_2CH_2CH_2CH_2CH_2CH_2CH_3$

포화지방산

$HO\overset{O}{\overset{\|}{C}}CH_2CH_2CH_2CH_2CH_2CH_2\overset{H}{\overset{|}{C}}=\overset{H}{\overset{|}{C}}CH_2CH_3$

불포화지방산

〈그림 6.6.〉 포화지방산과 불포화지방산 예

저급지방산과 고도불포화지방산은 피부에 대한 자극성, 색상, 냄새, 산패 등 안정성이 나빠서, 화장품원료로 거의 이용되지 않는다. 화장품원료로서 지방산의 품질관리는 색상, 냄새, 결정상태 외에 융점(또는 응고점), 중화가(산가), 요소가 등을 측정하여 관리한다.

기초화장품에 지방산을 처방하면 어떤 결과가 초래될까? 좋을 게 별로 없어 보인다.

기염증성(염증을 일으키는)의 지방산이 있다. C8~C14 지방산은 모낭염의 원인이 되는데, C12가 최고이고, 침투력도 강하다. 기면포성(여드름)은 지방산 > 트리글리세라이드 > 왁스 순으로 지방산이 강하다. 그중 C10~C18 지방산이 강한데, C12, C14가 최고이다. C16, C18 지방산은 타이로시나아제활성을 증가시켜 멜라닌 생성을 촉진한다.

불포화지방산은 좋은 점도 보고되어 있다. 미백작용은 linoleic acid, linolenic acid, oleic acid, azelaic acid(여드름 염증 후 색소침착에 최적)에서 보인다. 여드름치료효과는 azelaic acid(살여드름균, 여드름균 성장을 촉진하는 케라틴 생성을 감소시킴)에서 보고되었다. 또 제형상 좋은 점은 세정제에 투입 시 거품 안정화에 크게 기여한다.

불포화지방산에도 역시 나쁜 점이 보고되어 있다. 올레산 등 불포화지방산이 대량으로 존재하는 경우 각화가 가속되어, 케라티노사이트의 불완전각화를 유발한다.

『Fragrance Journal』 2012년 8월호에 따르면, 자극은 지방산염 중에서 라우린산칼륨이 가장 스팅잉이 강하고, 고급지방산염을 주성분으로 한 무향료의 세정제는 세정하고 건조된 후 몸에서 불쾌한 지방산취를 풍긴다고 한다. 또한 지방산염은 피지제거력이 너무 강하기 때문에 바디세정제로는 부적합한 것으로 생각된다.

〈표 6.6.〉 지방산과 특성

지방산	특성
라우린산[lauric acid, $CH_3(CH_2)_{10}COOH$]	물에 잘 녹고, 세정력 및 기포력이 우수하다. 직쇄지방산 중 살균력이 우수하다.
미리스틴산[myristic acid, $CH_3(CH_2)_{12}COOH$]	
팔미틴산[palmitic aicd, $CH_3(CH_2)_{14}COOH$]	
스테아린산[stearic acid, $CH_3(CH_2)_{16}COOH$]	과자 같은 단 냄새가 나고, 사용성은 부드럽게 남는 감, 즉 피막이 생긴 느낌을 준다. 물에 녹지 않는다. 2% 이상 사용 시 미중화된 것들의 결정화 현상에 주의해야 한다. 중화를 하지 않을수록 부드러운 사용감이 있고 중화를 할수록 soap으로 변해 유화안정도에 도움을 주나 사용감은 나빠지고 제형은 뻑뻑해진다.
올레산[oleic acid, $CH_3(CH_2)_7CH:CH(CH_2)_7COOH$]	화장품원료로서 올레산의 용도는 에멀션의 유동성의 유지, 크림의 스테아린산에 의한 결정화 방지, 쉐이빙크림의 모발유연효과 등의 목적으로 사용된다.
리놀렌산[linoleic acid, $CH_3(CH_2)_4CH:CHCH_2CH:CH(CH_2)_7COOH$]	멜라닌 생성의 율속효소(속도결정효소)인 티로시나아제의 분해를 촉진함으로써 멜라닌 생성을 억제한다.
리놀레닌산[linolenic acid, $CH_3CH_2CH:CHCH_2CH:CHCH_2CH:CH(CH_2)_7COOH$]	C18인 지방산으로 이중결합이 3개 존재한다.
아라키딘산[arachidic acid, $CH_3(CH_2)_{18}COOH$]	계통명은 *n*-Eicosanoic acid, 융점은 76.5℃이다.
비히닌산[behenic acid, $CH_3(CH_2)_{20}COOH$]	

** **지방산의 탄소에 번호 부여**

① 종래의 관용적 방법

- 작용기 이외의 탄소부터 α, β, γ, … 부여

② IUPAC 시스템의 방법

- 작용기 내의 탄소부터 1, 2, 3, … 부여

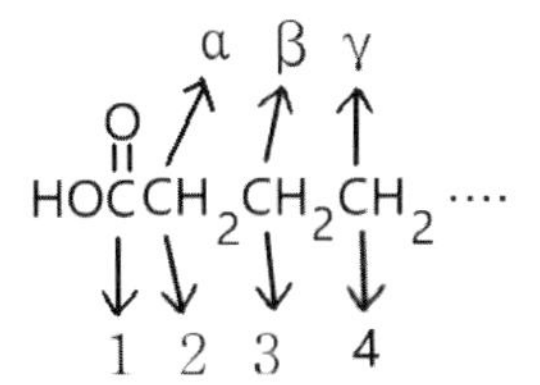

③ 오메가-3 지방산과 오메가-6 지방산의 의미

오메가-3(ω-3) 지방산의 의미는 ω가 마지막이라는 뜻이 있으므로 카르복실기(-COOH)의 반대쪽 끝에 있는 메틸기(CH_3-)로부터 3번째 탄소에 이중결합이 있다는 의미

α-linolenic acid, ALA

오메가-6(ω-6) 지방산의 의미는 카르복실기(-COOH)의 반대쪽 끝에 있는 메틸기(CH_3-)로부터 6번째 탄소에 이중결합이 있다는 의미

γ-linolenic acid, GLA

6.6. 고급알코올(higher fatty alcohol)

고급알코올은 탄소수 6 이상의 일가알코올의 총칭이다.

$$HOCH_2CH_2CH_2CH_2CH_2CH_2CH_2CH_2CH_3$$

〈그림 6.7.〉 고급알코올 예, $C_9H_{19}OH$

천연유지를 원료로 하는 지방알코올과 석유화학제품을 원료로 하는 합성알코올로 대별된다. 화장품원료로서 고급알코올은 지방산과 같이 오래전부터 사용되고 있는 중요한 유성기제의 하나이다. 특히 유화제품에서 유화보조제로 널리 사용된다. 크림과 스틱상 제품에 사용되

어, 점도 및 경도 부여, 에멀션의 유화안정성 향상, 오일리한 감을 낮추고, 두발제품에 광택 및 윤기를 부여하며, 특정 성분에 대해서 용매효과도 있고, 피부와 두발에 지방보충제, 에몰리언트제로 작용한다. 고급알코올들은 제품의 안정화에 기여하는 반면, 배합량을 너무 많이 하거나 비극성 유분이나 실리콘유를 중심으로 한 유분 조성으로 하면 결정이 석출하는 위험성이 있기 때문에 주의가 필요하다(비극성 오일 및 실리콘오일과는 상용성이 떨어진다).

〈표 6.7.〉 고급알코올의 종류

고급알코올	화학식
라우릴알코올[lauryl alcohol]	$CH_3(CH_2)_{11}OH$
미리스틸알코올[myristyl alcohol]	$CH_3(CH_2)_{13}OH$
세틸알코올(세탄올)[cetyl alcohol]	$CH_3(CH_2)_{15}OH$
스테아릴알코올[stearyl alcohol]	$CH_3(CH_2)_{17}OH$
베헤닐알코올[behenyl alcohol]	$CH_3(CH_2)_{21}OH$

6.6.1. 세토스테아릴알코올[cetostearyl alcohol]

세토스테아릴알코올

스테아릴알코올과 세탄올의 혼합물로 통상시판품은 스테아릴알코올 50~70%, 세탄올 20~35%이거나 또는 각각 1:1의 조성물이고, 융점은 46~56℃이다. 세탄올과 같이 크림, 에멀션 등의 유화조제로서 사용되는데, 세탄올이나 스테아릴알코올을 단독으로 사용하는 것보다도 혼합되어 있는 편이 유화보조제(액정형성)로서 기능이 강하다고 알려져 있다.

6.6.2. 2-옥틸도데카놀[2-octyldodecanol]

가지사슬구조를 갖는 합성알코올이다. 탄소수가 크지만 곁사슬을 가지고 있기 때문에 실온에서 액체이고 응고점이 낮다. 피부에 non-greasy한 사용성을 주기 때문에 크림, 로션을 비롯하여 메이크업제품의 유성기제로서도 널리 이용된다.

▶ **상품 예** Eutanol G = Octyl dodecanol

클렌징제품에서 우수한 멜팅력을 보이고 또한 티슈오프한 다음에도 부드럽고 촉촉한 감을 준다. 유화입자를 크게 만들어 불안정하게 한다.

6.7. 실리콘오일

실리콘은 폴리디메틸실록산을 대표로 하는 폴리머의 일반 호칭인데, 주 골격은 이산화규소(석영)와 같은 실록산 결합(-Si-O-)으로 이루어지고, 각 규소(Si)에 메틸기(-CH_3) 2개가 결합한 무기와 유기의 복합폴리머이다.

실리콘의 화학구조에 기인하는 특성은, 주 사슬결합의 고결합에너지(Si-O: 106kcal/mol, C-C: 82.6kcal/mol)로 인해 내열 및 내산화 등의 각종 안정성, 주 사슬의 부푼 듯한 모양(저밀도)과 유연성으로 인해 저융점, 점도의 낮은 온도의존성, 고압축률, 곁사슬 메틸기의 저분자간력 및 저표면장력으로 인한 윤활성, 젖음 및 확산성, 이형(離型)성(형틀에서 제품이 쉽게 떨어짐), 발수발유(물과 오일을 싫어함)성, 기체투과성, 화학적 및 생리적 불활성 등이다.

실리콘은 분자설계가 쉬워서 여러 유기기가 도입될 수 있을 뿐만 아니라 유기기의 변성률, 분자량, 분자구조를 쉽게 제어하는 일이 가능하다. 화장품 용도로는 실리콘의 특성인 발수성, 가스투과성, 윤활성을 이용해 광범위하게 베이스유제로서 이용되고 있고, 또 계면활성제와 젤화제 및 피막형성제 등이 개발되어 있다. 실리콘오일은 표면장력이 낮고, 무색무취이고 피부자극이 작다. 화학적으로 안정하고, 분지가 많은 저점도 에스터오일과 용해성이 좋다.

6.7.1. cyclomethicone

Cyclic dimethyl polysiloxane 화합물이다. 그림에서 n은 3에서 7까지 존재하는데 n=5가 주성분인 cyclopentasiloxane이 사용성 및 피부안전성이 우수하여 기초화장품에 널리 사용된다. 윤활성 및 발수성이 좋고 화학적으로 안정하며 산소투과성이 높다. 피부에 매우 가볍고 실키한 사용성을 주지만, 에탄올보다도 휘발성이 좋기 때문에 피부에 오래 남지 않는다. 물과 함께 유화를 하면 유화물의 투명도가 다른 오일에 비해 높다(물과 굴절률이 가깝다).

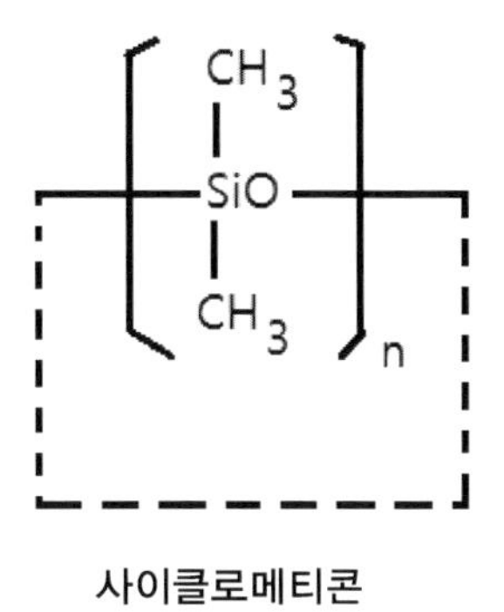

사이클로메티콘

▶ **상품 예**

DC 345 n=4 <1%, n=5> 60%, n=6 30~60%, 비중: 0.957
DC 245 n=4 <1%, n=5> 60%, 비중: 0.956

〈표 6.8.〉 기화열 비교

Heat of vaporization(25℃)	
DOW CORNING 245	157kJ/kg
알코올	840kJ/kg
물	2257kJ/kg

* cyclomethicone은 알코올보다 훨씬 더 쉽게 기화된다.

6.7.2. 실리콘검(dimethicone)

$$(CH_3)_3SiO-\left[\begin{array}{c} CH_3 \\ | \\ SiO \\ | \\ CH_3 \end{array}\right]_x-Si(CH_3)_3$$

실리콘검

실록산 결합을 골격으로 한 곧은 사슬상 중합물이다. 통산 디메틸폴리실록산을 실리콘검이라고 부르는데, 메틸기 대신에 페닐기로 바꾼 메틸페닐폴리실록산도 실리콘검이라고 부른다. 비극성용매에 잘 녹고 극성용매에는 녹지 않는다. 그러나 페닐기를 도입한 것은 에탄올에 용해하고, 일반 화장품기제와 상용성도 좋다.

무색투명한 오일상 액체로서, 중합도에 따라 여러 종류의 점도로 된다. 점도는 온도의존성이 적고, 내열성, 내한성, 윤활성, 발수성 및 전기절연성이 좋으며, 피부감촉도 매우 실키하여서, 크림, 로션 및 두발화장품에도 널리 사용되고 있다. 기초화장품에서는 특히 발릴 때는 두툼하게 발리는 감이 있으나 흡수된 후에는 남는 감이 없는 타입의 제품에 응용된다. 메틸기의 일부를 수소로 치환한 메틸하이드로젠폴리실록산은 무기안료의 표면처리제로서 사용되는데, 표면처리안료는 메이크업화장품에 널리 사용되고 있다. 저분자량(DC 200cs)인 것은 유화제형의 소포제로서 첨가된다.

▶ **상품 예**

phenyl trimethicone, 상품명(ShiEtsu) KF56

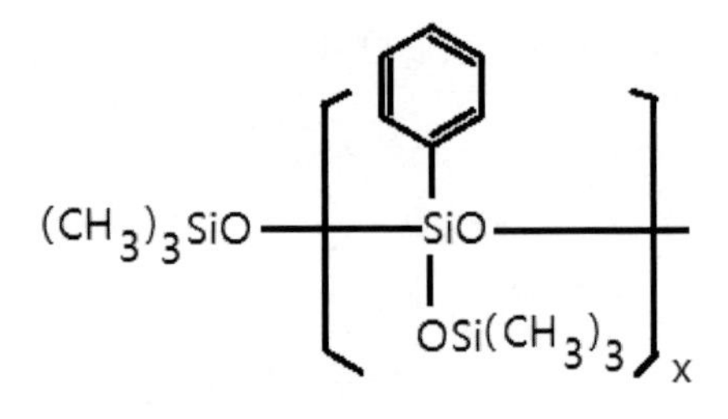

페닐트리메치콘

6.7.3. 샴푸에서 실리콘

샴푸의 기능은 모발과 두피의 세정 및 세발(모발을 세정) 후 헹구기부터 건조까지에 걸쳐 생기는 모발 간의 마찰을 감소시키는 것을 들 수 있는데, 후자에 실리콘이 응용되고 있다. 일반적으로 실리콘은 기포생성 등 세정성을 떨어뜨리는 경우가 많기 때문에, 이용 가능한 실리콘 종류, 양은 한정되는 경우가 많다. 실리콘으로서 고중합도인 디메틸폴리실록산이 주로 이용되고, 기타 물과 상용성이나 모발에 잔류성을 높인 폴리이써변성실리콘, 아미노변성실리콘이 이용된다. 또 이러한 실리콘을 세발 시, 특히 헹구는 과정에서 어떻게 세정계를 설계하면 효율적으로 모발 표면에 잔류시킬 수 있을까라는 점이 기술적 과제의 하나라고 할 수 있다. 잔류효율을 높이는 기술로서, 일반적으로 음이온성계면활성제와 양이온성 폴리머의 상호작용에 의해 형성되는 복합체를 이용하여 잔류시키는 수법(코아세르베이션)이 널리 이용되고 있다.

6.7.4. 린스 및 컨디셔너, 트리트먼트에서 실리콘

린스 및 컨디셔너, 트리트먼트는 긴사슬 알킬4급암모늄염 등 양이온성계면활성제와 고급알코올 등의 유성성분을 주성분으로 모발을 케어한다. 표면이 손상되어 친수화된 모발을 유성성분으로 보호하고 건조 후의 모발 상태를 개선하는 것이다. 구체적으로는 빗 및 손가락으로 머리를 빗을 때의 느낌을 향상시켜 갈라진 모, 끊어진 모가 되는 것을 예방하는 등 모발을 보호하고, 매끄러움, 실키감, 촉촉함(메마르지 않은 감) 등의 감촉을 부여하고, 광택 및 보습감 등의 질감을 부여하며, 정전기 방지, 사용감 향상 등을 들 수 있다. 이와 같이 요구되는 기능에 대해, 실리콘은 윤활성, 저표면장력 등의 성질과 감촉적으로 끈적임이 없고 가볍고 부드러워서 인간에게 기분 좋은 감촉으로 선호되어 수십 년에 걸쳐 사용되고 있다. 대표적으로 사용되는 실리콘은 디메틸폴리실록산으로, 분자량에 따라 휘발성~저점도~고점도~검상까지 다양한 종류가 있다.

이러한 분자량이 다른 디메틸폴리실록산 중에, 모발보호의 관점에서는 고분자량의 검(gum) 상태의 실리콘이 모발표면에 대한 피복성이 우수하기 때문에, 큐티클의 벗겨짐이나 지모/절모 방지에 사용된다. 사용감의 관점에서는, 고점도 실리콘은 매끄럽고 촉촉하며 저점도 실리콘은 가볍고 매끄러운 마무리 감촉을 준다. 또 아미노기 등 극성기를 도입하여 손상된 모발 부위에 대한 잔류성을 높인 것도 있다. 이러한 실리콘을 목적에 맞게 조합하여 사용하는 경우가 많다.

샴푸에 비해 세정성분이 포함되어 있지 않기 때문에, 그만큼 실리콘 잔류성은 높아지고, 잔류상태를 제어하는 것이 기술적 과제라 할 수 있다. 불균일한 잔류상태로는 모발의 상태(감촉과 외관)를 충분히 개선하기 어렵기 때문에, 실리콘을 모발 표면 위에 균일하게 잔류시키는 것이 요구된다. 이를 위해 일반적인 수법으로서, 사이클로메티콘 또는 저분자량 디메틸폴리실록산, 이소도데칸과 같은 휘발성 유제로 고분자량실리콘을 희석하여(녹여) 사용하는 방법이 널리 이용된다.

정리하면, 디메티콘검이나 디메티코놀이 매끄러움을 부여하고, 촉촉하고 정돈감 있는 마무리가 된다. 부드러운 감이나 정돈성을 높일 목적으로 아미노변성오일이, 윤기효과를 높일 목적으로 페닐변성실리콘이 사용된다.

6.8. 세라마이드(ceramide)

1980년대 초 히알루론산이 생명공학적으로 개발되어 화장품 발전에 크게 공헌하였다면, 80년대 말 세라마이드의 개발도 필적할 만하다. 세라마이드는 세포간지질성분으로서, 라멜라(평판 모양의 규칙적 배열) 상태로 존재한다. 기능은 피부수분 유지, 방어이다. 효모로부터 세라마이드 골격을 생합성한 후 재합성을 통해 양산된다. 유화에 투입 시 액정구조를 형성한다. 무엇보다 부드러우면서 매끄럽고 끈적이지 않는 사용성이 매우 우수하다.

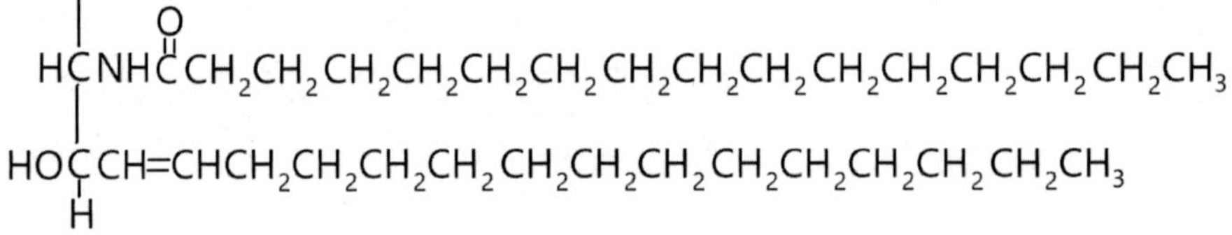

$$\begin{array}{l} HOCH_2 \\ \;\;| \qquad\quad O \\ \;\;| \qquad\quad \| \\ HCNHCCH_2CH_2CH_2CH_2CH_2CH_2CH_2CH_2CH_2CH_2CH_2CH_2CH_2CH_2CH_3 \\ \;\;| \\ HOCCH{=}CHCH_2CH_2CH_2CH_2CH_2CH_2CH_2CH_2CH_2CH_2CH_2CH_2CH_3 \\ \;\;| \\ \;\;H \end{array}$$

〈그림 6.8.〉 세라마이드

처방 역사적으로 세라마이드는 제품의 경시적 겔화를 일으킨 적이 있다. 가혹 조건에서 안정성 테스트 결과 2개월간 안정하였지만, 6개월 이상의 시간이 지나면서 두부처럼 되고, 이어서 아랫부분에 물층이 형성되었다. 이 특성은 세라마이드가 물에도, 오일에도 잘 녹지 않는 특성에 기인한 것으로 생각된다. 처방상에 유의가 필요한 원료이다.

세라마이드는 결정성이 높아 단독 사용 시 곧 고체로 석출되거나 크림 및 로션의 점도를 높일 우려가 있기 때문에, 이를 극복하기 위한 처방이 개발되어 보고되었다. 콜레스테롤, 지방산 등 자기조직성 지질과 함께 배합하여 멀티라멜라에멀션을 만들어 처방하면 안정성이 개선된다. 세라마이드를 가용화하여 현탁스킨으로 응용한 제품도 나와 있다. 폴리글리세린지방산에스터·폴리올 수용액에 에스터유(이소프로필팔미테이트)와 함께 가용화하거나, 레시틴·폴리올수용액에 코코넛오일과 함께 가용화한다.

6.9. 지방산에스터(fatty acid ester)

화장품원료로써 사용되는 지방산에스터는 주로 고급지방산과 일가알코올 또는 다가알코올의 에스터이다. 유성기제(베이스 원료)로서 사용되는 지방산에스터를 크게 분류하면 고급지방산과 저급알코올의 에스터, 고급지방산과 고급알코올의 에스터, 고급지방산과 다가알코올의 에스터, 옥시산과 고급알코올의 에스터이다. 이들은 알킬기의 크기, 구조, 분자량, 성상 등에 따라 용제, 상용화제, 에몰리언트제, 가소제, 현탁화제 등 화장품의 목적, 제형에 따라 폭넓게 사용된다. 기능성과 피부에 대한 작용은 유성기제 간의 상용성의 향상, 사용 시의 퍼짐성 부여, 색소, 특수성분 등에 대한 용매효과, 향료의 체류성 향상, 피부 및 모발에 에몰리언트효과 및 유연광택성 부여, 피부 위에 도포된 유성기제의 통기성 향상 등이다.

어차피 천연이 아닌 의도적으로 합성된 오일이므로, 사용감과 안정성이 우수하게 분자설계가 되어 있다. 대체적인 공통점은 분자 내에 에스터기가 들어 있고, 에스터기 좌우에 탄화수소, 어떤 것은 이소타입 탄화수소가 붙어 있다.

6.9.1. 고급지방산과 저급알코올에스터: 미리스틴산이소프로필[Isopropyl myristate: IPM $CH_3(CH_2)COOCH(CH_3)_2$]

고급지방산과 저급알코올의 에스터, 즉 미리스틴산과 이소프로판올의 에스터이다. 상용성이 없는 유지 사이에 혼화제로 작용한다. 염료의 용매 혹은 오일감을 줄인 에몰리언트제로서 크림, 로션을 비롯하여 메이크업제품, 두발제품에 널리 사용된다. 같은 목적으로 사용되는 것으로는 이소프로필팔미테이트, 이소프로필이소스테아레이트 등이 있다. 오일 중 가장 polar한 오일이고, 클렌징제품에서 우수한 멜팅력을 보이고 또한 티슈오프한 다음에도 푸석함이 조금 남는다. 하지만 LP #70에 비해 푸석이지 않고 실온에 오래 보관 시 변취가 심하다.

6.9.2. 고급지방산과 고급알코올에스터: 라우릴산헥실[hexyl laurate $CH_3(CH_2)_{10}COOCH_2(CH_2)_4CH_3$]

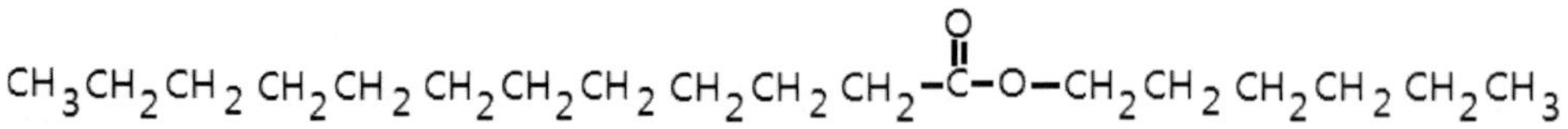

$$CH_3CH_2CH_2CH_2CH_2CH_2CH_2CH_2CH_2CH_2CH_2-\overset{O}{\overset{\|}{C}}-O-CH_2CH_2CH_2CH_2CH_2CH_3$$

〈그림 6.9.〉 라우릴산헥실

고급지방산과 고급알코올의 에스터, 즉 라우린산과 n-헥실알코올의 에스터이다. 화장품용 유성기제로만이 아니라 외용의약품에도 오래전부터 사용되었다.

▶ **상품 예** KAK H. L.

사용성이 매우 가벼운 오일. 변취 우려가 있어서 2% 이하가 적당하다.

6.9.3. 고급지방산과 고급알코올에스터: 미리스틴산옥틸도데실[2-octyldodecyl myristate $CH_3(CH_2)COOCH_2CH(C_8H_{17})(CH_2)_9CH_3$]

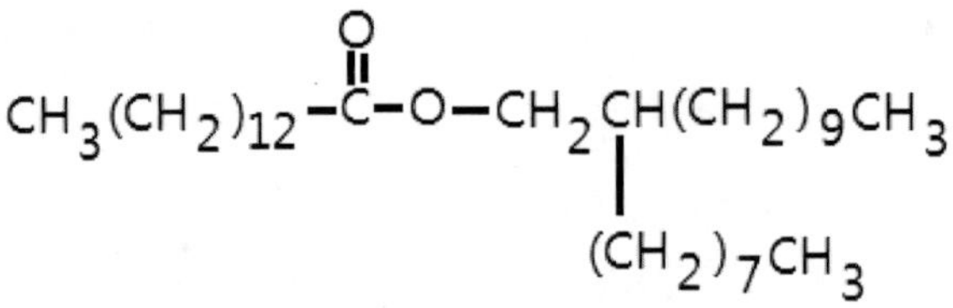

$$CH_3(CH_2)_{12}-\overset{O}{\overset{\|}{C}}-O-CH_2\underset{(CH_2)_7CH_3}{\underset{|}{C}}H(CH_2)_9CH_3$$

〈그림 6.10.〉 미리스틴산옥틸도데실

고급지방산과 고급알코올의 에스터이다. Guerbet 반응에 의해 만들어지는 옥틸도데카놀과 미리스틴산의 에스터로 오일감이 적고 피부에 친화성이 높은 오일이다. 제형에 넣었을 때 가벼우면서 밀착감을 준다. 크림, 로션, 베이비오일 등에 사용된다. 이 외에 유성 메이크업제품의 안료의 습윤능력을 높이기 위해 사용된다. 상품 예로는 MOD, Eutanol GM이 있다.

6.9.4. C.E.H Cetyl 2-ethyl hexanoate

고급알코올과 가지 달린 저급지방산의 에스터이다. 가벼운 사용감이고 매우 dry한 감을 준다.

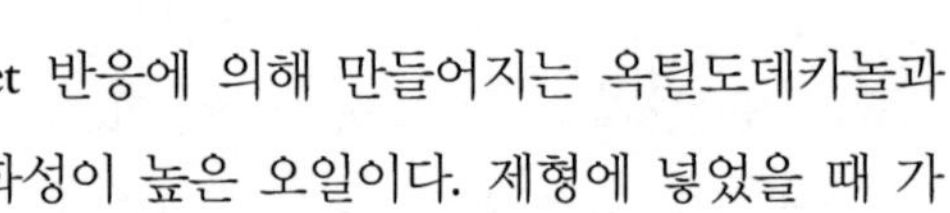

$$CH_3(CH_2)_3\underset{CH_2CH_3}{\underset{|}{C}}H-\overset{O}{\overset{\|}{C}}-O-CH_2(CH_2)_{14}CH_3$$

C.E.H Cetyl 2-ethyl hexanoate

6.9.5. Isobutyl Isostearate

비교적 최근에 개발된 원료로 TEWL 억제효과가 탄화수소보다 우수하다고 보고되어 있다.

6.9.6. Triethylhexanoin

고급지방산과 다가알코올의 에스터이다. 천연유지와 비교하여 일반적으로 색과 냄새가 양호하고, 시간이 지남에 따른 산패도 적은 이점이 있다.

Triethylhexanoin

▶ **상품 예**

T.I.O., 글리세린과 2-에틸헥사노익애씨드의 에스터이다. 중간 정도의 사용성이다.

6.9.7. Butylene glycol dicaprylate/dicaprate

고급지방산과 다가알코올의 에스터로 중간 정도의 사용감을 낸다.

Butylene glycol dicaprylate/dicaprate

▶ **상품 예** Dermofeel BGC

6.9.8. Carbonic acid dicaprylyl ester

선크림에 가벼운 감촉의 실리콘오일이 다량 들어가지만, 고형 자외선흡수제는 실리콘에 용해하지 않는 문제가 있다. 이에 대한 대안이 되는 오일로 Carbonic acid dicaprylyl ester가 있다. 이 오일은 높은 전연성과 가벼운 사용감의 에스터오일로 실리콘과 유사하면서도 고형 자외선흡수제의 용해성을 높일 수 있다.

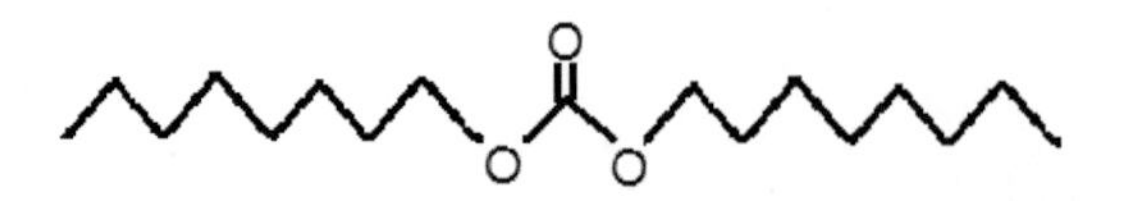

Carbonic acid dicaprylyl ester

6.10. 금속비누(metallic soap)

지방산 금속염을 총칭하여 비누라 하는데, 나트륨, 칼륨 등 알칼리금속의 지방산염은 일반적으로 비누라 부르고, 그 이외의 금속지방산염을 금속비누라고 부른다.

금속비누는 $(RCOO)_nM$가 일반식인 화합물이다. 화장품원료로서 C12~C22 지방산, 금속은 2가 양이온인 Al, Ca, Mg 및 Zn인 것이 일반적으로 사용된다. 즉, 물속에서 금속비누는 석검으로 석출되는 불필요한 물질이 되지만, W/O제형에서는 금속비누는 계면활성제로서 안료의 분산성 향상, 피부 면에서 유연광택성, 퍼짐성 및 부착성 향상, 제품을 발랐을 때의 내수성, W/O형 에멀션의 유화안정성 향상, 겔화능이 있어서 유지를 점증시키고, 메이크업제품의 피부 면 위에서의 광택을 제거한다.

6.10.1. Ca-stearate

유용성 salt라고도 하는데, 클렌징크림 같은 제형에서 이것을 오일파트에 넣고 carbopol은 수상에 넣고 제품을 만들면, 소비자가 피부에 도포 후 문지를 때 carbopol을 salting out 시켜 쉽게 전상이 되게 할 목적으로 사용된다.

6.10.2. 스테아린산아연과 라우린산아연

예부터 파우더 및 고형분, 베이비파우더 등에 사용되어 퍼짐성, 부착성 및 내수성의 향상에 기여한다.

6.10.3. 스테아린산알미늄

오일, 특히 유동파라핀의 증점제로서 이용된다. W/O형 에멀션의 유화안정제로서 사용된다.

6.11. W/O or W/S 점증, 유화안정화제

6.11.1. 오일젤화제

하이드로젤에 비해, 오일젤화제의 종류는 압도적으로 적다. 물은 한 종류뿐인데, 오일은 다양한 종류가 존재하는 것도 그 이유 중 하나이다. 즉, 극성 정도가 다른 여러 오일에 대해 범용적인 젤화능을 갖는 젤화제분자는 그다지 알려져 있지 않다.

젤형성제로서는 저분자젤형성제(12-하이드록시스테아린산, 아미노산유도체 등), 고분자젤형성제(폴리아크릴산유도체 등), 에스터화올리고마(텍스트린유도체 등), 변성실리콘, 오일왁스복합체, 또 입자분산에 의한 증점 등이 알려져 있다.

저분자젤형성제는 자기집합체를 형성하여, 거대한 망목구조가 복잡하게 서로 얽혀 있어서, 오일이 비유동화하여 젤화한다.

변성실리콘은 예를 들면 긴사슬알킬기가 그래프트된 변성실리콘의 경우는, 긴 사슬알킬기의 소수성 상호작용에 의해 망목구조를 형성함으로써 오일이 젤화한다.

오일왁스 복합체는 왁스결정이 카드하우스 구조를 취하고, 오일을 그 속에 가두어 넣음으로써 유동성을 저하시켜 젤화한다.

입자분산계에서는 입자가 형성하는 유사 망목구조에 의해 오일의 유동성이 방해받아 젤화한다.

이것들을 정리한 <표 6.9.>에서 보듯 각 젤화제에는 특징이 있는데, 모든 물성을 만족하는 젤화제는 거의 알려져 있지 않고, 실용계에서 복수의 오일을 혼합하여 사용하는 경우는, 복수의 오일젤화제가 사용되고 있고, 공정상 낭비요소가 발생하는 경우가 있다.

〈표 6.9.〉 오일젤화제의 종류와 그 성질

분류	오일 분리되기 어려움	다양한 오일에서 젤화 가능	고온제조 불필요	투명성
저분자젤화제	X	X	X	O
고분자젤화제, 에스터화올리고마	Δ	Δ	Δ	Δ
변성실리콘	Δ	X	O~Δ	O
오일・왁스복합체	O	O	Δ	X
입자분산	X	Δ	O	Δ

* Fragrance Journal, 2011.04.

화장품 용도에는 범용성이 높은 사이클로덱스트린유도체가 많이 사용되고 있다. 그러나 비교적 다량으로 첨가하지 않으면 안 되고, 또 천연 유래이기 때문에 원료가 수확된 해의 기후 등에 성질이 좌우되며, 또 고분자 특유의 끈적임이 발생한다.

폴리아크릴산유도체는 소량의 첨가로 양호한 증점젤 형성을 나타내는데, 피부에 사용했을 때 고분자 특유의 끈적임을 발생한다.

아미노산계 저분자젤화제(L-이소로이신유도체, L-발린유도체), 퍼플루오로알킬기의 응집력을 구동력으로 한 저분자젤화제가 개발되었는데, 이것들은 매우 우수한 젤화능과 오일적용성을 나타내고, 실리콘유, 광물유, 식물유만이 아니라 DMSO, 알코올 등도 젤화할 수 있다. 그러나 이 젤화제들은 오일에 난용이기 때문에 용해하려면 고온가열 및 장시간의 교반 등의 조작이 필요하고, 화장품 용도로서는 유효성분의 산화열화 및 휘발이 우려된다.

최근 시세이도㈜ 마쯔오 등에 의해서도 양친매성 폴리머를 이용한 오일 증점제가 개발되었다.

6.11.2. 안정화제

무기점토광물복합체는 4급아민으로 양이온교환한 유기변성점토광물(몬모리로나이트)/비이온계면활성제 복합체이다. 무기점토광물복합체로 오일젤을 만들고 물입자를 합입시켜 W/O 유화를 안정하게 만든다. 복합체는 물에 전혀 분산되지 않고, 물/오일 계면에 규칙적으로 배열하여, 피막을 형성한다.

▶ **상품 예** Bentone 38v CG

유기벤토나이트/Varisoft TA-100(Distearyldimonium Chloride) 조합으로 사용된다. Disteardimonium hectorite로서 점증 및 유화안정화에 기여한다.

07 | 화장품원료_친수성

7.1. 미네랄워터

미네랄워터는 가끔 화장품에서 콘셉트 원료로 사용된다. 미네랄이라 함은 Mg^{2+}, Ca^{2+}, Na^{+}, K^{+} 등 양이온과 Cl^{-}, SO_4^{2-}, HCO_3^{-} 등 음이온을 말하는데, 천연보습인자(NMF)의 18.5%를 Mg^{2+}, Ca^{2+}, Na^{+}, K^{+}, Cl^{-}, PO_4^{3-} 등 무기이온이 차지하고 있는 점에서 미네랄워터는 보습능을 가지고 있다고 할 수 있다. 특히 Mg^{2+}가 고보습성을 보여준다. 미네랄워터는 또 일반 물에 비해 물분자 집합체가 미세하기 때문에 피부흡수력 및 유지력(보습력)이 우수하다. 풍부한 수분 보유는 피부 탄력 증진으로 이어지고, 피부 수분 보유력 및 피부 생리기능 활성을 높인다. 유의점으로는 각종 이온(salt)의 영향으로 제제화가 어렵고, 규격이 일정하지 않으며, 미생물 증식에 대응이 필요하다.

아모레퍼시픽의 innisfree의 출발은 물 전량을 삼다수로 사용하였다. 삼다수의 미네랄 성분량은 Ca^{++}: 2.9ppm(mg/l), K^{+}: 2.1ppm, Na^{+}: 5.3ppm, Mg^{++}: 2.1ppm이다. 지금도 innisfree는 제주 콘셉트를 내세우고 있다.

7.2. 보습제(humectant)

피부, 모발에 수분을 공급하고 건조를 방지하는 목적으로 사용되는 흡수성이 높은 수용성 물질을 말한다. 피부, 모발에 수분을 공급하고 건조를 방지(보습효과), 계절로 인한 제품의 수분 증발을 억제, 점도를 유지시키고, 동결을 방지(제품의 품질 유지), 염료, 향료 기타 첨가제의 용제 또는 용해보조제로서 사용된다. 물에 쉽게 풀리지 않는 물질(파라벤류의 방부제 등)

을 먼저 폴리올에 용해시킨 후 첨가할 때도 이용된다. 피부에 대한 사용감의 향상과 유연성을 부여한다. 화장품에 이용되는 보습제는 일반적으로 글리세린 같은 다가알코올이 가장 많고 그 외에 요소, 젖산염, 피롤리돈카본산염, 폴리펩타이드, 히알루론산 등이 이용된다.

폴리올은 고함량일 경우(3~4% 이상) 얼굴이 화끈거리는 자극을 줄 수 있다. 특히 에탄올과 DPG가 강하고, 글리세린은 가장 약하다.

7.2.1. 글리세린(glycerin $CH_2OHCHOHCH_2OH$)

동식물유를 비누화 반응을 시켜 비누를 제조할 때 부산물로서 얻어진다. 보습제로서 오래전부터 사용되고 있다. 크림, 로션 등에 배합하여 제품의 점도를 유지시키는 목적으로도 사용된다. 피부 위에서 고보습감을 발휘하나 끈적임이 있어서 사용자의 연령에 따라 함량을 조정하여야 한다. 많은 양을 사용하면 제형의 점도를 떨어뜨린다. 단독으로 10% 사용하는 것보다 5%만 사용하고 히아루로닉애씨드를 0.1% 병용(또는 프로판디올 5%)하면 보습효과가 더 높아진다는 보고도 있다(Fragrance Journal, 1999.6.).

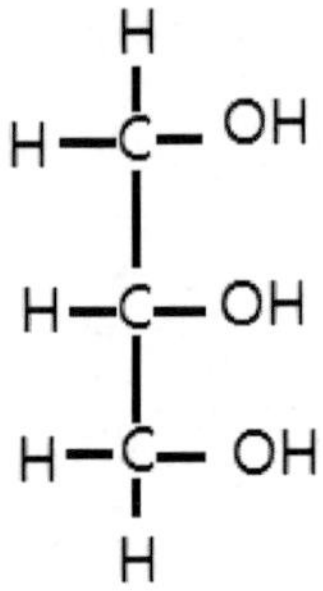

글리세린

7.2.2. 1,3-부틸렌글리콜[1,3-butylene glycol $CH_3CH(OH)CH_2CH_2OH$]

피부에 대한 자극, 독성이 적고, 항균성을 갖기 때문에(방부제 함량 감소) 크림, 로션 등에 널리 사용되고 있다. 파라벤류 방부제가 물 쪽으로 더 많이 녹아 들어가게 도와준다. 많은 양을 사용하면 제형의 점도를 떨어뜨린다.

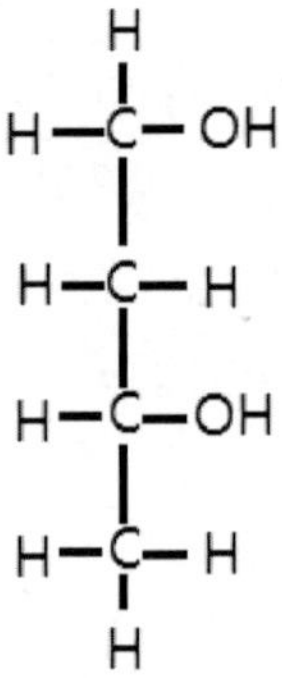

1,3-부틸렌글리콜

7.2.3. 프로필렌글리콜(propylene glycol $CH_3CHOHCH_2OH$)

항균작용을 갖는 보습제로서 예부터 화장품에 널리 사용되고 있다. 색소나 향료의 용제로도 사용된다. 사용성은 우수하나 다가알코올 중 자극이 큰 편이어서 일반적으로 처방에서 10% 이상은 사용하지 않는다. 물의 친유적 성질을 높여준다.

7.2.4. 요소

천연보습인자 중 하나이다. 단백질(케라틴) 분해작용이 있어서 피부를 부드럽게 하고 턴오버를 촉진한다. 이를 이용하여 발뒤꿈치, 팔꿈치 각질제거제에 다량 함입된다. 주의점은 가수분해되었을 때 암모니아(소변 냄새)와 탄산가스를 발생한다.

7.2.5. 폴리에틸렌글리콜[polyethylene glycol $HO(CH_2CH_2O)_nH$]

물 또는 에틸렌글리콜에 산화에틸렌을 부가 중합하여 얻어지는 화합물이다. 화장품에 사용되고 있는 것은 n 수가 3～400,000이다. n=12까지는 액상이며, 그 이상은 n이 증가함에 따라 반고형에서 고형이 된다. 분자량의 증가와 함께 물에 대한 용해도는 낮아지고 보습력도 저하한다. 인체에 무독성이고, 항원성이 없고 체내에서 쉽게 제거된다(Milos Dedlak, Collcet. Czech. Chem. Commun., 70, 260～290, 2005).

▶ **상품 예** PEG-400

n의 평균수가 400이다.

7.2.6. 히알루론산나트륨[sodium hyaluronate, poly β-(1,4)-D-glucuronic acid-β(1,3)-N-acetyl-D-glucosamine]

히알루론산을 포함하여 수용성고분자는 제형에 점탄성을 부여하고 도포 시 두께감, 퍼짐성, 밀착(흡수)감을 준다. 고분자는 강성을 갖는데, 보습제(폴리올)를 첨가하면 유연성을 준다. 보습제가 수용성고분자 피막에 가소제 역할을 하기 때문이다. 수용성고분자는 보습제의 끈적이는 사용성을 덜어준다.

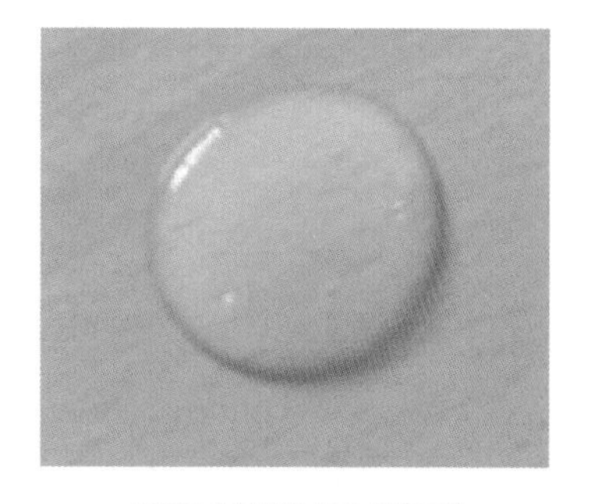

히알루론산나트륨(1%)

히알루론산은 포유동물의 결합조직에 널리 분포한다. 닭 볏, 피부, 대동맥 등에 많이 함유되어 있다. 상업용은 유산균(Streptococcus속)을 발효시켜 얻어지는데, 이를 나트륨염으로 만든 형태이다. 배양 방법에 의해 분자량을 어느 정도 컨트롤할 수 있어서, 사용성을 변화시킬 수 있다. 분자량은 보통 80～120만Da.이고, 저분자량화 원료는 평균 약 5천Da.이다. 다른 보습제와는 달리, 대기 중의 습도의 높고 낮음에 관계없이, 항상 일정하게 우수한 흡습성을 나타낸다. 크림, 로션 등에 배합한 경우, 사용감이 습도의 변화에 그다지 영향받지 않는다. 의약품에서는 인공눈물의 원료로도 사용되고, 피부과에서 필러로서 시술에 이용된다.

인체 피부 속의 히알루론산나트륨(sodium hyaluronate)은 나이가 들어감에 따라 감소한다. 즉, 내인성 피부 노화이다. 생체 내 합성은 히알루론산합성효소(HAS패밀리)에 의해 합성된다. 분해는 히알로니다아제(Hyal패밀리)에 의해 분해된다. 피부에서 반감기는 며칠 정도이고, 표피에서 반감기는 1일이다.

7.3. 피부 수렴제(astringents)

피부의 단백질, 특히 땀샘의 입구를 응고 수축시켜 땀 분비를 억제하는 물질이다. 화장품 분야에서는 수렴제(astringents) 또는 발한억제제(antiperspirants)로 사용된다. 수렴제를 분류하면 음이온계 및 양이온계로 크게 나뉜다. 음이온계는 주로 유기산, 구연산, 주석산, 젖산 및 탄닌산이 예부터 사용되고, 수렴작용은 온화하다. 양이온계로는 금속염이 주류이고, 알미늄염과 아연염류가 주로 사용된다. 이러한 금속염의 수렴작용은, 금속이온과 가수분해하여 생기는 산에 의한 것으로 수렴작용이 강하고 사용 시 일차 자극을 일으키는 일이 있으므로, 충분한 주의가 필요하다. 화장품으로는 아스트린젠트로션, 애프터쉐이브로션 등에, 의약부외품으로는 데오도런트제품에 배합된다.

7.4. 폴리머

화장품원료로서 고분자화합물은 예부터 천연의 동식물에서 채취된 검류(gums), 수지류(rosin), 다당류(polysaccharide) 및 단백질(protein)이 널리 이용되었다. 현재는 고분자화학의 발달에 따라 셀룰로스유도체와 같은 반합성품이나 아크릴 또는 비닐계 순합성품이 널리 사용된다. 반면에 최근에는 콜라겐, 케라틴, 엘라스틴 등 단백질분해유도체가 천연 지향 또는 생리적 활성 부여의 목적으로 특수한 용도로 사용되고 있다.

구체적으로 이야기하면, 폴리머의 용도는 필름을 형성하거나, 점도를 높이거나, 유화 및 분산을 안정화시키는 데 사용된다. 또는 즉효감을 줄 수 있는 느낌, 즉 당기는 느낌을 준다거나, 신기한(fun) 제형을 구현하는 목적으로 사용된다.

합성폴리머와 천연폴리머를 비교해 보면, 합성폴리머(카보머, 아크릴레이츠·아크릴산알킬(C1-30))는 증점효과, 유화안정화효과가 우수하나 내염성이 약하고, 천연폴리머(잔탄검, 셀룰로스)는 내염성이 강하나 증점효과가 낮다.

7.4.1. 천연고분자화합물

7.4.1.1. 잔탄검(xanthan gum)

High molecular weight heteropolysaccharide gum이다. 잔탄검은 늘어지는 형상, 미끌거리는 사용감이 있는데 주로 사용감 차원에서 사용된다. 함량이 많으면 방부력이 나빠진다. 폴리머지만 잔탄검에 의해 점증이나 유화안정을 많이 기대할 수 없다. 내산성, 내염성이 강하고 온도변화에 대한 점도변화가 적다. 제조 시 투입은 1,3BG에 풀어서 첨가한다. 점증력은 0.4% 정도 단독으로 사용 시 7,000cps 정도 나온다.

▶ **상품 예** Keltrol-F

〈표 7.1.〉 증점안정제의 sourse

천연증점안정제	1. 해조점질물	알긴산, 카라기난, 푸셀라란
	2. 식물성 a. 종자점질물 b. 수액점질물 c. 과실점질물	로커스트빈검, 구아검, 타라검, 타마린드검 아라비아검, 트라가켄스검, 카라야검 펩틴, 아라비노갈락탄
	3. 미생물분비점질물	잔탄검, 풀루란
	4. 동물성단백질	카세인, 젤라틴, 알부민
	5. 식물성단백질	대두단백질, 소맥글루텐, 식물단백질분해물
	6. 섬유질	비결정셀룰로오스
합성증점안정제	1. 섬유질	CMC-Na, 메틸셀룰로오스
	2. 해조점질물	알긴산나트륨, 알긴산프로필렌글리콜에스터
	3. 단백질	카세인나트륨
	4. 녹말질	녹말글리콜산나트륨, 녹말인산에스터나트륨
	5. 합성품	폴리아크릴산나트륨, 폴리비닐알코올, 폴리비닐프롤리돈, 폴리에틸렌옥사이드

7.4.2. 반합성고분자화합물

7.4.2.1. 카르복시메틸셀룰로스 나트륨(sodium carboxymethyl cellulose, CMC)

흡습성이 있는 분말로 이써화도(음이온화)에 따라 물에 대한 용해도가 다르다. 점안액으로도 사용된다.

시판품은 일반적으로 이써화도가 0.4~1.3인데 0.3 이하의 것은 물에 불용이고, 0.6~0.8인 것이 용해도가 가장 좋다. 수용액의 점도는 분자량(중합도)과 이써화도에 따라 영향을 받는다.

7.4.2.2. 하이드록시에틸 셀룰로스(hydroxyethyl cellulose)

알칼리셀룰로스에 산화에틸렌을 부가하여 제조한다. 분자 내에 친수성인 하이드록시에틸기 ($-CH_2CH_2O-$)를 가지게 되어 뜨거운 물과 찬물 모두에 잘 녹는다. 비이온성이고 내산, 내알칼리성이 우수하며, 염류에도 안정하다. 그러나 강복치가 낮은 단점이 있다.

7.4.2.3. 알긴산나트륨(sodium alginate)

해양 갈조류 Phaeophyceae를 묽은 알칼리용액에서 추출한 탄수화물이다. 2종류의 기본 잔기(β-D-mannuronic acid와 α-L-guluronic acid)로 구성되어 있다(음이온성). 수용액은 가열을 하면 점도 저하가 일어나는데, 칼슘으로 안정화한 젤은 온도상승에 따른 점도 저하가 거의 없다. pH 4~10 범위에서는 점도는 비교적 안정하다(1% 용액 pH 5.5~7.5).

**** 천연고분자(다당류)를 물에 용해하는 법**

① 적절한 온도 설정이 중요하다.
- 잔탄검: 찬물에 녹음
- 한천, 젤란검: 가열해야 녹음

② Lumping에 주의해야 한다.
- Lumping이란: 다당류를 물에 첨가 시, 다당류 분말(알갱이) 표면 부분이 급격히 수화(젤화)되어 오히려 내부로 물이 침투하지 못하여 내부의 다당류가 용해되지 못하는 상태
- 예방: 수화되지 않는 고점도액, 알코올, 비다당류분말(설탕, 덱스트린) 등과 혼합 후 물에 첨가한다.

③ 고점도, 낮은 pH, 높은 염농도(Na, K, Ca 등), 알코올 함유 용액에 용해하기 어렵다.

④ 다당류가 개발된 특성도 고려해야 한다.
- 키토산은 염기성이고, 카라기난은 산성이다.

7.4.3. 합성고분자화합물

7.4.3.1. 폴리비닐알코올[polyvinyl alcohol(PVA)]

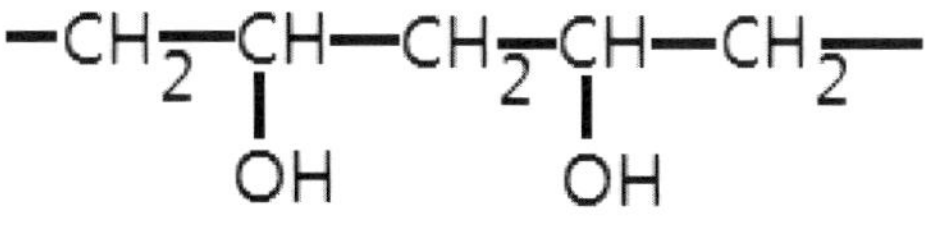

물에 쉽게 팽윤 또는 용해하고, 유기용매에는 불용이다. 중합도 또는 비누화도에 따라 수용액의 점도가 다르다. 유화 또는 분산안정작용이 있기 때문에 크림, 로션 등의 유화안정제, 메이크업제품의 분산안정제로서 사용되고, 유연하지만 질기고 투명한 피막형성능이 있어서 팩(바르고 말리면 피막이 형성되는 타입)의 기제로 사용된다.

폴리비닐알코올

7.4.3.2. 폴리비닐피롤리돈(polyvinyl pyrrolidone)

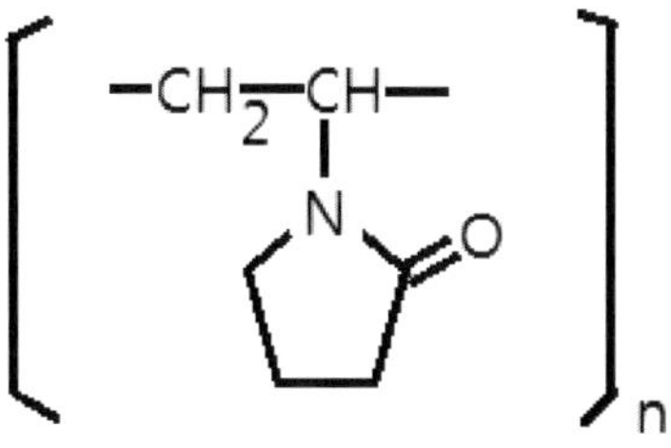

피롤리돈을 중합하여 곧은사슬상으로 결합시킨 것이다. 흡습성이 있는 분말로서 물 및 여러 극성용매에 용해한다. 용해한 용액은 용매가 증발하면, 피막을 형성하기 때문에 두발용제품의 피막형성제(헤어스타일링제)로서 사용된다. 또 분산제, 현탁제, 점증제 등으로 사용된다.

폴리비닐피롤리돈

7.4.3.3. 폴리아미드수지(polyamide resin)

오일증점제로서 여러 유지를 젤화한다. 알코올류, 탄화수소계 용매에 용해한다. 제품적용으로는 투명한 스틱상 제품에 사용된다.

7.4.3.4. 카르복시비닐폴리머(carboxyvinyl polymer, carbomer)

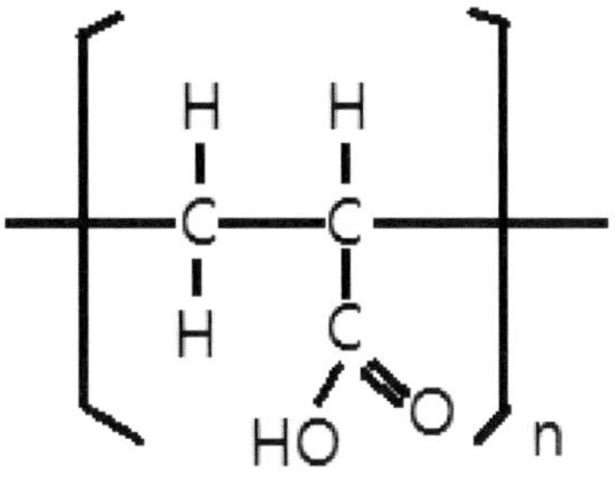

카르복실기를 갖는 수용성비닐폴리머로서, 주로 아크릴산을 중합한 것이다(아크릴계). 화장품에 50년 이상 사용되어 오고 있다. 흰색의 산성 파우더로서 1% 수용액의 pH는 약 3이다. 생기 있는 사용감이 좋고 안정도도 뛰어나며, 유동성이 좋아 로션에 주로 사용되고 있다. 수용액의 점도는 온도변화에는 비교적 안정하다. 염이 존재하면 점도가 떨어지고, 장시간 자외선에 노출되면, 중합이 끊어져서 점도

카르복시비닐폴리머

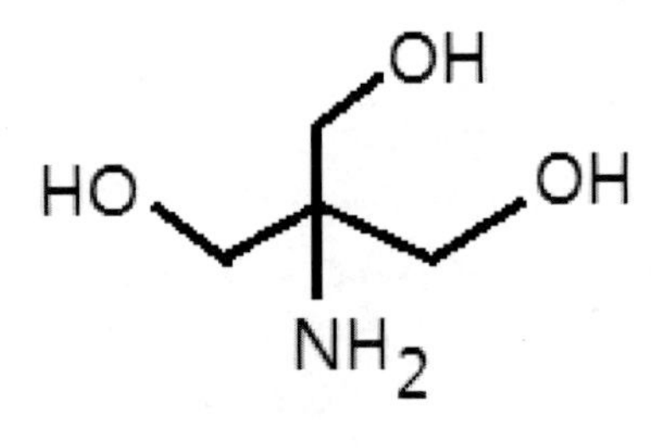

Tromethamine

가 저하한다. 일반적으로 젤화제, 점도조절제로서 사용된다. 중화제로는 2종류의 염기를 사용하면(예를 들면 처음에 NaOH로 일부 중화하고, 나머지는 아민류로 중화) 강력한 유화작용을 발휘하기도 한다. 커보머를 베이스로 하여 알킬메타크릴레이트를 공중합한 아크릴레이츠/C10-30 알킬아크릴레이트 크로스폴리머도 개발되었는데, 유화력과 강복치가 우수하다. 과도한 전단력으로 믹싱하면 폴리머를 끊어버려서 분자량이 작아져 점도 저하를 초래할 수 있다.

기존에 오랫동안 카보머의 중화를 트리에탄올아민으로 행해 왔다. 이 트리에탄올아민 역시 사용 규제라는 법적 규제보다는 보다 안전한 원료를 화장품에 투입하려는 화장품 특성으로 인해 지금은 트로메타민으로 대체되었다.

〈표 7.2.〉 Carbopol의 KOH 중화

Carbopol: KOH	Carbopol #940	Carbopol #941	Carbopol EDT 2020
8 : 1	경도: 26, pH: 5.43	점도: 10200, pH: 5.00	경도: 22, pH: 5.21
4 : 1	경도: 26, pH: 6.21	점도: 10500, pH: 5.93	경도: 23, pH: 6.13
2 : 1	경도: 23, pH: 7.41	점도: 11500, pH: 7.16	경도: 22, pH: 7.45

〈표 7.3.〉 Carbopol의 TEA 중화

Carbopol: TEA	Carbopol #940	Carbopol #941	Carbopol EDT 2020
1 : 0	점도: 3880, pH: 2.88	점도: 3790, pH: 2.78	점도: 885, pH: 2.85
1 : 0.3	경도: 27, pH: 5.21	점도: 10100, pH: 5.51	경도: 24, pH: 5.22
1 : 0.7	경도: 23, pH: 6.57	점도: 11200, pH: 6.22	경도: 27, pH: 6.35
1 : 1	경도: 24, pH: 7.14	점도: 11300, pH: 6.90	경도: 25, pH: 6.97
1 : 1.3	경도: 20, pH: 7.64	점도: 11800, pH: 7.40	경도: 24, pH: 7.49
1 : 1.7	경도: 18, pH: 8.06	점도: 12500, pH: 7.85	경도: 23, pH: 7.96

7.4.3.5. 폴리아크릴아마이드

피부 자극을 우려하여 사용하지 않는 회사도 있었다(중자극 스코어). 비교적 저pH에서 쓸 수 있으나 능력은 상당히 떨어진다(low pH용 점증제 예: structure plus). 점증(mechanism)은 단순한데, 오일에 분산되었던 폴리머가 o/w유화에 첨가되면서 확산 및 uncoiling되어 점증을 한다. Carbopol에 비해 유동도가 떨어진다(고점도의 유화의 흐름성이 떨어진다). Ethanol 20%까지는 soft feel을 유지한다.

▶ **상품 예** Sepigel 305 Polyacrylamide: C13-14 isoparaffin: Laureth-7 (3 : 5 : 2)

7.4.3.6. 소수변성폴리이써우레탄

보습소구성분인 콜라겐의 이미지에 맞는 탄력감을 주고 또 팩기능의 소구에 맞는 두께감이 있는 막 느낌을 실현할 수 있다.

7.4.4. 양이온성 폴리머

샴푸와 같은 제형에서 양이온성 폴리머는 대전방지, 젖은 모발의 컨디셔닝효과를 목적으로 사용된다. 샴푸제형의 경우 음이온성계면활성제가 병용되기 때문에, 제형 속에서 양이온성 폴리머는 음이온성계면활성제와 콤플렉스를 이루고, 이 콤플렉스는 과량의 음이온성계면활성제에 의해 다시 가용화된 형태로 존재한다. 즉, 양이온성 폴리머의 컨디셔닝 효과는 양이온성 폴리머가 음이온화된 모발에 이온결합하여 효과를 발휘하는 것이 아니라, 양이온성 폴리머와 음이온성계면활성제가 만드는 콤플렉스가 헹구는 과정에서 석출되어 모발에 흡착함으로써 컨디셔닝이 되는 것이다(coacervation)(샴푸제조실습 부분 참고). 이 콤플렉스의 감촉을 향상시키기 위해서, 베타인계 계면활성제가 음이온성계면활성제와 함께 콤플렉스를 형성하게 하기도 한다.

Polyquaternium-10은 매우 빈번히 사용되는 모발용 양이온성 폴리머인데, 모발 표면에 흡착하기 쉬워, 멜라닌용출억제효과가 높다(모발의 등전점 pH 3.67).

Polyquaternium-10이 입욕제에 들어가기도 한다. 일반적 상황에서 피부는 마이너스 전하를 띠므로 피부흡착성이 좋고, 입욕 중 매끄러움 및 입욕 후 보습감을 부여한다. 보습성분의 부착량도 증가시켜 가려움 억제효과가 있다고 보고되어 있다.

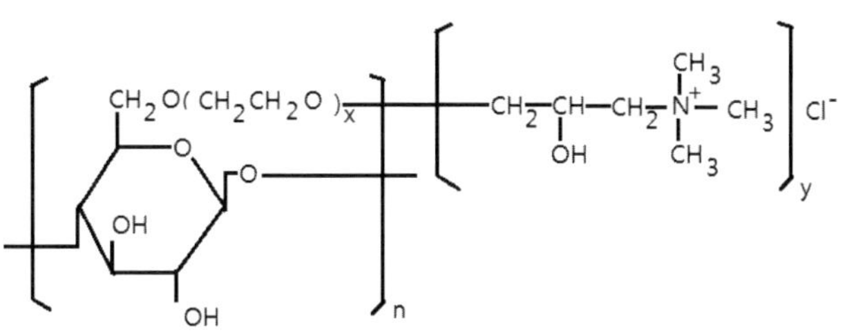

〈그림 7.1.〉 Polyquaternium-10

7.4.5. 폴리머구조와 사용성

분자구조와 사용성 간의 일반적인 관계는 다음과 같다(Fragrance Journal, 2010.05.).

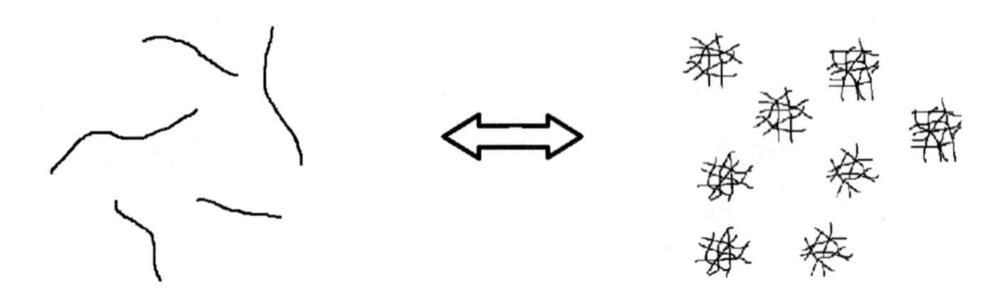

분자모양 : 직선상
사용감 : rich, 농축된 느낌
제품에서 특성 : 손가락으로 터치시 실처럼 늘어짐
예) 잔탄검

분자모양 : 마이크로 젤
사용감 : 산뜻
제품에서 특성 : 손가락으로 터치시 툭툭 끊어짐
예) 카보머

〈그림 7.2.〉 폴리머구조와 사용성

7.4.6. Salt와 폴리머

Aristoflex AVC(ammonium acryloyldimethyltaurate/VP copolymer(ADTV))와 Sepinov EMT 10(hydroxyethyl acrylate/sodium acryloyldimethyl taurate copolymer)으로 점증시킨 계에 vitamin C를 가하면서 점강현상을 관찰해 보면 급격히 점강하는 것을 볼 수 있다. 폴리머는 수화되어 있는데, salting out에 의해 수화가 깨지고 점도가 떨어지는 현상은 일반적으로 나타나는 현상이다.

〈표 7.4.〉 폴리머 종류별 특성

종류	정의	특징
비이온성		
Polyox WSR-301	PEG 90M	
Polyox WSR N-10	PEG 2M	
Polyox WSR-205	PEG 14M	
Polyox WSR N-750	Polyethylene glycol (PEG 7M), n=7000	비이온성폴리머

종류	정의	특징
Jaguar HP-60	Hydroxypropyl Guar is a propylene glycol ether of Guar (Cyanopsis Tetragonoloba) Gum (q.v.).	
Polyvinyl pyrrolidone(PVP)	PVP is the linear polymer that consists of 1-vinyl-2-pyrrolidone monomers conforming generally to the formula.	정발제에 사용. PVP K-30의 평균분자량은 38,000Daltons. 물과 유기용매에 녹는다. 필링제에 넣어 당김효과를 줌
Xanthan gum	Xanthan Gum is a high molecular weight heteropolysaccharide gum produced by a pure-culture fermentation of a carbohydrate with Xanthomonas campestris.	
Chitosan	Deacylated Chitin (q.v.)	Natural cationic polymer
실리콘		
Dimethicone	Dimethicone is a mixture of fully methylated linear siloxane polymers end blocked with trimethylsiloxy units. It conforms generally to the formula: In the United States.	Solesil SE 315A DC 1091
Dimethicone copolyol	Dimethicone Copolyol is a polymer of dimethylsiloxane with polyoxyethylene and/or polyoxypropylene side chains.	물에 잘 씻겨 나가서 남는 감이 적다.
Amodimethicone	Amodimethicone is a siloxane polymer end blocked with amino functional grou ps. It conforms generally to the formula: where R=OH or CH3.	$R-(Si(CH_3)_2O)-(Si(R)(CH_2CH_2CH_2-NHCH_2CH_2NH_2)O)-(Si(CH_3)_2)-R$ 빌드업 문제
양이온성		
Polyquaternium-10 Polyquat 400kc, Ucare polymer JR 400, Ucare polymer LR-400(low charge), polyquat 3000kc	polymeric quaternary ammonium salt of hydroxyethyl cellulose reacted with a trimethyl ammonium substituted epoxide.	Charge density (meq/g) 1.5 Cationic cellulosic resin 음이온과 상용성 우수 샴푸에 가장 널리 사용
Polyquaternium-7 Merquat 550	the polymeric quaternary ammonium salt consisting of acrylamide and dimethyl diallyl ammonium chloride monomers.	Charge density (meq/g) 1.0 샴푸 점도 증가 기포력 및 질 향상
Polyquaternium-6	Polymer of dimethyl diallyl ammonium chloride.	Charge density (meq/g) 5.2 Slip, lubricity, wet combability우수 기포력 향상, soft & silky feel

종류	정의	특징
Polyquaternium-11	quaternary ammonium polymer formed by the reaction of diethyl sulfate and a copolymer of vinyl pyrrolidone and dimethyl aminoethylmethacrylate.	Charge density (meq/g) 1.0 PVP quaternary salts 음이온과 사용성 우수 눈과 피부에 무자극
Polyquaternium-16	Polymeric quaternary ammonium salt formed from methylvinylimidazolium chloride and vinylpyrrolidone.	Luviquat FC 370 (40% soln.) QVI:VP30:70 2.0 Luviquat FC 550 QVI:VP50:50 3.3 Luviquat FC 905 QVI:VP95:5 6.1 Luviquat HM 552 QVI:VP50:50 3.0 실리콘과 병용으로 젖은 상태 마른 상태 빗질용이성 개선
Polyquaternium-24	polymeric quaternary ammonium salt of hydroxyethyl cellulose reacted with a lauryl dimethyl ammonium substituted epoxide.	Polyquaternim-10은 tip으로 갈수록 흡착량이 증가하나, polyquaternium-24는 전체적으로 골고루 흡착(By ESCA)
Polyquaternium-47 Merquat 2001	Polyquaternium-47 is a polymeric quaternary ammonium chloride formed by the polymerization of acrylic acid, methyl acrylate and methacrylamidopropyltrimonium chloride.	
Jaguar C-13S	Guar Hydroxypropyltrimonium Chloride is a quaternary ammonium derivative of Hydroxypropyl Guar (q.v.).	펄감 우수

7.4.7. 유체의 점성(viscosity)

점성(viscosity)은 분자 간의 상호인력 또는 분자 충돌로 인한 끈끈한 성질을 가리킨다.

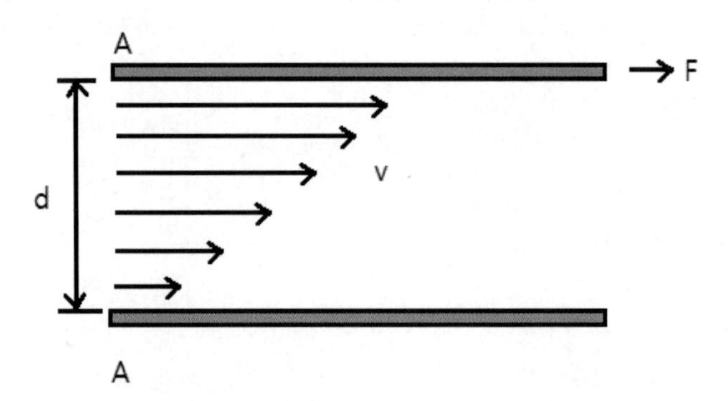

〈그림 7.3.〉 두 평행한 판 사이에 유체를 채우고 위 판을 잡아당길 때 판 사이의 유체의 흐름

위판을 움직이는 데 소요되는 힘은 판의 면적(A), 판의 속도(v), 판 사이의 거리(d)에 의존한다.

F α vA/d, 즉 F=η vA/d. 여기서 η는 유체의 점성계수이다. 점성계수 η의 단위는 N·sec/m^2 또는 dyn·sec/cm^2이다. dyn·sec/cm^2=poise(포아즈)라 하고, 1centipoise(cP)=1milliPascal second (mPa·s)이다.

7.4.8. 증점제의 유동성

잔탄검과 카보머는 shear rate에 따라 점도가 급격히 감소한다. 즉, 크림과 로션은 정치하고 있을 때는 점도가 높아 보이더라도 휘저어 주거나 피부에 바르면 점도가 급격히 떨어지고, 다시 정치시키면 점도는 회복되는 독특한 특성을 가지고 있는 것이다.

이 두 가지 폴리머는 온도변화에는 안정적으로 점성을 유지한다.

7.5. 금속이온봉쇄제

금속이온봉쇄제로는 지금까지 EDTA-2Na(ethylenediaminetetraacetic acid) 또는 EDTA-4Na가 약방의 감초처럼 항상 처방에 들어가 있었다. 화장품 제조 시 탱크 및 교반기 날개 등 금속재질로부터 혼입될 수 있는 금속이온을 붙잡는다. 금속이온은 불필요한 화학반응의 촉매 역할을 할 수 있기 때문에 제거한다. EDTA는 생분해성이 매우 낮다는 문제가 있다.

유기계 금속이온봉쇄제로는 구연산 및 gluconic acid가 있어서 EDTA를 대체할 수 있다. 모발에 부착한 금속에 대한 킬레이트효과는 거의 기대할 수 없다.

Tetrasodium glutamate diacetate, sodium phytate는 생분해성이 높은 착화합물이다.

킬레이트제는 세균이 필요로 하는 금속이온을 붙잡음으로써 균증식을 억제하기도 하지만 (0.1~0.3% 사용), 세포막 투과성을 높여 방부제 감수성을 높일 수 있다.

08 | 화장품원료_기능성

8.1. 미백원료

8.1.1. 일반적 미백 메커니즘

미백 효능을 내기 위한 여러 메커니즘 중 가장 빈번히 응용되는 메커니즘은 Tyrosinase효소의 작용을 억제하여 멜라닌이 생성되는 화학적 경로를 차단하는 메커니즘이다. 그 외에 멜라닌 생성세포에 세포독성을 주어 멜라닌 생성을 근원적으로 방지하는 메커니즘, 피부의 신진대사를 촉진시켜 생성된 멜라닌의 배출 속도를 증가시키는 메커니즘, 검은색의 산화멜라닌을 환원시켜 밝은색의 환원멜라닌으로 바꾸는 메커니즘 등이 있다.

8.1.2. 미백기능성 고시성분

이 원료를 고시된 농도로 사용할 경우 기능성화장품 심사 시에 안전성, 유효성 심사 자료제출이 면제된다.

〈표 8.1.〉 대표적 미백기능성 고시성분

원료명	농도 %
닥나무추출물(broussonetia extract)	2
알부틴(arbutin)	2~5
에틸아스코빌이써(ethyl ascorbyl ether)	1~2
유용성 감초추출물(oil soluble licorice(glycyrrhiza) extract)	0.05
아스코빌글루코사이드(ascorbyl glucoside)	2
마그네슘아스코빌포스페이트(magnesium ascorbyl phosphate)	3

원료명	농도 %
Ascorbyl tetraisopalmitate	2
Alpha-Bisabolol	0.5
Niacinamide	2~5
상지추출물, 천궁추출물, Phytoclear EL-1, Lucinol, Coenzyme Q10, Vitamin C 등	

〈표 8.2.〉 미백작용원리 및 대표적 성분

대표약제	통칭명	작용 메커니즘
Placenta	태반추출물	항산화
Magnesium ascorbyl phosphate	VCPMg/APM	타이로시나아제 활성 저해
Sodium ascorbyl phosphate	VCPMg/APNa	타이로시나아제 활성 저해
Ascorbyl glucoside	AA2G	타이로시나아제 활성 저해
β-Arbutin	알부틴	타이로시나아제 활성 저해
Kojic acid		타이로시나아제 활성 저해
4-Butylresorcinol	루시놀	타이로시나아제 활성 저해
Ellagic acid		타이로시나아제 활성 저해
4-(4-Hydroxyphenyl)-2-butanol	Rhododenol	타이로시나아제 활성 저해
Linoleic acid	리놀렉S	타이로시나아제 분해 촉진(각질박리 촉진)
Magnolignan		타이로시나아제 성숙 저해
potassium 4-methoxysalicylate	4-MSK	표피턴오버 촉진
Adenosine monophosphate disodium salt	에너지시그널AMP	표피턴오버 촉진
Tranexamic acid	m-트라넥산산	항염증작용(미약염증상태인 기미 내부에 작용, PEG2 생성 억제)
Ascorbyl tetraisopalmitate	VC-IP	항염증작용(PGE2 생성 억제)
Cetyl tranexamate HCl	TXC	항염증작용(PGE2 생성 억제)
Ethyl ascorbic acid		멜라닌모노머 산화중합 저해(UVA에 의한 멜라닌의 흑화 억제)
Niacinamide		멜라노좀이송 저해
Chamomile ET		ET-1작용 저해(엔도세린 정보전달 저해)

* Fragrance Journal, 2014.11.

**** 타이로시네이즈 활성 저해란?**

타이로시네이즈는 아래 그림처럼 타이로신이 도파가 되는 생화학반응을 촉매한다. 이때 만약 타이로신과 비슷한 분자 모양을 하는 물질(예, 로도덴드롤)을 넣어주면 타이로시네이즈는 타이로신에 집중해서 작용하지 못하고 로도덴드롤의 반응에 관여하여 결과적으로 멜라닌 생성이 줄어들게 된다. 이것이 미백의 한 메커니즘이다.

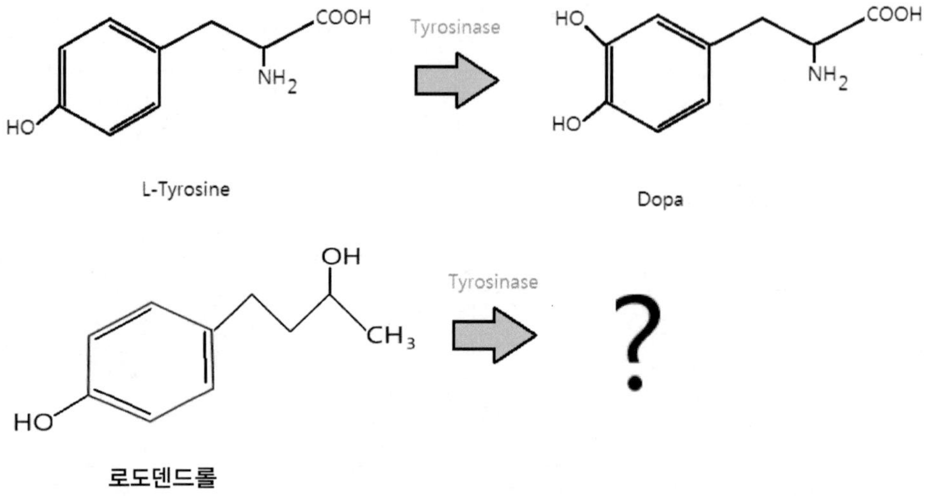

Tyrosinase

L-Tyrosine → Dopa

Tyrosinase

로도덴드롤 → ?

8.1.3. 미백제

8.1.3.1. 비타민 C(ascorbic acid)

환원작용에 의해 미백효과를 발휘한다. 멜라닌중간체인 도파퀴논을 환원시키고, 또 진한 산화형 멜라닌을 환원하여 옅은 색의 환원형 멜라닌이 되게 한다. 안전성이 높으나 안정성이 나쁘다. 물, 빛, 열에 약하여, 쉽게 노랗게 변색된다(비타민 C 파우더는 노란색이 아니라 흰색이다). 따라서 비타민 C 및 유도체가 들어 있는 제품은 노란 색소를 넣어 처음부터 노란색으로 만들어 비타민 C 변색 인지 정도를 낮춘다. 아니면, 비타민 C 안정화를 실현한 기술을 바탕으로 순수 비타민 C 고함량을 안정적으로 함입한 제품이 판매된다.

그러나, 두 번째 관문도 있다. 비타민 C는 친수성이기 때문에 친유성인 피부 세포간지질을 통과할 수 없다. 따라서 이번에도 세포간지질 통과를 도와줄 시스템(drug delivery system)의 도움을 받아야 비타민 C를 피부에 침투시킬 수 있다.

8.1.3.2. 각종 비타민 C 유도체(화장품에 사용되는 에스터)

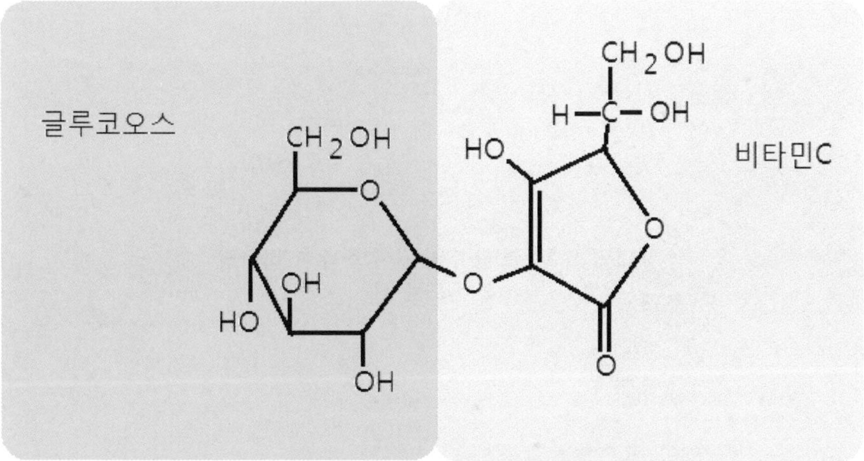

〈그림 8.1.〉 아스코빌글루코사이드

1980년대 이전에는 ascorbyl monostearate, ascorbyl monopalmitate, 2,6-dipalmitate가 나왔다. 모노에스터보다 디에스터가 훨씬 안정하지만 제형에서의 안정성은 미흡하다. 1980년대가 되면서 magnesium-L-ascorbyl-2-phosphate라는 매우 안정한 유도체가 개발되었다. 1990년대에 들어서는 vitamin C-2 glucoside(상품명 AA2G)가 개발되어 알부틴과 함께 현재 가장 많이 사용되는 미백제가 되었다.

Ascorbyl glucoside는 수용액 및 약산성에서도 매우 안정하고, 체내에서 α-glucosidase의 작용으로 서서히 가수분해되어 비타민 C가 생성된다. 즉, 장시간 효과가 유지된다. 수용액의 pH는 매우 낮다.

하지만 Ascorbyl glucoside도 친수성이어서 피부침투력이 미흡할 것으로 생각된다. 근래에는 친유성 비타민 C인 팔미틴산아스코빌인산3Na(APPS), 비타민C에틸(아스코르빈산-3-O-에틸이써)이 개발되었는데, 유도체 자체도 미백, 항산화효과가 있다. 일본에서 2005년 의약부외품으로 승인되었다. 또한 양친매성 비타민 C 유도체도 개발되어 피부침투력이 향상될 것으로 생각된다.

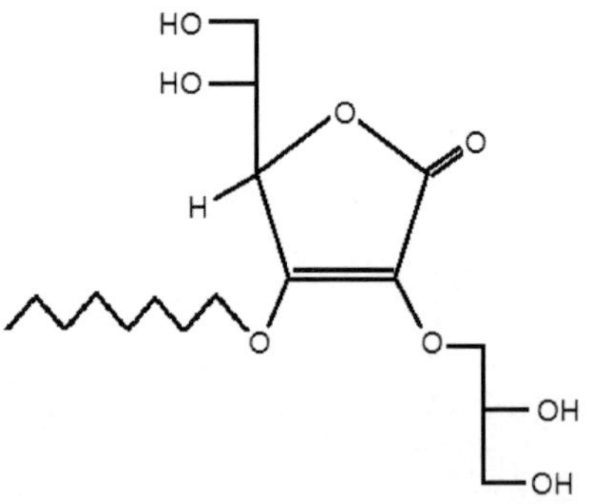

〈그림 8.2.〉 최근 개발된 양친매성 비타민 C 유도체 예

8.1.3.3. 알부틴(arbutin)

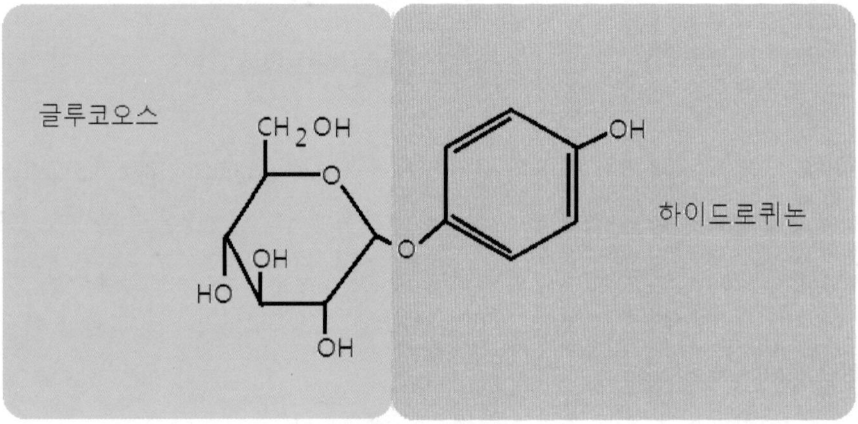

〈그림 8.3.〉 알부틴

하이드로퀴논-β-D-글루코피라노시드로 시세이도가 개발한 미백제이다. 하이드로키논배당체로서 예부터 블루베리, 크랜베리나 서양배 등에 함유되어 있는 것이 알려졌다. 알부틴의 미백작용은 B16멜라노마 배양세포에 대해 세포독성이 없는 농도에서 멜라닌 생성억제효과와 타이로시나아제 및 TRP-1의 활성 저하로 확인되고 있다. 알부틴은 세포에 대해 하이드로퀴논으로 분해되지 않고 알부틴 자체가 멜라닌 생성억제작용을 보인다고 알려져 있다. 일본에서 1989년 의약부외품의 유효성분으로 승인되었다.

8.1.3.4. Hydroquinone(의약품용)

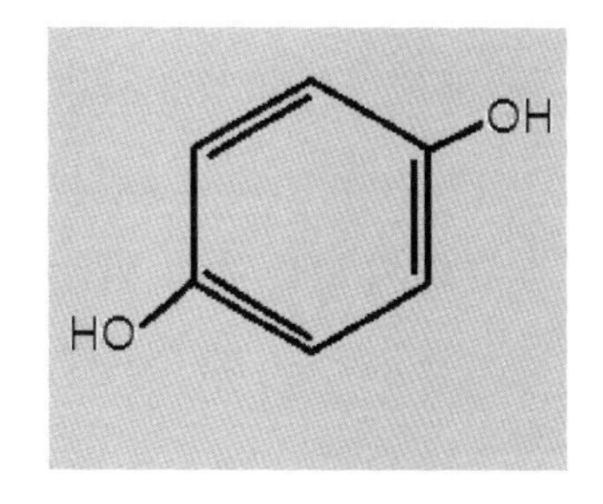

하이드로퀴논

미국에서 범용되는 하이드로퀴논은 페놀유도체인 방향족 화합물로서 방부, 소독제로 쓰인다. 표백작용이 우수하여 기미, 주근깨 등 색소침착을 개선한다. 햇빛에 주의할 필요가 있어서 잠자기 전에 사용하거나 자외선 차단제를 병용해야 한다. 멜라노사이트 자체에 대한 독성 때문에 백반을 형성하는 부작용이 지적되고 있다.

하이드로퀴논은 국내에서는 의약품 "도미나크림"의 주성분으로 사용되고 있고, 화장품에 사용할 수는 없다. 국내 한 업체는 알부틴을 1제에 넣고, 2제에 알부틴을 분해하여 하이드로퀴논이 나올 수 있게 하는 효소를 넣어 인위적으로 하이드로퀴논의 미백효과를 화장품에 도입한 사례도 있다.

8.1.3.5. 마그노리구난(5,5'-디프로필-비페닐-2,2'-디올)

가네보가 개발한 미백제이다. 마그노리구난은 목련科 Magnolia 나무껍질에서 추출된다. 페놀성화합물을 이량화함으로써 안전성이 향상되고, 항균활성과 라디칼소거능을 갖는다는 것에 착안하여 개발되었다. 우수한 멜라닌 생성억제작용을 나타낸다. 마그노리구난은 페놀 골격을 갖는 화합물이기 때문에, 타이로시네이즈 활성을 저해하는 작용이 기대되는데, 멜라닌 생성억제작용을 보이지만, 타이로시네이즈 활성을 전혀 저해하지 않는다. 대신 타이로시네이즈단백질의 성숙을 저해함으로써, 세포 내의 타이로시네이즈 양을 감소시키고, 멜라닌 생성을 억제한다.

8.1.3.6. 트라네키삼산(4-(aminomethyl)cyclohexane-1-carboxylic acid)

항염증, 항알레르기까지 소구되고 있다. 플라스민(멜라노사이트활성화인자) 저해작용으로 기미를 개선한다.

**** 항산화제는 화장품에서 만병통치약**

자외선의 조사에 의해 직접적인 해가 있지만, 간접적으로도 케라티노사이트가 ROS(활성산소)를 만들게 하고, 이 ROS는 멜라노사이트 자극인자의 생산을 항진시켜, 멜라노사이트의 증식, 멜라닌 생성 및 방출의 항진을 야기한다. 또 케라티노사이트가 멜라닌을 탐식(받아들임)하는 것을 촉진한다. 따라서 화장품에 함유되어 피부에 도포되는 항산화제는 자외선에 의해 생성되는 ROS를 제거함으로써 미백에도 효과를 발휘할 수 있다.

8.2. 주름개선원료

피부에 주름이 생기는 것은 노화에 수반되는 현상으로, 생체 기능의 저하로 인한 여러 가지 구조적 변화가 그 발생 원인이 된다. 주름의 생성 원인은 자연노화에 의한 것과 환경에 의한 것 두 가지로 나눌 수 있는데, 환경요인이 주름 발생에 더 크게 영향을 준다. 환경요인으로는 여러 가지 있을 수 있으나 태양광선 중의 자외선에 의한 영향이 가장 크다.

8.2.1. 효력시험

피부 주름의 발생 원인 중 하나는 피부교원질(콜라겐)의 결핍이다. 콜라겐이란 피부 진피를 구성하는 주요 단백질로서, 피부구조와 탄력을 유지하는 역할을 한다. 나이가 들면서 생성은 감소, 분해는 증가하게 되어 피부 진피층의 함몰이 유도되고 결국 피부의 주름으로 이어진다. 따라서 피부 주름개선 물질의 콜라겐에 대한 생성, 분해 정도를 실험하면 피부 주름개선효력을 입증할 수 있게 된다.

〈표 8.3.〉 주요 주름개선 소재

소재명	특징
레티놀	콜라겐 합성촉진. 열, 공기에 불안정
레티닐팔미테이트	레티놀유도체
폴리에톡실레이티드레틴아미드	레티놀에 PEG를 결합. 안정성 및 경피흡수 개선
7-DHC(7-dehydrocholesterol)	비타민 D 전구체
아데노신	DNA구성염기

8.2.2. 주름개선제

주름개선제로 가장 유명한 것은 레티놀이다. 이 외에 아데노신은 안정성 및 제형제조 용이성이 좋고, 최근에는 효과가 우수한 올리고펩타이드류가 사용되고 있다.

8.2.2.1. 비타민 A, retinoid(vitamin A derivatives)

화장품에서는 1990년대 후반 ㈜아모레퍼시픽에서 레티놀2500이라는 주름개선제품이 나오면서 유명해졌고, 오늘날 주름개선화장품에 가장 많이 사용되는 원료이다.

피부 자극이 거의 없으나 광독성이 있다. 케라티노사이트에 작용하여 히알루론산합성을 촉진하고 각질층 수분량을 증가시킨다. 비타민 A는 유용성이기 때문에 피부에 잘 흡수된다.

비타민 A는 공기 중의 산소에 의해 쉽게 산화되고, 또 열, 빛에 의해서도 불안정하게 되기 때문에, 말단의 OH기를 초산 또는 긴사슬지방산으로 에스터화한 유도체가 많이 이용되고 있다(예, 비타민A초산에스터, 팔미틴산에스터).

비타민A산(retinoic acid)의 여드름 acne vulgaris에 대한 유용성에 대해서는, Kligman 등에 의해 처음으로 보고된 이래, 여러 나라에서 많은 임상실험이 진행되어 왔고, 미국을 비롯한 외국에서는 화장품에 사용되고 있는데, 일본에서는 부작용 때문에 화장품에 배합되는 것을 금지하고 있다. Retinoic acid의 피부 이상을 일으키는 정도가 retinol에 비해 약 100배 정도가 되며, 과잉 증상은 retinol의 10배 정도로 나타난다고 알려져 있다. 따라서 retinoic acid는 효능에 중점을 두는 의약품에 사용하고 효능보다 안전성이 우선인 화장품에는 retinol이 주로 이용되고 있다.

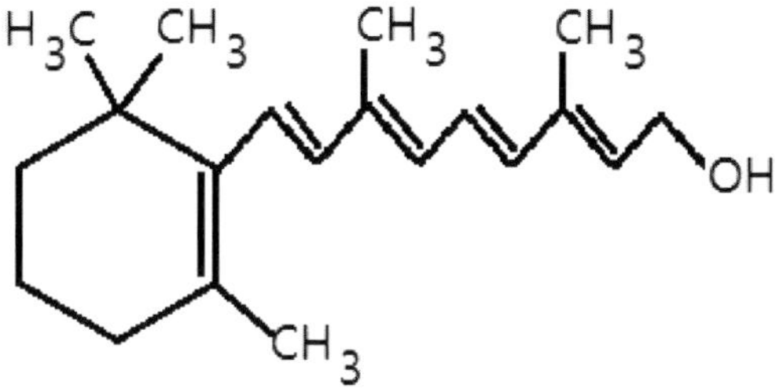

〈그림 8.4.〉 레티놀

8.3. 항산화제

8.3.1. 활성산소

활성산소(ROS)란 산소원자가 화학활성을 갖고, 특히 강한 산화성을 가진 것 및 관련 물질을 포함하는 그룹이다. ROS에 의한 생물학적 장해를 방어하기 위해, 통상 비타민 C, 비타민 E 등의 항산화물질이 기능을 하고 있다. 건강상태가 양호한 경우, ROS와 이것에 길항하는 항산화효소(SOD), 항산화물질 등에 의해 산화환원밸런스가 유지되고 있는데, 병적인 상태가 되면 ROS 양이 우위가 되어 생체 내의 평형이 깨지고, 생체는 산화스트레스에 노출되게 된다.

미토콘드리아는 에너지(ATP) 생산기관이지만, 이 과정에서 활성산소가 부산물로 나온다. 다시 말해 세포 내 최대의 활성산소 생산기관이다. 활성산소가 축적되면 미토콘드리아 DNA가 손상되고, 전자전달계 사이클의 이상이 발생하면 활성산소를 대량 발생시키는 비정상 미토콘드리아가 생성된다. 이 비정상 미토콘드리아의 축적이 자연노화의 원인이란 가설도 보고되었다. 정상적인 인체에서는 오토파지의 일종인 마이토파지가 비정상 미토콘드리아만 분해하고 있다.

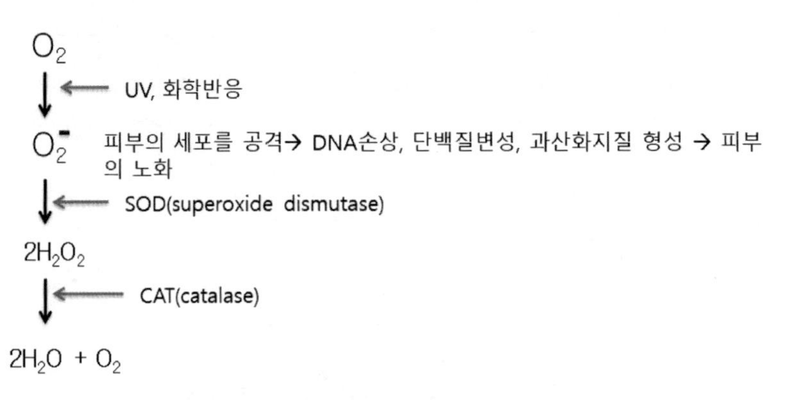

〈그림 8.5.〉 체내의 활성산소 제거시스템

8.3.2. 비타민 E(vitamin E)

비타민 E 중에서도 dl-α-tocopherol은 화장품 및 의약부외품에 사용되며, 말초혈관확장작용, 혈행촉진작용이 있어서, 피부노화방지를 목적으로 하는 크림, 모발성장촉진효과를 목적으로 하는 양모, 육모제에 주로 사용된다. dl-α-tocopherol은 공기 중에서 산화되기 쉽기 때문에 화장품에는 초산토코페롤, 니코틴산토코페롤 및 호박산에스터, 리놀렌산에스터가 사용되고 있다. 특히 니코틴산토코페롤은 초산토코페롤에 비해 양모촉진작용이 강력한 것이 확인되었다.

8.3.3. 플라센타(태반)추출물

말 플라센타추출물(horse placental extract, HPE) 및 돼지 플라센타추출물(pig placental extract, PPE)이 사용된다. 각종 아미노산 및 미네랄, 비타민, 효소류 및 EGF · FGF, sialic acid 등 미량유용성분이 함유되어 있다. 유용성 플라센타추출물도 시판되고 있는데, 피부수분량이 수용성플라센타, 스쿠알란, 글리세린보다 우수하다고 알려져 있다.

플라센타의 주요 작용은 피부세포 활성화와 항산화작용이다. 피부세포 활성화로는 진피에서, 섬유아세포증식촉진, I형콜라겐 및 섬유아세포증식인자의 발현을 자극하고, 표피에서 I형콜라겐, 케라틴10, 필라그린의 발현을 자극하여 베리어 기능을 강화한다. 또, 여러 항산화물질이 함유되어 있어서 항산화기능이 높다. 최근에는 제대추출물까지 화장품원료로 개발되어 있다.

8.4. 자외선차단원료

8.4.1. 자외선차단

자외선차단 화장품들은 자외선 B 및 자외선 A를 차단하는 효능을 가지고 있다. 자외선 B는 피부에 홍반, 일광화상 등을 일으키며, 자외선 B의 차단효과는 자외선차단지수(SPF)로 표시한다. 자외선 A 피부 흑화의 주요 원인으로서 자외선 A의 차단효과는 자외선 A 차단등급(PA)으로 표시한다.

in vivo SPF측정법 ISO 24444(2010년), in vivo UVA측정법 ISO 24442(2011), in vitro UVA측정법 ISO 24443이 국제규격으로써 이미 발행되었다.

8.4.2. 자외선 B 차단등급측정

자외선차단지수(Sun Protection Factor, SPF)는 UVB를 차단하는 제품의 차단효과를 나타내는 지수이다. 1978년 FDA가 제안한 rule로서 정의는 다음과 같다.

$$SPF = \frac{\text{자외선차단제품을 도포하여 얻은 최소홍반량}}{\text{자외선차단제품을 도포하지 않고 얻은 최소홍반량}}$$

일본화장품공업연합회(JCIA)는 1992년 일본에서 업계자체기준으로서 SPF측정법기준을 발효하였다. 1999년에는 SPF의 상한을 50으로 정하고(실제로 100이 넘는 제품도 있었다), 이 이상인 제품은 50+로 표시하기로 하였다. 2003년에 JCIA, 유럽향수화장품류공업연맹(COLIPA)과 남아프리카화장품공업회 3단체 간에 통일된 기준이 제정되었다. 2006년에는 미국화장품공업회(CTFA)가 참가하여 International법으로서 널리 통용되었다.

〈표 8.4.〉 SPF 수치에 따른 자외선차단율

SPF 수치	자외선차단율(%)
2	50
4	75
10	90
20	95
50	98
100	99

"최소홍반량(Minimum Erythemal Dose, MED)"은 UVB를 사람의 피부에 조사한 후 16~24시간에서, 조사 영역의 거의 대부분에 홍반을 나타낼 수 있는 최소한의 자외선량을 말한다. SPF를 측정하는 데 피험자로는 Fitzpatrick가 정의한 스킨타입 I, Ⅱ, Ⅲ인 사람이 해당된다. 피험자는 10인 이상 20인 이하로 산술평균을 구하여, 소수점 첫째 자리 이하를 버린 수치를 사용한다.

지수의 다른 측면을 보면, 자신의 피부가 10분 정도 자외선에 노출되면 홍반이 생기는 사람은 SPF 15인 제품을 바르면 10×15=150분 정도 지나면 홍반이 생긴다. 즉, 2~3시간에 한 번 덧발라 주어야 한다. 일상생활의 자외선 방어용 제품은 SPF 10~20인 것이 좋고, 해변이나 야외에서 운동할 때에는 SPF 30 이상인 제품이 적합하다.

SPF는 자외선의 영향을 완벽히 막는다는 지표가 아니다. 즉, 홍반을 막는 것이 모든 자외선에 의한 손상을 막는 것이 아니다. 홍반이 나타나지 않더라도, 눈에 보이지 않는 면역억제와 콜라겐분해효소(매트릭스메타로프로테아제, MMP)의 활성화, DNA 손상 등이 일어난다. 생물학적 방어가 필요(non-sunscreen photoprotection)하다는 얘기다. 식물추출물과 비타민 C, E 등 항산화제를 배합함으로써 자외선 조사 후에 발생하는, 활성산소에 의한 피부 상해를 감소시키는 방법도 제안되었다.

8.4.3. 자외선 A 차단등급측정

자외선A차단등급(Protection grade of UVA, PA)은 UVA를 차단하는 제품의 차단효과를 나타내는 지수로서, 1980년대 후반 각사가 독자적으로 UVA차단지수를 표시하다가 1996년 일본은 표시방법과 측정법을 통일하여, UVA방지효과측정법기준을 발효하였다. PFA(Protection Factor of UVA)의 정의는 다음과 같다.

$$PFA = \frac{\text{자외선}A\text{차단제품을 도포하여 얻은 최소지속형즉시흑화량}}{\text{자외선}A\text{차단제품을 도포하지 않고 얻은 최소지속형즉시흑화량}}$$

〈표 8.5.〉 UVA 차단 표기법

UVAPF	분류표시	효과
2 이상~4 미만	PA+	UVA 방지효과가 있다
4 이상~8 미만	PA++	UVA 방지효과가 상당히 있다
8 이상~16 미만	PA+++	UVA 방지효과가 매우 있다
16 이상	PA++++	UVA 방지효과가 극히 높다

2013년부터 일본화장품공업연합회(장공연)의 자율기준으로써 PA++++가 추가되었다. 한국은 2016.6.24., '기능성화장품 심사에 관한 규정' 일부 개정안 행정 예고에서 PA++++가 도입되었다. 그 이유는 해외시장에 원활하게 진출할 수 있도록 일본·중국과 등급 기준을 맞춘 것이라고 식약처는 설명하고 있다.

유럽과 미국에서도 UVA를 차단한다는 표시법은 있으나, 전 세계적으로 통일되지 않았다.

〈표 8.6.〉 각국의 UVA 차단 표시방법

	일본	유럽	미국
표시 예	PA++++	UVA	Broad Spectrum

8.4.4. 자외선흡수제

최근 국내의 한 피부과가 발표한 자료에 의하면 한국인의 피부가 10년 전에 비해 평균 2.51년 젊어졌다고 한다. 이것은 자외선차단제의 도포가 생활화되었기 때문이다.

초기의 자외선차단제는 유기계자외선흡수제 위주로 처방되었다. 자외선을 충분히 흡수하기 위해서는 다량 사용되어야 하는데, 그렇게 되면 끈적이는 등 사용성이 나빠지고 안전성도 위협받게 되어 배합에 한계가 있었다. 자외선흡수제는 자외선을 흡수하여 여기(흥분)상태로 되고, 다시 기저상태로 되돌아오면서 흡수했던 에너지를 열이나 형광 등으로 전환하여 방출하는 능력이 높은 유기화합물이다. 화학적인 활성이 높고, 기능상 불포화결합이 많기 때문에 산화, 변취, 변색 등이 일어나는 경우도 있어서, 제품에 배합 시에는 세심한 주의가 필요하다. 유기계 자외선흡수제의 종류는 PABA(para amino benzoic acid)계, 계피산(cinnamic acid derivatives)계, BENZOPHENON계, 살리실산(octyl salicylate)계, DIBENZOYL METHANE계가 있다. 흡수효과는 크지만, 피부 위에서 분해나 중합될 가능성이 있어서 자외선흡수효과가 저하되고, 피부 자극의 우려도 있다. UVB 영역에서 흡수 영역을 갖는 것이 많고, UVA 영역에서 흡수 영역을 갖는 것은 소수이다.

가장 일반적으로 사용되는 원료는 옥시벤존인데, 호르몬 교란, 세포 손상, 알레르기 유발 가능성에 주의해야 한다. 흡수제는 제형적으로 오일의 한 종류이므로 많은 양이 배합되면 사용성에 큰 영향을 준다.

▶ **상품 예**

상품명 Parsol 1789: Butyl Methoxydibenzoyl Methane(BMDBM), UVA 영역 흡수
상품명 Parsol MCX: Octyl p-methoxycinnamate(ethylhexyl methoxycinnamate, OMC), UVB 영역 흡수

유기자외선흡수제는 제형 중의 오일에 녹아야 피부에 균질하게 도포되어 최대의 효과를 낼 수 있다. 따라서 신규 자외선흡수제는 자외선만 잘 흡수하면 되는 것이 아니라, 선크림 제형상 가장 많이 들어가는 오일인 실리콘오일에 반드시 녹아야 한다.

BMDBM의 경우 실리콘오일에 거의 녹지 않지만 다행히 OMC에 녹기 때문에, BMDBM을 OMC에 녹이고 이것을 다시 실리콘오일에 녹이는 방법을 채택하고 있다.

BMDBM의 또 다른 결점은 화학적 안정성인데, 우선 광안정성이 미흡하여 노출 15분 후 UVA 흡수가 36%나 감소한다. 또 TiO_2의 코팅제로 자주 사용되는 Al_2O_3와 반응하여 Al_3^+염을 생성하여 BMDBM의 실질량이 감소한다. 이는 곧 UVA 차단이 감소되는 것을 의미한다. 그리고 물리적으로도 불안정, 즉 결정화되기 쉬워서 제형안정도, 외관, 자외선차단, 사용성이 떨어진다. 따라서 실리콘코팅 또는 캡슐화된 원료의 사용이 안정적이다.

▶ **상품 예**

Neo Heliopan AP(Disodium Phenyl Dibenzimidazole Terasulfonate), Neo Heliopan(Phenylbenzimidazole Sulfonic Acid)은 파우더 타입으로서 일정량의 물을 취해, 용해해서 제형에 투입한다. 물에 용해 시 pH를 7~7.5로 맞춰야 자외선 차단효과를 높일 수 있기 때문에, 처방에는 알칼리를 함께 처방한다. TEA 중화보다 KOH로 중화하는 것이 더 안전하다고 알려져 있다.

비침투성 선스크린원료도 개발되고 있다. 예를 들어, Touitou E. 등이 제안한 것은 호호바오일 화학 골격 중에 UV흡수제를 고정화한 것이다.

8.4.5. 자외선차단제

무기계 자외선산란제로는 산화아연 ZnO, 산화티타늄 TiO_2이 대표적이다. 산화아연은 UVA 영역에서, 산화티탄은 UVB 영역에서 효과가 크다. 도포 후 경시적 자외선차단능의 저하가 없다. 안전성도 높고(피부 침투 안 됨), 굴절률이 크다(백탁). 무기물이므로 분해 문제가 없어서 안정성도 우수하다. 그러나 파우더의 질감이 나쁘고, 응집이 잘 되어 안정적 분산이 어렵고, 도포하는 과정에서 허옇게 백탁되어 미관이 나쁘다.

백탁의 개선은 미립자화로 해결된다. Jaenick과 Weber 등이 제시한 경험식이 의미하듯이, 빛의 반사나 산란량은 입경이 빛의 파장의 1/2일 때에 최대가 된다고 알려져 있다. 일반적인 산화티탄은, 입경이 200~300nm이기 때문에 가시광부에서 가장 반사율이 크게 된다(청백색, 안색이 안 좋게 보이게 한다). 따라서 입자경을 200nm 이하로 하여, 자외선 영역에서 최대의 반사능을 갖는 미립자화된 산화티탄이나 산화아연이 많이 개발되어 방어력과 투명감 둘 다 만족시키고 있다. 최근에는 자외선흡수능을 가지면서 백탁되지 않는 투명산화티탄이 개발되어 시판되고 있다.

미립자가 되면 퍼짐성이 나빠지고 감촉이 무거워진다. 표면에너지(표면적)도 크게 증가하여 균질한 분산이 더 어려워지는데, 개질화로 퍼짐성을 해결하였다. 개질화란 형상을 변화시킴으로써 미립자의 결점을 보완하려는 기술이다. 목적에 따라 성능을 발휘하기 위해서, 바늘 모양, 방종상, 부채 모양, 나비 모양, 튜브 등 산화티탄의 형상을 변화시키는 시도가 행해지고 있다. 또 산화티탄을 박편상으로 결정화시킨 것은 자연스러운 광택과 양호한 퍼짐성을 갖고 있다. 또 미립자산화티탄을 의도적으로 구상으로 응집시켜 큰 입자가 되게 하고, 도포 시에 양호한 퍼짐성을 갖도록 하면서 최종적으로 응집체가 피부 위에서 붕괴되어, 미립자산화티탄이 균일하게 도포되는 붕괴성산화티탄 등이 개발되었다.

또 미립자화되어 무거워진 사용성을 복합화로 해결한다. 복합화란 구상의 나일론, 폴리에틸렌, 아크릴계수지 등의 표면 또는 판상 세리사이트나 마이카 등의 표면에 자외선방어능이 높은 미립자분체를 코팅하여, 감촉을 개량하는 기술이다. 미립자분체를 통해 자외선방어효과, 구상 또는 판상분체가 갖는 좋은 감촉, 둘 다 추구하는 목적으로 개발된 기술이다.

미립자화는 표면적이 크게 되어 촉매활성이 강하게 된다. 표면처리는 촉매활성을 제어하여 안정성을 높게 하거나, 분산성 향상을 위해서 표면활성을 제어하는 기술이다. 미립자산화티탄을 금속비누로 처리하거나, 오르가노실록산이나 오르가노티탄 등으로 피복함으로써 응집을 없애고, 분산성을 향상시킨 기술이 개발되었다(W/O제품에 첨가). 또 옥틸시릴화 처리는 통상의 실리콘 처리와 비교하여 발수성이 높고 응집하기 어렵기 때문에, 수영할 때 미립자가 응집하여 피부에 바른 선크림이 하얗게 보이는 현상이 일어나기 어렵게 만든다.

산화티탄은 산화아연보다 이온화 경향이 압도적으로 낮아서, 수중에 티탄이온이 용출하는 경우는 거의 없다. 카르복시비닐폴리머와 산화티탄의 병용계에서는 계의 점도가 증가한다. 그 이유는 카르복시비닐폴리머의 카르복실기와 분체의 표면수산기가 수소결합을 하기 때문이다. 이 결합은 부분적으로 강고한 네트워크구조가 만들어져, 최종적으로는 전체가 푸딩상으로 되어 버린다. 산화티탄의 표면활성을 억제하면 카르복시비닐폴리머와의 병용이 가능한데, 도료 및 수지 등의 공업 분야에서도 표면활성억제에 효과가 있는 실리카 처리를 한다.

산화아연은 산화티탄보다 굴절률이 낮아 보다 투명감이 있는 연출이 가능하다. 산화티탄보다 가시광 영역에서 투명성이 높고, 분산성이 좋다. 사이즈가 클수록 사용감이 좋고, 사이즈가 작을수록 투명성이 좋다. 강한 광촉매활성을 가지는데, 아연이온이 용출되면, 카르복시비닐폴리머의 카르복실기와 아연이온이 반응하여 카르복시비닐폴리머 간의 전하반발이 소실됨으로써 점도가 갑자기 저하한다(pH도 상승). 산화아연으로부터 아연이 용출되는 것을 표면처리로 억제할 수 있는데, 산화아연을 실리콘으로 피복하고, 최외층에 실리카 처리를 실시한 복합분체가 있다. 실리콘 처리하면 물과 접하는 것을 억제할 수 있고, 실리카 처리하면 친수성을 부여할 수 있다.

물에 씻겨 나가는 정도에 따라 내수성을 구분한다. 내수성이라고 표현하면, 물속에서 1시간 정도 들어가 있는 조건에서 SPF지수가 절반가량 유지될 때를 말하는 것이고, 지속내수성은 물속에서 2시간 정도 들어가 있는 조건에서 SPF지수가 절반가량 유지될 때를 말한다. 제품의 내수성 증가를 위해서 불소화고분자, 불소화실리콘, 고분자유화, 다중유화 등이 개발되고 있다.

적외선차단기능이 있으면 시너지효과가 있다. 자외선 조사 시 온도가 높으면 피부 손상이 커지기 때문이다.

천연 UVA 흡수제의 필요성은 UVA에 대한 경각심, PA 지수 도입, 유기물만으로는 흡수력이 한계의 요인으로 대두되고 있다. 그렇지만 천연계이지만 UVA흡수제이므로 피부안전성, 광안정성, 유용성(WATERPROOF), 착색이 없을 것 등의 조건을 만족해야만 쓸 수 있다. 예로는 황금추출물, 상백피추출물, 고삼추출물, 황백추출물, 퐁가몰추출물, FERULIC ACID, γ-ORYZANOL 등이 있다.

8.4.6. Blue light 차단제

세륨 or 산화세륨이 있다. 제품 예로는 AQUACERIA가 있는데, 수계 차폐소재이다. 가시광

투명성과 안전성이 높고, 사용감이 우수하다. 광촉매활성도 낮고, 광투과율테스트의 결과 300 ~1,000nm의 파장을 차폐하는 것으로 나타났다. 즉, UV, 블루라이트, NIR 차폐소재이다. 산화티탄, 산화아연과 비교하여 DNA손상활성이 낮다. 일중항산소 생성량도 산화아연>산화티탄>산화세륨으로 낮다.

8.4.7. Boosting agent

자외선 산란제의 안정적 분산을 도와 자외선차단효과가 십분 발휘되게 돕는다. 예로는 Cellulose, PVA/α-olefinic polymers, Acrylic acid polymers[polyacrylate-15 (and) Polyacryate-17], Silicone resin[Polysilicone-15], Fluorinated silicone resin 등이 있다.

8.4.8. 자외선 차단제품의 제형 기술

자외선 차단제품에 대해 소비자의 요구, 즉 강력한 SPF와 내수성, 사용성, 편리성 등으로 인해 제형은 O/W → W/O → W/S로 발전하였다. 그러나 최근 일본에서는 제형화기술의 발달로 인해 고SPF를 유지하면서도 사용성이 좋은 O/W제품이 다시 범용화되고 있다.

〈표 8.7.〉 자외선차단제의 제형별 장단점

제형	O/W	W/O	W/S
처방 특징	- 주 base: 물 - 산뜻한 사용감	- 주 base: mineral oil - 번들거림	- 주 base: 휘발성실리콘 - W/O보다 개선된 사용성
장점	- 산뜻, 촉촉 - 발림성 우수	- 보습력 우수 - 무기자외선차단제 고함량 가능	- 산뜻, 촉촉 - 퍼짐성 우수 - 보습력 우수 - 무기자외선차단제 고함량 가능
단점	- SPF수치에 한계(유기자외선차단제의존도 높다) - SPF가 높은 제품은 자극이 높음 - 무기자외선차단제와 상용성 떨어짐	- 끈적이고 무거운 사용감	- 유기자외선차단제와 상용성이 떨어짐(유기물 vs. 실리콘오일)
내수성	Not good	Very good	Very good

비극성용매, 즉 mineral oil, 2-ethylhexyl stearates는 자외선 흡수제의 최대흡수파장을 이동시키고 극성용매, 즉 PPG-2-ceteareth-9, PEG-7 glyceryl cocoate는 자외선의 흡광도를 증대시킨다. 그 이유는 극성오일은 자외선 흡수제를 균일하게 용해시키지만, 비극성오일은 물속에

서 계면활성제들이 마이셀을 형성하는 것처럼, 용해된 클러스터를 형성하기 때문에 흡광효율이 떨어진다. 더 나아가서 에몰리언트 처방에 따라 SPF값도 달라질 수 있다.

8.5. 각질박리촉진제

8.5.1. AHA(α-hydroxy acids)

AHA는 각질세포 간의 접착력(데스모솜 단백질)을 와해시켜 쉽게 탈락되도록 도와주는 유기산이다. 나이가 들수록 데스모솜 분해능력이 저하하여 불필요한 각질이 쌓이게 된다. 물고기 비늘 모양의 피부병, 드라이 스킨 등의 과각화성, 건조성 피부질환의 치료에 사용되어 왔다(7% 이하 사용). 이때 주름개선효과도 경험적으로 발견되었다.

보통 과일류와 일부 발효식품에서 쉽게 발견된다. 그래서 과일산(fruit acid)으로도 불린다.

① 글리콜산(glycolic acid)은 사탕수수와 꿀에서 추출된다.

AHA 중 분자량이 가장 작아서 흡수와 침투력이 크다. 글리콜산을 바른 직후에 각질박리는 일어나지 않는다. 글리콜산을 바른 후 자외선에 민감한 피부가 되므로, 자외선차단제품으로 보호해 주어야 한다.

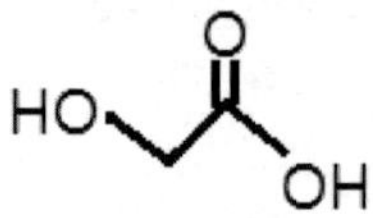

HO O OH

글리콜산

② 구연산(citric acid)은 오렌지, 귤 등에서 추출한다. pH 조정제로도 사용된다.

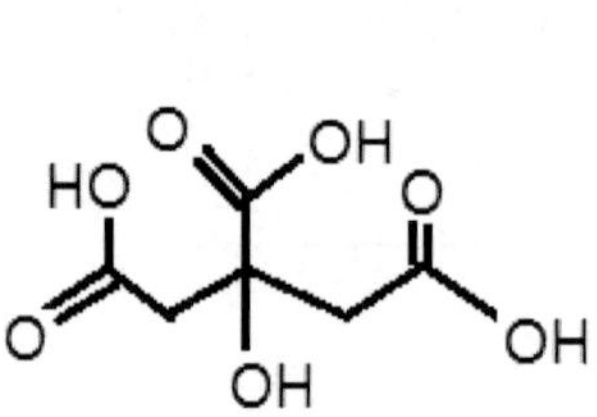

O OH HO O O OH OH

구연산

③ 말릭산(malic acid, 사과산)은 사과에서 얻는다. 세포신진대사를 촉진한다.

④ 타타릭산(tartaric acid, 주석산)은 포도에서 얻는다.

⑤ 젖산(lactic acid)은 신 우유, 요구르트에서 얻는다. 보습효과가 우수하다.

젖산

이 중에서 글리콜산과 젖산이 대표적이라 할 수 있다. pH가 3 근방일 때 모든 acid에서 최고의 성능이 나온다. 염기로 중화하여 pH가 6 이상이 되면 모든 acid에서 거의 능력을 발휘하지 못한다. Citric acid를 제외하고, 자극과 효과는 비례한다. 따라서 효과보다 안전성을 우선시하는 화장품에서는 acid 자체보다는 중화한 AHA를 사용하는 것이 좋고 큰 효과를 위해서는 피부과에서 의사의 지도하에 acid를 사용하는 것이 좋다. 천연 추출물이 합성물보다 자극에 비해 효과가 조금 높다. 이것은 soothing 효과가 있는 성분이 천연에는 섞인 것으로 보인다. 예를 들면 녹차추출물은 AHA의 자극을 줄인다.

〈표 8.8.〉 AHA의 pH별 효능 및 자극

AHA 종류	적용 pH	세포재생	자극
Lactic acid 4%	pH = 3	35	2.8
	pH = 7	13	1.2
Glycolic acid 4%	pH = 3	34	2.9
	pH = 7	23	1.1
Salicylic acid 4%	pH = 3	42	3.0
	pH = 7	12	1.2

BHA(β-hydroxy acid)도 AHA와 마찬가지로 각질제거 성분이다. 살리실산(salicylic acid)이 대표적인데, 지용성으로서 여드름 부위에 효과적으로 침투하여 각질을 제거한다.

피부는 장기간 AHA를 사용할 경우 적응하기 때문에 AHA의 효과는 상당히 떨어진다

(salicylic acid가 가장 오래간다). 26주간 사용하면 피부개선효과는 멈추지 않고 계속 진행되지만 개선효과는 처음 몇 주에 80~90% 도달한다. 피부 두께는 사용과 함께 점점 증가한다.

AHA(3%)는 피부 pH를 1~2시간 정도 떨어뜨린다. 피부 위의 Buffering effect에 의해 다시 원래의 pH로 돌아온다. 낮은 pH는 각질층 상단의 케라틴 결합을 약화시키고, 각질이 떨어져 나가면 세포 분열이 촉진된다.

10% Glycolic acid는 각질 10개 층, 최대 20개 층까지 침투한다. 낮은 농도에서는 3개 층 정도까지 들어간다. 이곳의 pH를 떨어뜨리면 세포 증식, 분화, 염증반응 효소들을 활성화시킬 것이다. AHA의 농도가 진하면 떨어져 나가는 각질 크기도 커진다. 즉, 큰 사포로 밀어내는 효과가 있어서 세포재생을 너무 크게 자극한다. AHA는 피부 개선의 즉효성을 보여줄 수 있는 게 큰 장점이다.

5~10%의 AHA를 함유하는 처방은 pH가 3~4로 매우 낮아서 같이 처방되는 오일이 만약 짧거나 중간 길이 사슬의 모노에스터는 쉽게 분해될 수 있다. 가지 달린 알코올이나 탄화수소 화합물을 사용하는 것이 바람직하다.

▶ **상품 예**

Multifruit BSC: a mixture of bilberry, sugar cane, sugar maple, orange, lemon extracts

8.5.2. 요소

요소는 가격이 싸지만 특이취(암모니아)를 발생시킬 수 있어서, 주로 저가의 발뒤꿈치, 팔꿈치 등의 각질박리크림에 사용된다.

8.6. 항염증제(Anti-inflammatory agents)

요즘은 의약품이 아닌 천연물에서 자극완화효과가 있는 항염증제들의 개발이 발달하여 자극의 우려가 있는 제품개발에 투입하여 안전성을 높이고 있다. 외부자극에 대한 국소미소염증방지 목적으로 나와 있는 원료로는 β-글리틸리틴산, 글리틸리틴산유도체, 알란토인, 아즈렌, 하이드로코르티손 등이 있다. Hinokitiol은 대만산 히노키유로부터 얻을 수 있는 트로포론 화합물로서, 항염증, 지혈, 살균작용(천연 방부제)이 있다. 독특한 냄새(나무 향, 타는 냄새)가 있다. 제형상의 특징은, 반응성이 커서 유화 내에서는 문제를 일으키지 않으나 용기, 즉 펌프의 금속, 수지에 묻어 있는 개시제 등 반응성 물질과 쉽게 고온에서 반응을 일으켜 유화를 심하게 변색시킨다. KAVA KAVA도 자극완화효과가 있다. 1%일 때 가장 효과적이나 너무 비싸다. 원료상태는 PEG-8(PEG 400)에 용해된 상태로 유통된다. 국내에서 개발된 항염증제로는 마치현추출물이 있다.

8.7. 효소

8.7.1. Coenzyme Q_{10}(Ubiquinone)

Cofactor가 단백질이 아닌 complex organic molecule로 구성될 때 coenzyme이라 부른다. Coenzyme Q_{10}은 하나의 효소가 아닌 보조효소로서, 일반적으로 줄여서 CoQ_{10}으로 불리고 있다. CoQ_{10}의 구조는 비타민 K_1과 유사하지만 실제로는 비타민이 아니다. 많은 식품에 함유되어 있고 체내에서도 합성된다. 이 보조효소는 세포에 두루 존재하기 때문에 Morton 교수가 "Ubiquinone"(ubiquitous quinone의 의미)으로 명명하였다. CoQ_{10}은 세포의 에너지 생산에 관여하고 강한 항산화작용을 갖고 있다고 보고되었다.

화장품원료로서 CoQ_{10}는 오래전부터 유럽에서 사용되었다. 제품의 처방은 Ubiquinone으로 행해지고 체내에서 Ubiquinol로 변화될 것으로 기대(Ubiquinol이 항산화작용)한다.

8.7.2. 각질제거효소 파파인

파파야의 특성은 주로 단백질 분해 효소인 파파인에 의존한다. 파파인은 매우 활성이 큰 protease로서 신선한 과실에 존재한다. 이것이 상처치료를 돕고 스킨 disorder를 치료한다. 따라서 민감한 피부와 나이 든 피부에 추천된다. 파파야는 또한 영양, 부드러움, 정화, 방부기능이 있고 지성피부의 벌어진 모공을 수축시킨다.

▶ **상품 예** PE(papaya enzyme)

파파야에서 추출한 순수 단백질 분해 효소를 sc-glucan과 complex시켜 안정화한 원료이다. 계란 썩는 냄새가 심하다. pH에 민감하여 알칼리성 제형에서는 역가가 쉽게 떨어진다. pH 6.5 부근의 클렌징로션에서 실온에서는 상당 기간 지속되나 45℃에서는 안정성이 약하다.

8.8. 펩타이드

아미노산이 여러 개 결합한 것을 의미한다.

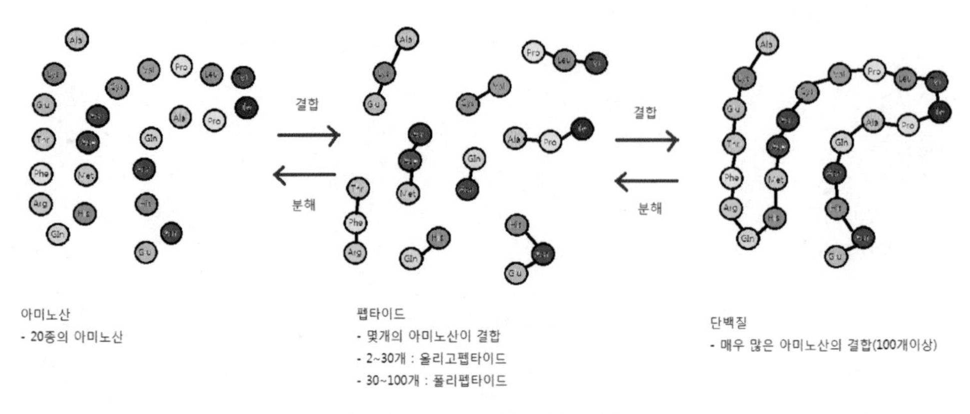

〈그림 8.6.〉 아미노산 결합

인간 피부에서도 발현하고 있는 주요 항균 펩타이드로 디펜신(Defensin), 카테리시딘(Cathelicidin), 덤시딘(Dermcidin) 3가지 패밀리가 있다.

피부세포성장인자도 펩타이드이다.

① EGF(Epidermal Growth Factor, 표피세포증식인자): 턴오버촉진(색소침착방지)

② FGF(Fibroblast Growth Factor, 섬유아세포증식인자): 진피의 콜라겐양 증가(탄력향상)

③ KGF(Keratinocyte Growth Factor, 각화세포증식인자): 각화세포의 증식을 촉진(피부의 기초가 되는 세포의 증식을 촉진)

상업화된 펩타이드를 살펴보면, 육모펩타이드, 섬유아세포 증식작용을 갖는 펩타이드, 민감피부를 완화하는 펩타이드, 흉터치료 펩타이드, 지방조직의 볼륨을 늘려 처짐을 개선하는 펩타이드 등이 시판되고 있다.

8.9. 슬리밍

Hydroxycitric acid와 Carnitine는 Diet Suppliment에서 슬리밍효과가 알려져 있다. Hydroxycitric acid는 동남아시아 원산의 나무 열매에 많이 함유된 유기산의 일종으로써, 지방합성경로를 블록한다. 즉, 지방세포 속 구연산에서 지방의 원료인 아세틸 CoA를 생성시키는 효소(ATP citrate lyase)의 활성을 저해한다. Carnitine은 지방산과 결합하여 미토콘드리아 속으로 운반하는 역할을 하는데, 미토콘드리아에서 지방산은 β산화에 의해 아세틸 CoA로 분해된 후 ATP로 변환된다. 즉, 지방산의 분해를 촉진하는 기능을 가지고 있다.

그러나 두 원료는 친수성이 강해 경피흡수가 어렵다. Hydroxycitric acid와 carnitine을 지방산으로 수식하면, 친유성이 부여되어 양친매성이 되고, 침투력이 강화(4배)된다. 이로 인해 지방산대사가 향상되고, 부가적으로 각각 안티에이징, 보습효과도 발휘한다고 Showa Denko사가 주장하였다.

▶ 상품 예

연꽃잎추출물 by Silab: 지방세포의 성장을 억제, 마리아엉겅퀴추출물 by Silab

〈표 8.9.〉 화장품원료별 효능 효과

원료명(허가명)	특징, 효능 효과
3M PMU capsule Jojoba oil(Jojoba oil/Polyoxymethylene urea)	Jojoba oil을 내상으로 구형의 캡슐화된 부드러운 파우더로 마사지 시 캡슐이 파괴되어 오일이 방출된다. 마사지 시 피부 노폐물과 불필요한 각질을 제거하고 jojoba oil에 의해 피부 유연작용을 부여해 준다.
감초 PT(Licorice extract)	감초 추출물로 glycyrrhizic acid, glycyrrhetinic acid 등이 풍부하다. 감초는 해열작용과 기침 감기에 효과가 좋고 다양한 독성 물질의 해독제로서 항염증제로써 작용한다. 특히 감초 PT-40은 글라블리딘이 풍부하다.
과당-55	인체에 존재하는 천연성분으로 일반 보습성분과는 달리 외부 환경이 건조한 상태에서도 수분함유능력이 우수하며, 각질층의 케라틴과 강하게 결합하여 쉽게 씻겨나가지 않는 성질을 갖는다. 또한 외부로부터 피부에 유해한 이물질이 침투하는 것을 막아주는 장벽기능을 강화시켜 준다.
녹용	피부 재생
닥나무 추출물 (동일)	우리나라 전통 한지의 장기 보존성에서 착안하여 한지의 원료인 닥나무로부터 태평양의 독자적인 기술을 이용, 개발한 미백원료로서 주성분인 Kazinol F는 항산화 효과, 항염증 효과, 항노화 효과를 고루 갖춘 완벽한 미백물질이다. 피부 속 깊숙이 빠르게 흡수되어 멜라닌 색소 생성단계에 대응한다.
닥나무 추출물 II	닥나무 추출물은 멜라닌 생성의 주효소인 티로시나아제의 활성을 강력하게 억제시켜 멜라닌 생성을 완벽하게 막아준다.
백합 추출물(WHITE LILY)	SEPIGEL 305와 쓸 경우 주의 요망
상백피 추출물	MORUS의 건조된 잎에서 추출한 물질로 미백효과 우수, 티로시나제 억제효과 및 멜라닌 생성억제작용, 피부 미백에 좋다.
상황버섯 추출물	미백(나드리, 추출물 20% 사용)
석류피 추출물	피부 탄력
소나무 추출물	비타민 E, A, PINENE, TERPINENE, 8가지 아미노산, FLAVONOIDS의 함유로 피부에 필수영양분의 공급 및 피부청정, 혈행촉진 등의 효과. 냄새가 안 좋은 관계로 사용 자제. 또한 플라보노이드, pinene 및 terpinene 등이 풍부하여 항염증효과와 항균효과가 우수하다.

원료명(허가명)	특징, 효능 효과
식물 혼합 추출액 (Green been /Jujube extract)	녹두는 필수 아미노산과 불포화 지방산, 사포닌, 전분을 함유한다. 해독, 해열 작용이 있으며 각종 피부 질환에도 효과가 있다. 피로할 때 원기를 돋우어 주고 마음을 안정시켜 주며 설사와 소갈에도 좋다. 대추의 과육에는 아미노산, 당분, 유기산(Malic acid, Tartaric acid)이, 씨에는 Sitosterol(Betulin, Betulic acid)을 함유하고 있고 한방에서 완화, 진정, 강장, 보혈, 이수약으로 한방제에 배합된다.
은행잎 추출물	은행잎에 함유된 플라보노이드 성분이 약화된 모세혈관을 강화시켜 주고, 모세혈관의 혈행을 촉진시켜 눈 주변의 모세혈관에서의 내부출혈로 인한 눈 밑 그림자 현상(Dark circle)을 완화시켜 준다.
인삼 추출물	인삼에 함유된 플라보노이드 및 사포닌 성분이 약화된 모세혈관을 강화시켜 주고, 모세혈관의 혈행을 촉진시켜 눈 주변의 모세혈관에서의 혈액누출로 인한 눈 밑 그림자 현상(dark circle)을 완화시켜 준다.
참깨 추출물	장수식품으로 널리 알려진 천연참깨오일(SESAME)에서 분자 증류하여 얻은 천연 항산화제인 SESAMIN, SISAMOLIN, 피부 재생 및 아토피성피부염 등 치유효과가 우수한 불포화지방산인 GLA, LINOLEIC산, 그리고 피부면역효과, 신진대사촉진 효과를 나타내는 불검화물인 스테롤, 토코페롤, 세사놀린 등이 함유되어 있다.
천연 호호바유	대부분의 식물에는 외부환경에 대한 수분보호막인 상피조직이 있는데 이는 피부 조직의 수분 보호막과 유사하며, 천연 호호바유는 이 상피조직으로부터 정제한 것으로 일반 식물류와는 근본적으로 다르다. 토코페롤을 함유하고 있어 오일의 산화를 촉진시키는 free radical을 제거해 산화안정성이 우수하다.
키위	피부의 항산화작용을 하며 주름개선 및 보습효과가 있다.
퐁가미아 추출물	인도에서 자생하는 식물추출물로 UV A(320-380nm)를 효과적으로 흡수하는 천연 자외선 차단제이다.
피지흡착 powder	다공성 실리콘 파우더로 피지 흡착능력이 다른 어떤 성분보다 뛰어나다. Matte하고 silky한 사용감으로 항상 보송보송함을 지속할 수 있어 피붓결을 향상시켜 주고 지성 피부 및 T-zone 부위 번들거림이 심각한 복합성 피부의 피지 조절에 확실한 효과를 볼 수 있다.
피토바이탈 (CORN SEED)	성분(단백질, 아미노산, 비타민 B, 미네랄, 탄수화물), 효과(ATP제너레이터, 즉 에너지대사 촉진, 콜라겐 생합성 촉진, 세포재생)
해양미량원소	해양미량원소(marine oligo elements) 성분이 혈행 순환을 촉진하고, 눈 밑 부위 피부의 수분정체를 방지해 주어 눈 붓기 현상을 완화시켜 준다.
해조 SEAMOLLIENT	해조로부터 추출한 성분으로 다량의 미네랄, 비타민, 아미노산 등을 함유하고 있으며 뛰어난 보습력으로 실키하고 부드러운 피부상태를 만든다. 또한 공해로 인한 피부 트러블을 방지해 주고, 태양광선 및 비누 사용에 의한 피부 손상을 억제하는 기능을 나타낸다.
황금 추출물	생약성분인 황금으로부터 추출한 바이칼린을 주성분으로 하는 천연세포 보호제로 유해산소를 제거하여 피부노화를 방지한다. 피부 미백에도 좋다.
Actigen (3-Aminopropyl dihydrogen phosphate)	태평양 기술 연구원에서 독자적으로 개발한 노화방지 성분으로 생명체에서 생화학 메신저로 작용하는 GABA(Gamma-amminobutyric acid)와 유사하다. 피부세포막을 구성하는 인지질과 친화도가 높은 구조를 갖고 있어 피부에 안전하며 활성도가 뛰어나다. 진피 내 섬유아세포의 증식을 촉진하여 피부에 탄력을 제공하는 콜라겐 합성을 촉진하고 섬유아세포의 분화를 증대시켜 피부노화를 방지한다. 피부 영양성분으로 상처치유 효과 및 피부세포 재생효과가 뛰어나 피부 신진대사를 원활이 해 주는 동시에 피부를 늘 탄력 있게 유지시켜 준다. SEPIGEL 305와 쓸 경우 주의 요망
Allanide base (Imidazolidinyl urea)	방부제

원료명(허가명)	특징, 효능 효과
Allantoin (동일)	시어 열매 밀의 싹, 컴프리의 뿌리, 말밤나무의 껍질 등에서 주로 추출되는 미용성분. 새 세포의 증식작용, 피부 노화의 지연, 피부 자극의 완화 효과가 탁월. FDA-OTC Topical Review Panel에서 Category 1(safe & effective 분야)의 active skin protectant로 분류된 물질로 피부 자극의 완화와 보호제, 진정제로서 작용을 한다. 또한 피부유연 효과와 상처치유 효과를 부여한다.
ALOE	탁월한 보습 효과를 지니며 피부 치유에 효과적이다.
Aminosoap LYC 12 (Coconut acid/Lysine)	아미노산과 coconut 지방산에서 유래된 매우 마일드한 천연 아미노산 soap이다. 기포력이 우수하고 헹굼 시 비누와 같은 느낌을 주고 사용 후, 아미노산에 의해 촉촉함과 매끄러운 느낌을 제공한다.
AQUAPHYCOL LD (LAMINARIA DIGITATA)	SEBOSTATIC(PHENOL, IODINE, AMINO-ACID, ZINC), BACTERIOSTATIC(PHENOL, IODE), PROTECTIVE(ALGINATE)
Arlacel 165 (Glyceryl stearate/ PEG-100 stearate)	
Arlacel 186 (Glyceryl oleate/ Propylene)	
Arlacel 60 (Sorbitan stearate)	친유성계면활성제
Arlacel 83 (Sorbitan seaquioleate)	친유성계면활성제
ASL-24S (Benzophenone 5)	자외선차단제
AVOCADIN (AVOCADO OIL UNSAPONIFIABLES)	OIL SOLUBLE, 자외선에 의한 피부트러블을 줄여줌, ANTI-PHOTOALLERGY, ANTI-PHOTOTOXICITY
B.G. (Butylene glycol)	모든 글리콜류 중에서 가장 독성이 낮고 무색, 무취의 피부 자극을 유발하지 않는 우수한 보습제이다. 피부에 바른 후의 화장품 향기를 오래 유지시키고, 우수한 보습성과 방부 효과, 용해성을 지녀 부드러움을 주며 피부 건조를 막는다.
Bees Wax (Beeswax)	모든 동물성 왁스 중 가장 유용한 자기 유화형 물질로서 피부에서 끈적임 없이 부드러움과 매끄러운 느낌을 제공한다.
BEHENYL ALCOHOL 60 (BEHENYL ALCOHOL)	유화제품의 안정화제, 점도조절제, CH3(CH2)20CH2OH
BHT(동일)	산화 방지제. 오일 특히 alcohol에 잘 녹는다. 환경 호르몬 유발 물질이다.
Bio-He (Sodium hyaluronate)	진피 내 콜라겐과 엘라스틴 사이를 채우고 있는 바탕 물질로 뮤코 다당류의 일종이다. 이 성분은 자신의 무게보다 수백 배 이상의 수분을 끌어당기는 능력이 있어 수분 유지의 중요한 역할을 한다. 이런 물질을 태평양 기술 연구원에서 생명공학기술에 의해 독자적으로 개발한 보습제로 피부를 구성하는 Glycosaminoglycan(GAG)의 하나이다. 보습력이 뛰어난 대표적인 보습제이다.
BIO-HE	뛰어난 보습성분으로 피부와의 친화성이 크고 피부에 매끄러움을 부여해 주며 피부탄력 및 회복기능도 우수하다.
Biopol OE (Sodium C8-16 isoalkylsuccinyl lactoglobulin sulfonate)	우유로부터 추출, 정제한 고분자 단백질 성분으로 코메도를 유발하는 지방산에 선택적으로 흡착하여 탁월한 피지 분비를 조절한다. 단백질을 주쇄로 하는 bio-polymer로 오일 성분의 표면장력을 감소시켜 피부표면에 존재하는 피부 지질의 분비를 조절함으로써 피부의 oily한 감촉을 감소시키고 자연스러운 피부 상태로 만들어 준다. 피지 제거 및 조절

원료명(허가명)	특징, 효능 효과
Biosunroyal (Royal jelly powder)	부화된 지 5~15일 정도 된 일벌의 인두선에서 물과 화분을 원료로 만들어진 후 분비되는 유백색의 점액으로 10-HAD(10-Hydro-2-Decon oil Acid)이다. 항염, 항종양, 호르몬과 혈류량 증가, 성장촉진작용 등을 갖고 있다. 단백질, 아미노산, 탄수화물, 비타민, 미네랄 등이 풍부하다.
Biotide(동일)	태평양의 생명공학기술에 의해 개발된 노화방지물질로서 젖산, 단백질, 비타민, 아미노산이 풍부하다. 세포재생촉진과 피부면역 시스템 강화작용 및 산화방지, 보습효과를 증대시킨다.
Biowhite (Saxifraga extract/ Grape extract/ Mulberry extract/ Scutellaria extract)	4가지 식물 혼합 추출물로서 tyrosinase(산화 효소의 일종) 활성을 강력히 억제하는 작용을 하여 미백효과를 나타낸다.
Caffeic acid	항산화(Tyrosine과 경쟁), 미백
CAMOMILE	자외선, 공해, 스트레스 등 각종 피부유해자극에 의해 거칠어진 피부를 진정시키고 정상화시키는 천연 세포보호성분이다.
Carbopol 940 (Carbomer)	세계에서 가장 널리 사용되는 화장품용 수용성 점증제로 유동성이 좋고 유화성질을 갖는다.
CEPHARIPIN	식물에서 분리 정제된 세파린을 함유한 성분, 수렴 및 응혈작용이 우수하며 면도 후의 잔상처 치유에 효과적이다.
Ceramide PC 104	각질세포 간 지질층을 강화하여 피부 밖의 이물질들이 피부로 침투하여 염증을 유발시키는 것을 막아주고, 피부 내의 수분이 발산되지 않고 적정량을 유지해 늘 촉촉함을 유지할 수 있도록 한다. 세포간지질 중의 하나인 세라마이드를 태평양에서 연구, 개발한 물질로 손상된 피부회복 효과, 외부자극으로부터 피부를 보호하는 효과, 보습 효과가 탁월한 성분이다.
CETANOL K (CETOSTEARYL ALCOHOL)	안정화제(액정 형성으로 유화안정화에 도움), 점도조절제, 유화의 백색화를 증진, C16: 45~55%, C18: 45~55%
Cetiol SN 1 (Cetyl octanoate)	
Chamomile	자외선, 공해, 스트레스 등 각종 피부의 유해자극에 의해 거칠어진 피부를 진정시키고 정상화시키는 천연세포 보호성분이다.
Co-Grhetinol (Stearyl glycyrrhetinate)	UV-erythema의 완화(항염증작용). 감초산의 피부흡수를 증진시키고 안정도를 향상시키기 위해 만든 유도체로 피부자극의 완화, 소염작용이 탁월한 성분이다.
COMFREY	유럽 및 시베리아에 서식하는 다년생 식물로 항염증, 피부진정, 각질연화 등의 치유제. 함유되어 있는 비타민류 및 각종 미네랄성분은 피부기능을 활성화시켜 외부환경에 대해 피부기능을 정상화시킨다.
COOLING AGENT 10	멘톨유도체로서 쿨링효과가 있다. 0.4 이상 사용 시 피부자극(화끈거리고 싸한 느낌)이 있다.
Cosmacol EMI (Malic diester of ISALCHEM 123)	ROOCCH(Oh)CH2COOR, R=C12-13. Malic acid를 피부에 침투하기 유리하도록 유성화시킨 것이다. 유성AHA
Cosmol 222(Diisostearyl malate)	
Crodamol MIO (Myristyl isooctate)	내가수분해성 우수, 실리콘오일과 잘 섞인다. 퍼짐성 우수하고 끈적임이 없다.
Cropure MDF (Meadowfoam seed oil)	Meadowfoam seed에서 추출된 오일을 특별한 정제기술에 의해 정제한 성분으로 안정도가 매우 우수하다. 피부 표면에서 에몰리언트 기능과 마찰력을 감소시키는 윤활작용을 하고 건조한 피부에서 매끄러움을 부여하는 효과가 매우 우수하다.

원료명(허가명)	특징, 효능 효과
DC 1401 (Cyclomethicone/ Dimethiconol)	Dimethiconol과 cyclomethicone의 혼합물로서 부드러운 피부 느낌과 피부와 흡착력이 우수하여 수분증발을 방지하고 끈적임이 없이 매끄러운 사용감을 부여한다.
DC 345 (Cycolmethicone)	실리콘 유도체로 끈적이지 않고 부드러움과 silky한 느낌을 제공하고 피부에서 퍼짐성이 우수하여, 사용 시 산뜻한 느낌을 나타낸다.
DEHYQUART E (HYDROXYCETYL HYDROXYETHYL DIMONIUM CHLORIDE)	양이온계면활성제, 정전기방지
Dermofeel BGC (Butylene glycol dicaprylate/dicaprate)	Ester 타입의 오일로 피부에 흡수가 잘 되며, 사용 후 번들거리지 않고 가벼운 사용감으로 피부 자극이 없다. 퍼짐성이 우수하여 매트한 사용성을 나타낸다.
DEVILS APRON HS	AQUAPHYCOL LD로 대체
DK ester F-160 (Sugar ester)	Sugar에 지방산을 결합시켜 만든 계면활성제로 우수한 생분해성과 안정성이 높고 눈이나 피부에의 자극성이 매우 낮아 식품, 의약품 등에서 유화제로써 널리 이용된다.
D-M (Methylparaben)	가장 널리 사용되는 방부제로 의약품용 등급이다.
D-P (Propylparaben)	의약품용 등급의 방부제이다.
E.D.T.A-2Na (Disodium EDTA)	금속염의 이온을 흡착하여 제품의 안정도를 향상시켜 주는 착염제
Eashave [효모 추출물, 맥아 추출물]	EASHAVE는 식물 추출물과 생물공학으로 만든 히알루론산 나트륨의 혼합수용액으로서 면도로 인해 모공 주위가 붉게 되거나 Irritation된 곳에 진정시키는 효과가 있고 보습효과 및 과다하게 제거된 지질보호막이 재생성되도록 돕는다. 효모와 맥아에서 추출된 다당류가 면도 후에 손상된 피부에 작용하여 자극받은 피부 표면의 온도를 낮추어 줌으로써 피부를 진정시켜 주며 손상된 피부 표면의 회복을 도와준다.
Eldew CL 301 (Cholesteryl/Behenyl/Octyldodecyl/Lauroyl glutamate)	아미노산과 알코올류에서 유래된 에몰리언트제이다. 수분 투과력과 수분 보지력을 향상시키고 제품의 안정도를 향상시켜 주고, 유화제품의 안정도를 향상시켜 준다. 인체의 온도와 유사한 녹는점을 나타내어 부드러운 사용감을 제공한다.
Elhibin (Soybean protein)	Leguminosae seed에서 유래된 식물성 단백질로 leukocyte elastase와 fibroblast elastase의 억제제로서 작용한다. 이 두 가지 효소는 피부자극과 노화과정에서 필수적인 작용을 한다. 이 효소들의 억제에 의해 탄력, 유연, 보습 효과를 증대시킨다.
Emalex HC-60 (PEG 60 hydrogenated castor oil)	비이온성계면활성제
Emalex MSG-6K (Polyglyceryl-6 stearate)	안전성이 높은 비이온계면활성제로 내산성, 내염성, 내가수분해성이 우수하고 다른 비이온계면활성제에 비해 열안정성이 좋다.
Emalex OD 25 JJ (Octyldodeceth-25)	비이온성 가용화제
Emulgade PL-1618 (Cetearyl alcohol/ Cetearyl)	식물성 물질을 기원으로 하는 EO free의 비이온성 자기 유화형 계면활성제이다.

원료명(허가명)	특징, 효능 효과
Etival 15L (Pea extract)	완두콩으로부터 물리화학적인 처리를 통하여 얻은 성분으로 식물성 알부민이 주성분(최소 70% 이상)으로, 완두콩으로부터 단백질을 정제해 낸 후 이로부터 알부민을 추출해 낸 것이다. 동물성 알부민에 비할 만큼 효능이 우수한 천연의 식물성 아미노산이 많이 함유되어 있다. 특히 동물성 알부민에 비해 피부에 즉각적인 긴장감을 부여하고 보습효과 및 피부에 막 형성 효과가 우수하고 세포의 재생능력이 뛰어나다. 탄력효과를 나타내고 보습효과, 세포재생촉진효과를 나타내어 동물성 단백질의 대체물로서 매우 우수한 효과를 나타낸다. 피부 탄력, 보습, 유연성
Eutanol G (Octyldodecanol)	지방알코올에서 유래된 축합물질로 피부에 자극이 없으며 친화성이 우수하다. 표피를 쉽게 투과하는 능력 때문에 유용성 활성물질의 dermatological carrier로서 우수한 기능을 갖고 있다.
EXTENSIN	Hydrolyzed Extensin. 당근 뿌리에서 추출한 식물성 단백질 성분으로 피부친화력이 강해 늘어지고 처진 피부에 흡착되어 피부를 당겨주어 탄력을 높여준다.
FLAVOSTERONE SG-15 (SOYBEAN PROTEIN/BUTYLENE GLYCOL/GLYCERIN/WATER)	여성호르몬 전구물질 함유. 주성분은 DIADZIN, GENISTIN, GLYCITIN으로 구성. 식물 유래, 지방합성을 촉진, 진피층의 세포와 세포간지질 물질인 콜라겐, 히알루론산과 같은 물질의 합성을 촉진하여 피부세포 재생주기(28일)를 정상화시켜 준다.
FLOCARE ET 58	점증제(세피겔 305 대체)
Fucogel 1000 (Biosaccharide gum-1)	Peptone이라는 식물에서 생물공학적으로 발효시켜 만든 Oligosacharide 중 Fucose가 주성분(fucose가 풍부한 다당류이다)으로서 double hydrating 효과, 즉 피부에 엷은 피막을 형성하여 피부에서 외부로 수분이 증발되는 것을 방지할 뿐만 아니라 fucose의 강한 수분 유지력(대기 중 수분 흡수)을 가지고 있다. 1차적으로 피부에 보호막을 형성하여 수분 증발을 방지하고 2차적으로 free sugar의 보습효과에 의해 물분자를 포집하여 장시간 보습효과를 나타낸다. 폴리사카라이드 계통의 보습제로 피부 표면에 아주 얇은 코팅막을 형성하여 피부에서의 수분 증발을 막아 피부를 항상 촉촉하고 건조해지지 않게 함은 물론 실키한 사용감을 주어 피부를 부드럽게 해 준다.
Glucam E 10 (Methyl gluceth-10)	Glucose에서 유래된 polyol로서 효과적인 흡습제이다. 저습도하에서 수분방지를 억제하며 부드러운 사용감과 함께 moisturizer로서의 기능을 부여한다.
Glycerin (동일)	무색, 무취, 무독성의 물질로서 흡습성이 강하여 1779년 발견된 이래 화장품, 의약품, 식품 분야에서 carrier, humectant, lubricant로서 널리 사용되고 있다.
GLYCOSPHERE-PCOg (PALMITOYL HYDROXYPROPYL TRIMONIUM AMYLOPECTIN/GLYCERIN CORSSPOLYMER (AND) LECITHIN (AND) GRAPE SEED EXT)	피부자극 완화
Hinokitiol	천연항균제, 방부제, 결정성 물질. 노송나무에서 추출 정제한 것으로 Paraben류보다 항균력이 우수한 것으로 나타났으며, 또한 멜라닌 생성촉진 효소인 타이로시나제의 활성저해 효과도 우수하여 미백효과도 기대된다.
HORSETAIL	피부 자극을 진정시키는 천연세포 보호성분이다.
HYDROMARINE	PCS LIQUID로 대체
Hydrolyzed extensin	당근 뿌리에서 추출한 식물성 성분으로 늘어지고 처진 피부에 흡착되어 피부를 긴장감 있게 만들어 탄력을 부여하며, 미세한 함몰 부위(미세한 주름)에 작용하여 잔주름을 완화시켜 준다.
Inducos [white] (Nylon 6)	200~400micro 크기의 polyamide powder로 각질박리효과를 제공하는 스크럽제이다.

원료명(허가명)	특징, 효능 효과
IPM (Isopropyl myristate)	Isopropyl alcohol과 myristic acid의 ester, Binder, skin conditioning agent, emollient로 사용. 화장품에서 널리 사용되는 에몰리언트제로서 피부에서 퍼짐성이 우수하고 사용 후 쉽게 피부에 침투되는 성질을 가지고 있으며 끈적임이 없이 가벼운 사용감을 나타낸다.
Ivy ext, 담쟁이 추출물	담쟁이덩굴에서 추출한 성분으로 각종 피부 노폐물을 정화시켜 피지선 장애로 인한 여드름 등의 피부 트러블을 예방하며, 각종 자극에 의해 지친 피부를 부드럽게 진정시켜 주는 성분이다. 피지선 기능장애로 인한 피부 트러블을 방지하는 효과가 있으며, 특히 항균작용, 항염증작용 및 세정효과가 우수하여 오염되기 쉬운 피부를 깨끗하고 청결하게 유지시켜 준다. 혈관 수축, 피부 진정
Kelcogel (Gellan gum)	바이오테크에 의해 만들어져 생체 적합성이 뛰어난 천연 유래의 점증제. 끈적임이 적으면서 보습성이 탁월하다.
Keltrol F (Xanthan gum)	수용성 점증제
Kojic acid (동일)	전통 술을 제조하는 사람들의 손이 하얗다는 데서 착안하여 개발된 미백원료로서 누룩에 포함된 미백성분이다. 누룩산이라고도 하며, 탁월한 미백효과 외에 항염증효과, 항산화효과가 좋으며, 이 외에도 피부에 매우 안전하다는 장점이 있다. 피부 속 깊숙이 빠르게 흡수되어 멜라닌 색소생성 단계에 대응한다. 닥나무 추출물은 멜라닌 생성의 주 효소인 티로시나제의 활성을 강력하게 억제시켜 멜라닌 생성을 완벽하게 막아준다. 누룩으로부터 발견된 물질로 티로시나제의 산화작용을 저해하여 멜라닌 생성을 억제한다. 특히 눈 밑의 다크서클의 개선효과가 우수하다.
Kunipia G (Aluminum silicate)	천연 clay bentonite에서 추출한 점증제로 분산 안정제로서의 기능과 고분자 물질의 끈적임을 감소시키는 작용도 한다.
Lactic acid (동일)	Alpha hydroxy acid(AHA)의 한 종류로 피부에서 보습기능을 나타내고, 특히 불필요한 각질을 제거하는 데 도움을 주는 기능을 하여 피부를 부드럽게 하는 작용을 한다.
Lanette O (Cetearyl alcohol)	Flake 형태의 친수성 왁스로 O/W형태의 유화제품의 점도를 조절하는 데 사용된다.
Leucodermyl HS LS 8110B (Leucodermyl)	Kojic acid, arginine, phenylalanine, yeast extract, mannitol의 혼합물로서 tyrosinase의 활성을 억제하여 미백효과를 나타낸다.
Lipo PE base G55 (Diglycol/CHDM/Isophthalates/SIP copolymer)	수용성 필름 형성제로 피부에 보호막을 형성한다. 오일과 보습제를 포집하여 부드러운 필름을 형성하여 피부에 긴장감과 우수한 보습성을 나타낸다.
Lubrajel CG (Glyceryl polymethacrylat/Glycerin)	고분자 물질 사이에 글리세린이 포집되어 피부에서 수분 밸런스를 유지하는 데 도움을 주고 매끄러운 느낌을 제공한다.
Melhydran (Honey extract)	벌꿀에서 추출한 물질로 oligosaccharide, amino acid, 미량 원소가 다량 함유되어 있다. 자연보습인자(NMF)와 유사한 생화학적 성분을 지니고 있어서 피부의 수분조절에 탁월한 기능을 나타낸다. 또한 BOUND WATER와 외부에서 받아들인 수분을 보유하려는 능력이 뛰어나 촉촉한 피부상태를 오랫동안 유지시켜 준다. 표피의 각질층에 특별하게 작용하여 수분 밸런스를 조절하고 장시간 보습효과 부여 및 탈수현상을 지연시킨다. 우수한 수분보지능력으로 유연성, 탄력성, 투명감을 부여한다.
Micro Titan	초미립자 이산화티탄으로 자외선 B(UV-B: 290~320nm)를 효과적으로 산란시켜 주는 산란제이다.

원료명(허가명)	특징, 효능 효과
Milk Peptide Complex[MPC]	우유에서 얻는 단백질로서 cytokine을 주성분으로 가지고 있다(Cytokine을 활성화시킨 것). Cytokine은 환부의 세포재생을 위한 신호를 보냄으로써 상처치유를 돕는다. 피부 상처치유효과 및 진피층 강화효과(콜라겐, 엘라스틴 생성효과)가 있다.
Mitain CA (Cocamidopropyl betaine)	양쪽성 계면활성제로 음이온 세정제에 비해 자극이 매우 약한 세정제이다.
MONTANOV 202 (ARACHIDYL BEHENYL ALCOHOL AND ARACHIDYL GLUCOSIDE)	O/W용 유화제, 가벼운 사용감, 식물 유래
MONTANOV 68 (CETEARYL ALCOHOL AND CETEARYL GLUCOSIDE)	에틸렌옥사이드 프리타입의 O/W용 유화제, 식물 유래, 100% 생분해성. EMULGADE PL1618 대체
MPG 과립효소	아크릴산에틸 메타크릴신의 공중합체로 단백질분해효소코팅. MPG-Granule pink는 스크럽제로서 효소가 포함되지 않는다.
Multifruit BSC (Bilbery/Sugar cane/Sugar maple/Orange/Lemon extract)	5가지 식물(ORANGE, LEMON, BILBERRY, SUGAR CANE, SUGAR MAPLE)에서 추출한 AHA의 혼합물로서 세포재생촉진에 의해 피부를 부드럽고 젊게 하는 작용을 한다. Lactic, glycolic, citric, malic, tartaric acid가 약 57%까지 함유된 농축물이다. Natural AHA(α- Hydroxy acid)를 충분히 함유하고 있다. 노화된 각질제거에 도움을 주며, 피부 유연성을 증가시키고 세포재생을 촉진시킨다.
Na-lactate (Sodium lactate)	강력한 보습제로서 피부의 건조를 방지하고 피부의 천연보습인자 중의 하나이다. 표피에서 수분을 보지하여 이 수분이 표피 내부의 물리적인 성질을 변화시켜 피부를 부드럽고 촉촉하게 하는 작용을 한다.
Nanothalasphere CPCA074B (Marine collagen/Glycosaminoglycans/Tocopherol)	천연 토코페롤(Vitamin E)을 안정화시키기 위해 nano size encapsulation 시킨 원료이다. 항산화작용이 우수하여 피부를 보호한다.
Natrosol 250HR (Hydroxyethylcellulose)	Cellulose 유도체의 고분자 물질로 점증제로서 작용한다.
Natural extract AP (Betaine)	사탕무에서 추출한 순수한 천연물질로서 정제와 결정화에 의해 얻어진다. 생명체의 신진대사 중간물질로 여겨지고 methionine의 합성과정에 참여한다. 다양한 생명체의 조직에 함유되어 있고 보습효과가 우수하여 천연보습인자로서 작용한다.
Nikkomulesse 41 (Polyglyceryl 10 pentastearate/Behenyl alcohol/Sodium stearoyl)	새로운 형태의 O/W유화제로서 물속에서 얇은 막의 액정을 동반하여 겔 망상구조를 형성한다. 사용 시 피부 위에 소수성의 얇은 막을 형성하기 때문에 피부에 대한 내수성과 장시간 지속적인 연화력을 제공한다.
O.D.O. (Caprylic/Capric triglyceride)	코코넛오일에서 액상 분리된 트리글리세라이드로 고순도로 정제되어 피부에 자극이 없다. 우수한 에몰리언트 성질을 나타내고 피부 흡착력이 뛰어나며 산화에 대한 안정도가 좋다.
Oligoceane	굴 껍데기와 해감(해양 침전물)으로부터 추출한 물질로 각종 미네랄 성분(아연, 구리, 망간, 코발트 등)이 풍부하며, 콜라겐 대사에 작용하여 상처치유를 촉진시킴과 동시에 효소작용을 도와 피부탄력성분인 엘라스틴과 콜라겐의 합성을 증진시켜 피부탄력을 증진시키고 천연보습인자의 생성을 촉진시킨다.
OLIVEM 700 (PEG-4 OLIVATE)	올리브 왁스로부터 유도된 천연유래계면활성제, HLB: 11, 리퀴드크리스탈 형성이 우수하여 보습효과와 피부유연효과가 기대, 4~7% 사용 예정이다.

원료명(허가명)	특징, 효능 효과
Pansy extract	제비꽃과의 일년생 또는 이년생 식물을 CEP method에 의해 추출한 무색의 수용성 추출물로서 보습효과가 매우 우수하다. 자극받은 피부의 진정작용 및 피부 가려움증 완화의 효과가 있다. Flavonoids, carotenoids, salicylated 유도체 등이 풍부하여 진정, 유연, 보습 효과 등의 anti-stress 성질을 제공한다. 전통적으로 여러 가지의 피부염의 치료제로서 이용되어 왔다. 진정효과와 충혈완화효과가 우수한 원료로 전통적으로 여드름 발생 우려가 있는 지성피부의 치료에 이용되어 왔고, 지친 피부나 민감성 피부의 피부 톤을 밝게 개선시켜 주고 활력을 제공한다. 진정, 유연, 보습효과가 있는 다당류들을 함유하고 있으며, 살리실산 유도체들의 함유로 피부진정효과를 나타내어 민감성 피부나 지친 피부에 적합하다. 또한 탄닌 성분과 사포닌 성분의 함유로 수렴효과도 매우 우수한 성분이다. 피부 진정, 활력, Anti-stress
Pantethine	세포 재생, 타이로시나아제 활성 저해 및 멜라닌 색소 탈색작용, 건조성 피부염 치료제, 강한 보습작용, 지질대사 개선 및 피지분비 조절작용을 한다. Vitamin B5 유도체이다. 쾌속 미백작용, 당근즙과 그 건조 분말에서 발견되는데, 피부를 맑고 투명하게 가꾸는 효과가 빠르다.
Panthenol Pantothenic 〔Acid〕 (동일)	판테놀은 피부 위에서 판토테닉 애씨드로 바뀌고 이것은 생체 합성과 피부 자연기능에 필수적인 요소로서 피부 낮은 층까지 투과하여 셀 형성을 자극하고 셀 재생을 촉진한다. 또한 피부의 수분 함유능력을 증가시키는 기능도 가지고 있다. 이러한 기능들은 피부가 정연하게 하고 처진 피부를 당기며 주름을 감소시키고 보다 부드럽게 보이게 한다. 비타민 B5라고 불리는 물질로 상처치료 작용은 물론, 피부 궤양, 화상, 유구균열, 기저귀 발진에 좋은 효과가 있음이 입증되었다. 판토텐산은 불안정하여 알코올 형태인 판테놀로서 사용되는데, 피부에서 판토텐산으로 전환되어 효과를 나타낸다. 부기 빼기
Papaya extract (동일)	고온 다습한 열대지방에서 자생하는 식물인 파파야에서 추출한 수용액. 다량으로 배합된 papain enzyme(단백질 분해 효소의 일종)을 이용하여 피부 내에서의 단백질 분해 능력이 우수하여 노폐물(오래된 각질이나 단백질) 세정효과가 우수하다. 비타민 A, B, C BETA-CAROTENE, 미네랄, 탄수화물, 파파인 등의 함유로 피부에 영양분의 공급 및 피부세포 재생효과 및 신진대사 촉진. 알레르기성 피부나 상처난 피부에의 진정효과가 우수한 성분이다. 특히 식물성 효소 성분 중 열과 수용액상에서 안정성이 가장 우수한 것으로 알려져 있다.
Parsol MCX (Octylmethoxycinnamate)	UVB 자외선차단제
PCS Liquid (Sodium chondrotin sulfate)	동물의 결체조직(피부조직)에 존재하는 고분자 물질로서 뮤코다당류로 분류되며 상어의 연골에서 추출, 정제한 물질이다. 보습력 및 세포 외액의 용량조절과 수분 대사조절, 세포 내외의 이온 이동과 조절에 관여하고 결합조직구축, 콜라겐 안정화, 조직의 상처나 궤양의 치유, 지방 혈액 청정작용 및 혈액 응고 저지작용, 항바이러스 효과를 나타내고 현재 관절염, 신경통, 혈액순환 개선제, 시력보호제, 자양강장제, 간장약, 종합영양제, 당뇨병 치료제의 주성분 원료로 사용 중이다. 중요한 보습인자의 한 구성 성분으로 수분대사 조절로 피부를 탄력 있고 매끄럽게 유지시켜 준다.
Pentacare-HP	Polysaccharides와 protein hydrolysate로 구성하였고 도포 시 필름을 형성하여 피부를 부드럽게 하고 당기는 효과를 바로 느낄 수 있다. 그 외 보습효과도 있다.
Pentavitin	Saccharide isomerate로 각질층의 수분보유능력을 향상시키고 AHA's로 인해 야기되는 건조와 자극을 완화시켜 준다.

원료명(허가명)	특징, 효능 효과
Pentavitin HM (Saccharide isomerate)	피부조성에 기초한 carbohydrate 복합물로서 수분 보지능력이 매우 우수하다. 각질층에 존재하는 천연성분으로 생명공학기술에 의해 만들어지며, 외부 공기가 건조한 상태에서도 수분 함유능이 우수하고, 각질층 케라틴에 축합반응으로 강하게 결합되어 보습능을 부여하며 피부에 유해한 이물질들의 피부 침투를 막아주는 장벽기능을 강화한다. Keratin과 결합능력이 있어 케라틴의 수분 보유능을 향상시켜 준다. 또한 외부자극으로부터 피부를 보호하는 방어막 역할도 수행한다. C22
PG (Propylene glycol)	고순도로 정제된 의약품용 등급으로 물에 녹지 않는 물질의 용해제로서, 보습제로서 작용하고 방부효과도 가지고 있다.
PGMS (Propylene glycol stearate)	
Phenoxetol (Phenoxyethanol)	의약품용의 방부제로서 불활성이고 안정도가 우수하다.
Phylderm vegetal C (Hydrolyzed soy protein)	Soybean seed에서 단백질 부분만을 취한 물질로서 세포의 산소 호흡을 촉진시켜 신진대사를 활발하게 하고 mineral salts, amino acids, peptides가 풍부하여 세포재생에 필수적인 영양제로서 작용한다. C25
PHYTO ECM (SOY PROTEIN)	피부의 EXTRACELLULAR MATRIX를 강화하여 피부에 활력을 부여하는 식물성 EXTRACELLULAR MATRIX 물질이다.
Phytodermine	콩에서 추출한 식물 단백질. 아미노산, 비타민류를 풍부하게 함유하고 있으며 세포 에너지원으로 작용한다. 피부세포 활성화
Phytosqualane [Natural squalane, 식물성 squalane]	올리브오일에서 추출 정제하여 만들며 기존의 상어 간유에서 정재한 동물성 squalane은 열, UV-ray 등에 약하여 쉽게 변취되나 phytosqualane은 토코페롤 등의 함유로 항산화작용이 우수하여 안정하게 존재한다.
Phytovityl 2D (Corn extract)	Corn seed에서 유래된 물질로 아미노산, sugar, 비타민 E가 풍부하고 ATP 합성의 원료로서 작용하여 신진대사를 촉진시킨다. 표피에서 세포분화를 촉진하고 외부 유해물질로부터 피부를 보호하는 작용과 수분증발을 조절한다.
Pine bud ext.	소나무 순에서 추출한 성분으로 항염효과와 피부진정효과가 우수하다. 수렴, 진정, 정화
Placenta	미백
POLYGONUM	한방원료인 마디풀이라는 식물에서 추출한 성분으로 수렴제, 염증치료제 등으로 사용되며 탄닌, 규산, 플라보노이드, 비타민 C 등의 이상적인 복합물로서 지혈효과가 우수하고 피부결합조직을 강화하여 피부상처 회복을 도모하고 유해산소제거, 알레르기억제, 산화방지, 항염효과 등으로 피부를 보호한다.
Pongamia ext. (Pongamol)	UV-A를 흡수하는 천연자외선차단제, 융점은 80℃ 이상이다.
Prodew 400 (Sodium PCA/Betain/Sorbitol/Glycine/Alanine/Proline/Serine/Theronine/Arginine/Lysine/Glutamic acid)	인체의 유리 아미노산 조성을 모델로 한 8종의 아미노산 복합체의 보습제이다. 아미노산계 NMF 성분, 천연식물 유래 보습제의 배합에 의해 우수한 흡, 보습 성능을 갖는다. 아미노산의 배합에 의해 피부에의 친화성이 뛰어나고 가벼운 감촉을 나타낸다.
Proline (동일)	피부의 구성성분인 천연보습인자(Natural Moisturizing Factor, NMF)의 하나인 아미노산으로 피부에 보습력을 제공하는 수용성 보습제이다.
provitamine B5	눈가의 피부에 작용하여 수분조절 및 영양공급 기능을 함으로써 피로하거나 생리기능이 저하된 눈 밑 부위에서 흔히 발생할 수 있는 눈의 부기를 완화시켜 준다.
Purac PH 90	Lactic acid

원료명(허가명)	특징, 효능 효과
PVF (POLYVINYLFORMAIDE)	코팩의 주 점착제
REPAIR CONTROL P30	Bifido Bacteria로부터 생화학적인 기술로 배양한 추출물로 손상된 피부에 작용하여 피부의 cell 복구를 촉진시킨다.
Rice bran extract(동일)	Protids, glucids, mineral salts가 풍부한 트리글리세라이드가 주성분으로 약 15~20% 함유되어 있는 lipidic compounds의 rice bran 추출물로서 피부 진정과 보습효과가 우수하다.
Rose water	수증기로 장미를 증류하여 얻은 원료로서 수렴작용 및 피부진정작용이 있다. 특히 심신을 편안하게 하는 aromatherapy 효과가 강한 성분이 들어 있다. 또한 장미에는 비타민이 풍부하게 함유되어 꽃만 아름다운 것이 아니라 사람의 피부도 아름답게 해 주는 역할을 하고 상처치유능력도 있어 예전에는 장미수 및 장미오일이 만병통치약으로 매매가 되기도 했다.
Rosemary	유럽 원산인 상록의 방향성 식물 잎에서 추출한 물질로 피부에 진정, 치유, 회복, 보습기능과 수렴효과가 있는 성분이다. 피부청정, 치유, 피부보습, 수렴효과, 피부회복에 좋다.
Saponaria ext (Saponaria officinalis extract)	White saponaria를 CEP method에 의해 추출한 물질로서 saponoside, carbohydrate, 미량원소가 풍부하다. 전통적으로 손상되기 쉬운 섬유를 클렌징할 때 사용하였고 진정작용을 나타낸다. 자극 없이 메이크업과 피부 속 깊은 곳의 노폐물을 효과적으로 제거한다. 손상피부 회복효과와 민감성 피부에의 자정효과가 우수하며 천연세안성분의 함유로 피부 내의 유해 노폐물과 생리 분비물을 부드럽게 제거하는 효과가 탁월한 성분이다.
SC-Glucan	전 세계적으로 널리 자생하는 치마버섯을 이용해 Bioconversion Technology로 제조하여 정제한 수용성 β-Glucan 성분으로 규칙적인 구조로 이루어진 천연고분자 물질이다. 피부상처 치유에 필수적인 상피세포 성장인자의 생성을 촉진시켜 주며, 상피세포 성장인자는 콜라겐 생합성을 촉진하여 피부의 주름을 제거하여 주고 피부탄력을 증가시켜 스트레스에 지치고 손상 받은 피부를 진정시키고 피부에 생기를 불어넣어 준다. 자극완화, 상처치료, 항균작용, 보습, 피부세포 정상화에 효과가 있다.
Sepigel 305 (Polyacrylamide/ C13-14 Isoparaffin/ Laureth-7)	중화제가 필요 없는 수용성 점증제로 부드럽고 유연한 사용감을 제공한다. 실온에서 크림젤상을 형성하여 제품의 안정도 향상과 실키한 느낌을 부여해 준다. TIO2 MT 500SA와 결합하여 때처럼 밀리는 현상(500B도 많이 쓸 경우 주의)이 유발되며 TSPP 쓸 경우 점도가 떨어진다.
Serine(동일)	피부의 구성성분인 천연보습인자(Natural Moisturizing Factor, NMF)의 하나인 아미노산으로 피부에 보습력을 제공하는 수용성 보습제이다.
Sesaline gel (참깨 추출물)	참깨에서 추출한 것으로 90 이상의 γ -토코페롤을 함유하여 우수한 항산화 효과로 피부 피로의 예방과 세포활성에 대한 효과가 우수하며 피부 구성성분과 유사한 성분을 다량 함유하여 피부에 대한 친화성과 지루성 피부염과 같은 피부의 개선효과가 우수하다.
Shea butter(동일)	전형적인 African savannah tree인 shea nut tree의 열매에서 추출한 물질로 인체의 체온과 비슷한 녹는점을 갖는다. 피부에 우수한 에몰리언트 성질, 진정효과, 자외선차단 효과를 제공한다. Dryness, dermatitis, dermatoses, solar erythema, burns, irritations의 치료제로서 작용한다.
Silicone 200F (Dimethicone)	실리콘오일로서 피부에 보호막을 형성하여 수분의 증발을 방지하고 끈적임 없이 부드러운 느낌과 매끄러움을 부여하고 표면장력을 감소시키며 산뜻한 느낌을 나타낸다.

원료명(허가명)	특징, 효능 효과
Sodium pyrophosphate (Tetrasodium pyrophosphate)	
Sorbitol(동일)	무취, 무독성의 sugar alcohol로서 열에 대한 저항성이 강하고 흡습성이 우수하여 식품, 의약품, 화장품에 널리 이용되고 있다.
Soypol SP (Natto gum)	발효공학기술에 의해 대두로부터 개발된 고순도의 바이오고분자로 태평양기술연구원의 독자기술에 의해 개발된 물질이다. 주성분은 glutamic acid와 fructose 고분자이며 다양한 생리활성 물질인 아미노산이 들어 있어 피부에의 보습력과 윤활작용이 우수하고 피부유연성과 습윤성, 유지력이 뛰어나다. 보습력, 매끄러움, 퍼짐성이 매우 우수하고 상처치유효과, 티로시나제 활성억제효과도 우수하여 미백효과도 제공한다.
Squalane(동일)	무색무취의 투명한 오일로서 피부에서 퍼짐성이 우수하고 향을 포집하는 능력이 좋고 피부에의 투과성이 매우 뛰어나다. 특히 피부호흡을 방해하지 않는 에몰리언트제이다.
TEA(동일)	산을 중화시키는 역할을 하는 중화제이다.
Thalasphere CPCA 066B [Vit. A 성분]	Vitamin A를 micro size로 capsule화하여 안정화시킨 원료이다. Vit.A가 진피층까지 침투하여 피부탄력섬유 물질인 collagen의 합성을 촉진시킴으로써 잔주름을 펴지게 하는 효과가 우수하다. 80000I.U./g 0.33μg=1I.U.
THALASPHERE CPCA 066D	THALASPHERE CPCA 066B의 대체
TIO2 MT 500B	SEPIGEL 305와 쓸 경우 주의 요망
TSPP [SODIUM PYROPHOSPHATE]	
Tween 60(동일)	친수성 유화제
Tween 80(동일)	친수성 유화제
Ucon lubricant 75-H-450 (PEG/PPG-18/4 copolymer)	PEG와 PPG가 random하게 결합된 구조를 갖고 있다. 수용성 보습제로서 끈적이지 않는다.
UNITRIENOL T-27 (FANESYL ACETATE/FANESOL/PANTHENYL TRIACETATE)	오일에 용해, 피부 부작용이 거의 없으며 세포재생촉진, 주름개선의 효과가 우수하다. 각질층과 피부 표면에서의 피지분비기능을 정상화시켜 준다.
Urea(동일)	각질 수분 보지작용과 각질 용해 박리작용이 우수하고 노인성 건피증, 피지 결여성 습진, 아토피성 피부 등의 건조성, 각화성 피부 질환에 사용되어 유효한 효과를 나타낸다. 보습 및 각질 유연효과가 우수하여 단단한 각질을 촉촉하고 부드럽게 한다.
UVINUL DS-49 (BENZOPHENONE-9)	
UVINUL MC 80 (OCTYL METHOXYCINNAMATE)	
VEEGUM HV (MAGNESIUM ALUMINUM SILICATE)	
VEGECENTAL GLYCERIN/BUTYLENE GLYCOL/WATER/DAMIANA [TURNERA DIFFUSA EXT]	식물 추출물로 보습 및 세포증식효과

원료명(허가명)	특징, 효능 효과
Vit.E acetate (Tocopheryl acetate)	비타민 E 유도체로 초산 토코페롤이라고도 한다. 산소와 열에 강하여 불안정한 비타민 E를 대신하여 산화 방지제로서 널리 사용된다. 피부에서 효소에 의해 분해되어 순수한 비타민 E와 같은 작용을 한다. 피부 각질세포 간 지질성분에 잘 스며들어, 자외선이나 스트레스에 의해 생성된 피부노화 촉진물질인 free radical을 제거하여, 피부의 늘어짐이나 주름생성 등의 노화징후를 예방한다.
VITALCENTA	VITALCENTA는 Soya seed에 다량 들어 있는 단백질을 추출해 수화(hydrolysis)한 것으로 피부에 보습막을 형성하고 끝 감촉을 좋게 하며 흡습성이 좋아 피부가 촉촉하게 유지되도록 한다.
VITAMIN A HYDROSOLUBLE (PPG-5-CETETH-20/RETINYL PALMITATE)	주름 및 노화개선 효과, 수용성
VITAMINE A PALMITATE (RETINYL PALMITATE)	
VITAMINE B6 HCL (PYRIDOXINE HCL)	
Vitamine C 유도체	카르니틴(carnitine) 성분 합성을 촉진시켜 피부의 피로를 회복시키고, 혈행을 촉진시키고 신진대사를 원활하게 해 주어 피로하고 처진 피부를 생동감 있게 만들어 싱싱함을 유지시켜 준다.
VITAMINE E ACETATE (TOCOPHERYL ACETATE)	
Wecobee SS (Hydrolyzed vegetable oil)	Coconut, palm kernel oil에서 유래된 triglyceride로서 안정도가 우수하여 장기간 보관 시에도 변질되지 않고 자극이 없으며 피부 자극물질로부터 피부를 보호하는 역할도 우수하다.
WHITE LILY	피부 내 각종 노폐물을 성화시켜 피부의 신진대사를 정상화시키는 효과가 탁월한 천연 백합추출 성분이다.
Willowbark ext.	Irritation은 줄이고 피부세포 turn-over 향상, 세포재생, 항균효과를 극대화시킨 BHA(β-hydroxy acid) 성분이다. 피부세포 turn-over 향상으로 모공을 막고 있는 과각화된 각질을 제거하여 세포재생을 촉진함으로써, 피부를 청결하게 하고 피붓결을 향상시키며, S.aureus나 P.acnes 같은 피부 상재균들에 대한 항균효과가 월등하다.
Witch hazel	유럽에 자생하는 하마멜리스라는 식물 잎을 증류기법을 이용하여 추출한 성분으로 혈행순환 촉진 및 피부수렴 효과가 탁월하다. 수렴제로 가장 널리 알려진 원료로, 피부 진정효과가 탁월하며 혈액순환을 촉진시켜 준다. 피부진정, 수렴효과가 있다.

* 원료명과 허가명이 같은 경우, (동일)로 표기하였다.

09 | 향료 및 체취

향료의 공통적 성질은 분자량이 그다지 크지는 않고(분자량 100~200), 비교적 극성인 물질이 많으며, 화학구조도 복잡한 것은 적고, 알코올에 용해하기 쉬운 것이 많다는 것 등이다. 가용화되기 쉬운 향료일수록 냄새가 약하여, 실제 향과 가용화된 제형의 향이 다를 수 있다.

9.1. 향료의 분류

향료는 크게 천연, 합성, 조합 향료로 구별된다. 천연향료는 식물로부터 분리된 식물성향료와 동물의 선낭(腺囊) 등에서 채취한 동물성향료가 있다. 합성향료는 단일 화학구조로 표현된 향료로서, 천연향료로부터 분리된 단리향료와 합성반응에 의해 만들어진 순합성향료가 있다. 조합향료는 천연 및 합성향료를 목적에 따라 적절히 혼합한 것이다.

9.2. 조향

향료의 휘발도를 고려하여 조화를 이루도록 조합한다. 즉, 탑 노트(top note), 미들 노트(middle note), 라스팅 노트(lasting note, base note or dry out)로 구분하여 조향한다.

탑 노트는 향의 첫 번째 인상으로서, 시원하고 후루티한 시트러스 노트, 후루티 노트, 그린 노트 등이 사용된다. 향기종이에 묻히면 2시간 내 휘발되어 냄새가 나지 않는다.

미들 노트는 풍부한 감을 주는 재스민, 로즈 등 꽃향기나 알데이드, 스파이스노트 등이 이용된다. 향기의 특징을 내는 가장 중요한 부분이다. 향기종이에 묻히면 2~6시간 향기가 지속된다.

라스팅 노트는 휘발성이 낮고, 보유성이 풍부하다. 오크모스나 우디 노트, 애니멀 노트, 암버 등이 여기에 해당한다. 향기종이에 묻히면 6시간 이상 지속한다.

9.3. 부향률

기초화장품에서 향의 함량은 0.1% 이하가 보통이고, 미향일 경우는 적게 넣게 된다. 향은 일반적으로 화장품에서 피부자극원으로 간주되고 있다. 그래서 민감성용 화장품에는 무향시스템이 우선 고려된다.

〈표 9.1.〉 방향화장품의 부향률

구분	부향률 %	향기 지속시간	용도
퍼퓸(Perfume)	15~30	6~7	저녁 외출 시
오데 퍼퓸(Eau de perfume)	10~15	5	낮 외출 시
오데 뚜왈렛(Eau de Toilette)	5~10	3~4	사무실
오데 코롱(Eau de Cologne)	3~5	1~2	운동, 샤워 후
샤워 코롱(Shower Cologne)	1~3	1	목욕, 샤워 후

9.4. 체취

사람 몸이 나쁜 냄새를 만들어 내뿜는 것은 아니다. 체취는 땀샘 및 피지샘으로부터의 분비물 및 각질노폐물 등이 피부상재균에 의해 분해된 후 생기는 불쾌한 취기이다. 취기 성분을 동정한 결과 저급지방산, 불포화알데히드, 아민류, 비닐케톤류, 스테로이드류 등으로 밝혀졌다.

액취의 냄새 성분은 초산 및 프로피온산 등 짧은 사슬 지방산과 3-메틸-2-헥센산(3M2H), 3-히드록시-3-메틸헥산산(HMHA) 등 지방산류, 3-메틸-3-설파닐헥산-1-올로 대표되는 황화합물, 안드로스테논 등 휘발성 스테로이드류로 보고되었다. 또 나이가 듦에 따른 냄새(가령취)의 성분은 2-nonenal로 보고되었다. 발 냄새는 이소길초산이다.

9.5. 냄새 대응제품

체취 등 악취를 만드는 것은 미생물이므로 세균억제성분은 기본으로 고려하고 다른 화학적 방법을 추가로 고려할 수 있다.

9.5.1. 하모나쥬 효과

예를 들면, 화장실에서 배변을 한 후 뿌려주면 배변취와 뿌려준 향이 어우러져 완성된 향이 되는 것이다.

9.5.2. 지방산의 중화

냄새 성분이 산이라면 염기성물질로 중화하여 휘발성이 없는 물질로 변화시킴으로써 냄새를 제거할 수 있다.

발 냄새 성분 이소길초산(iso valeric acid)의 제거법은 중화소취이다. 산화아연은 저급지방산과 이온 결합하여 금속염을 형성한다.

$>Zn\text{-}OH \rightarrow >Zn^{+} + OH^{-} +$ iso-Valeric acid =>

물고기 요리의 비린내(염기성)를 없애기 위해 레몬즙(산성)을 뿌려주는 것도 같은 원리이다.

9.6. 장마철 세탁물의 냄새

장마철에는 건조 후에도 걸레 같은 냄새가 세탁물에서 난다. 이것 역시 세탁물에 붙어 있는 미생물이 햇볕을 받지 않아 죽지 않고 번식했기 때문에 생기는 것이다. 세탁물 냄새의 원인균은 Moraxella osloensis KMC41이고, 냄새 성분은 4-methyl-3-hexenoic acid(4M3H)라는 C7 불포화지방산으로 보고되었다.

10 | 품질관리

CGMP(Cosmetic Good Manufacturing Process)는 화장품법으로 권장하는 사항이다. 식품의약품안전처가 화장품 GMP 적합 업체를 발표한다.

한국품질재단에서는 화장품 분야 GMP인 ISO 22716 인증을 2014.6.18.부터 시작하였다. ISO 22716은 2007년 11월 국제표준화기구(ISO)에서 화장품산업의 우수 화장품 제조 및 품질관리기준(GMP)에 관해 제정한 국제표준으로 화장품 제조업체의 구조, 설비, 원료의 구입, 제조과정, 포장, 판매 등에 이르기까지 화장품제조의 전 과정에서 지켜야 할 조직적이고 체계적인 제품안전 및 품질관리 표준이다. EU는 최근 개정된 Cosmetics Regulation에서 ISO 22716을 화장품 제조사에 의무 적용하고 있다.

화장품은 제조부터 소비자에게 건네기까지의 각종 유통경로와 실제 사용기간(완료까지)을 고려한 품질보증이 있어야 한다. 화학적 변화, 즉 변색, 퇴색, 오염, 결정석출 등과 물리적 변화, 즉 분리, 침전, 응집, 발분, 발한, 겔화, 줄 얼룩, 휘발, 고화, 이미지 손실 등이 없어야 한다.

10.1. 일반적 보존시험

온도 안정성시험(temperature stability tests)은 화장품을 일정한 온도조건에 방치하여 시간경과에 따른 시료의 상태변화에 대하여 관찰하는 것이다. 설정 온도는 -10℃, 0℃, 25℃, 실온, 37℃, 45℃, 50℃ 등으로 보통 정하고, 2~3개월 동안 색조 변화, 변색/퇴색, 얼룩, 이물혼입, 부유물, 분리, 침전, 스웨팅, 젤화, 투명성, 케이킹, 광택, 곰팡이, 냄새 등의 변화를 육안으로 검사한다.

기기적 측정 항목으로는 pH, 경도, 점도(brookfield 점도계), 탁도, 입자경(현미경), 유화형

(테스터기)이 있다. 실제 포장용기와 내용물 간의 상용성도 중요한 품질관리 항목이다.

광안정성(내광성) photo-stability tests는 햇볕에 대한 영향을 시험하는 것이다. 판매대에 진열된 화장품은 각종 빛(광선)에 노출되어 있어서, 일반적으로 별도로 진열용, 즉 햇볕을 쬐어도 변질이 없는 제품을 만든다. 광안정성을 보기 위한 옥외(일광) 노출시험은 옥상이나 바깥 창틀에 설치하고 시간 경과에 따른 변화를 관찰한다. 주로 색조나 냄새 변화를 보는데, 이 조건에서 안정한 화장품은 없다. 단지, 경향을 파악하는 것이다. 실내(인공광) 노출시험은 반드시 합격해야 하는데 계절, 일기 변화에 관계없이 일정 조건을 연출시켜 시험한다. 카본아크페드 측정기, 제논페드 측정기가 있다.

사이클 온도시험은 연간 혹은 일간의 온도 변화를 고려한 조건을 만들기 위해, 1일 수회 사이클(저온 → 실온 → 고온 → 실온 → 저온)시켜 시료의 변화를 관찰한다.

10.2. 공장에서의 품질관리

공장에서 생산한 제품은 시험성적서를 작성하여 모든 항목을 충족시켰을 때 포장단계로 넘어간다.

항목 중 외관, 색조, 향취, 사용성은 품질관리자가 직접 테스트하여 판단하지만, 화장품은 재현성이 좋은 편이어서 대개 문제없는 품질이 나온다. 이 외에 점도, 경도, pH 및 방부는 기기적 실험을 통해 판정 관리한다.

10.2.1. 점도·경도 측정

스킨로션, 밀크로션, 에센스와 같이 유동성 있는 제형은 점도로 품질관리하고, 크림같이 딱딱한 제형은 경도로 관리한다. 점도의 경우 측정조건은 Brookfield, 12rpm, 30℃이고, Spindle number는 제품의 점도에 따라 선택하여 사용한다. 대개 로션, 에센스인 경우 3번과 4번을 사용한다. 규격에는 허용 영역을 설정한다. 점도의 경우 ±2,000~3,000 정도의 영역을 설정한다. 허용 영역이 너무 좁으면 제품생산 시 이 영역을 벗어나는 일이 자주 일어날 수도 있다.

제품의 점도·경도는 어디까지나 소비자가 사용하기 편리하도록, 제조자가 규격으로 정하는 것이지 법규로 정해져 있지 않다.

10.2.2. pH 측정법

① 검체 약 2g 또는 2mL를 물 30mL로 희석한다. → 편의상 10% 희석용액을 사용하기도 한다.

② 교반기(agitator)나 stirring bar를 이용하여 충분히 저어주어, 완전 희석용액을 만든 후 측정한다.

③ 스킨처럼 묽은 것은 희석하지 않고 바로 pH를 측정한다.

pH 규격의 허용 영역은 ±0.5 정도로 설정한다. pH도 법규로 정해진 것은 3~9 사이일 것밖에 없으므로, 그 사이의 어떤 pH도 제품에 적용 가능하다.

한 가지 염두에 두어야 하는 것은 pH 측정은 실제 제품의 pH가 아니고 약 10배 희석한 것의 pH라는 것이다. 실제 제품의 pH는 희석한 제품의 pH보다 낮다.

10.2.3. 방부력 테스트

방부의 효과평가(CTFA 기준)는 Challenge test or Inoculum test를 이용한다. 미생물을 접종하고 사멸 여부를 확인하는데, 세균은 접종 7일 이내에 접종균의 99.9% 이상 균 수가 감소해야 하며 시험기간 동안 증식이 없어야 하고 효모, 곰팡이는 접종 7일 이내 최소 90% 이상 균 수가 감소해야 하며 시험기간 동안 증식하지 않아야 한다.

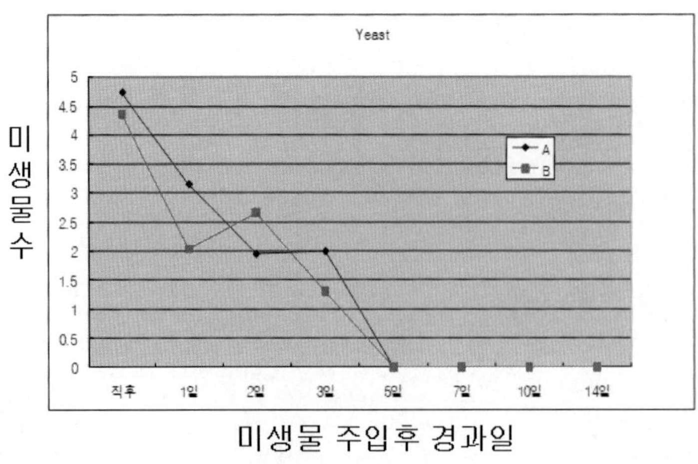

〈그림 10.1.〉 방부실험 예

10.2.4. 안정성

안정성은 제조 후 포장 전까지 3일 이상 테스트를 하는데, 고온(37℃, 45℃) 및 실온, 냉온 보관에서 안정해야 한다. O/W제품은 특별한 일이 없는 한 안정성에 문제가 없으나, W/O제품, 특히 파우더를 사용하는 선크림의 경우는 포장 직전에 유화가 불안정해지는 일이 자주 있으므로 주의해야 한다.

이들 항목 중 하나라도 통과하지 못하면 포장단계로 넘어갈 수 없다. 이런 경우, 생산한 내용물을 폐기하거나 재생하는 과정을 거쳐 다시 테스트하는 과정을 거친다.

10.2.5. 동물실험

동물실험 금지의 역사를 살펴보면, 1989~1990년에 미국의 화장품 대기업이 처음으로 동물실험폐지를 발표하였다. 이어서 EU에서 1993년에 화장품지령 제6차 개정이 발표되었으나 발효되지 못하고 소멸되었다. 2003년 3월이 돼서야 [EU 화장품지령 제7차 개정]이 채택되었다. 이로 인해 2009년 3월부터, EU 지역 내에서 화장품의 동물실험이 폐지되었다(testing ban). 그리고 2013년 3월부터, 동물실험을 행한 원료를 배합하는 화장품의 판매가 금지되었다(marketing ban). 일본에서는 2013년 2월 28일, 시세이도가 화장품·의약부외품의 동물실험을 폐지하였고, 같은 해 3월 8일에는 만담 등 대기업들이 동물실험을 폐지하였다.

이로 인해 피부투과성시험, 피부자극성시험, 피부감작성시험의 대체품으로 3차원배양 인간 피부모델이 주목받고 있다.

우리나라에서는 2015.12.31. 화장품법 개정안이 국회에서 통과되었다. 동물실험을 통해 만든 화장품의 유통·판매를 금지하고, 동물실험을 통해 만든 화장품이나 원료를 이용한 제품을 유통·판매하는 경우 100만 원 이하 과태료가 부과된다. 예외는 식품의약품안전처장이 인정하는 경우와 동물 대체시험법이 존재하지 않는 경우로 한정되어 있다.

11 | 안전성

화장품은 매일매일 사용되고, 일상의 화제가 되는 일도 많기 때문에, 화장품의 안전성에 대해서는 소비자의 관심이 매우 높다. 화장품의 안전성을 논하는 데 있어서, “엄밀한 용법・용량의 규정이 없는 상태에서 불특정 다수의 사용자에 의해 임의로 사용된다”는 전제가 있다. 또 원칙적으로 의사 감독하에서 치료 목적으로만 사용되는 의약품의 안전성에 대해서는 어느 정도 감수하는 것이 인정되는 risk benefit(리스크베니핏) 사고법이 사용되지만, 화장품에서는 효과에 상관없이 안전성이 용납되기 어려우므로 리스크베니핏의 사고법은 사용할 수 없다.

사용자나 사용법이 한정되지 않는다는 점에서 화장품은, 어떤 의미에서는 의약품 이상으로 신중한 안전성 확인이 필요하게 된다. 실제로 화장품용 계면활성제는 의약품용 계면활성제보다 안전성이 높다.

11.1. 피부 부작용

피부에 유해한 영향를 끼치는 화장품의 부작용은 자극(irritation)과 알레르기(allergy)가 있다. 둘 다 홍반과 염증을 동반하므로 구별이 어렵다.

피부자극성(Skin irritation)은 시험물질의 피부세포나 혈관계에 대한 직접적인 독성반응을 의미한다. 모든 사람에게 일어나는 현상으로 강산, 강알칼리가 여기에 해당된다.

감작성(알레르기성), sensitization, allergenicity는 반복되는 생체 접촉에 의해 일어날 가능성이 있는 장해이다. 피부에서 반응이 일어나므로 접촉감작성(접촉알레르기성) 반응이라고도 하고, 일부 특정인에게만 나타나는 현상으로서, 면역 메커니즘에 기인하는 면역반응이다. 반응의 출현 시간이 비교적 늦어서 지연형 반응이라 한다. 예로는 니켈, 옻나무 등 금속이나 특수성분에 대한 알레르기반응이 있다.

화장품에 의한 피부염은 시각적으로 확연한 증상, 즉 홍반, 부종, 종창, 구진 등과 감각적인 자극 반응, 즉 가려움, 화끈거림, 따가움이 있다. 모든 화장품은 출시 전 인체를 대상으로 안전성 테스트를 한다. 대표적인 시험은 첩포시험(patch test)이다. 이것은 원료나 제품이 피부염을 일으키지 않는다는 것을 확인하는 시험이다. 사람의 팔이나 등 부위에 첩포하는데 첩포테스트용 반창고를 이용하여 밀폐시킨 상태에서 실시(예외: 휘발성이 높은 물질은 개방)한다. 적용 시간은 24시간이고, 피부반응을 육안으로 판정한다.

〈표 11.1.〉 대표적 부작용 유발 성분

기능	주요 성분
방부제	파라벤, 페녹시에탄올(phenoxyethanol), 이미다졸리디닐우레아 등
계면활성제	POE 올레일알코올이써, POE 솔비탄지방산에스터 등
향료	벤질아세테이트(benzyl acetate), 유게놀(eugenol), 페닐에틸알코올(phenylethylalcohol) 등
자외선흡수제	옥틸메톡시신나메이트(octyl methoxycinnamate), 옥시벤존(oxybenzone), 벤조페논(benzophenone) 등
색소	타르(tar) 색소류

대표적인 자극유발물질은 석유계 계면활성제, 광물유(석유계 오일), 동물유래원료, 알코올이다. 메틸파라벤은 파라벤 기피 분위기 때문에 사용하지 않지만 원래 가장 대표적으로 안전성이 높은 방부제로서 의약품 등에 널리 사용되고 있다. 자극은 pH가 높을수록 일어나기 쉽다. 알칼리에 의한 자극은 이글거리며 타는 느낌 또는 따끔거림을 동반한다.

11.1.1. 부작용 예

1979년 Kozuka는 피부 흑색증의 원인물질로서 R-219의 불순물인 수단I을 동정하였다. 색소정제를 통해 제거하고 유통된 이후부터는 흑색종 발생 보고가 없어지게 되었다.

유지류는 탄소수가 증가할수록 자극성은 저하한다. 휘발성인 물질은 밀폐첩포 시 양성반응이 나오기 쉽다. 피부흡수성과 관련 있기 때문이다.

화장품에서 흔히 쓰이는 비이온계면활성제에 의한 자극은 세포막 등 지질구조를 교란함에 기인한다. 그 외 히스타민 유리작용, 막투과나 피부흡수로 인한 자극도 고려된다. 음이온성계면활성제의 경우는 단백질 변성에 의한 자극도 동반된다. 에탄올 단독에서 음성자극이 나오지만, 계면활성제와 에탄올 병용 시 양성자극이 나왔다는 보고도 있다.

11.1.2. 최근의 부작용 예

Fragrance Journal 2014년 11월에 Kanebo의 미백제 Rhododendrol에 의해 피부에 백반이 발생한 부작용이 보고되어 있다. Rhododendrol은 Tyrosine과 비슷한 모양의 물질로 타이로시나아제가 Tyrosine에 작용하지 못하고 Rhododendrol에 작용하게 함으로써 미백이 되는 원리를 가지고 있다. 그러나 Rhododendrol이 타이로시나아제에 의해 화학반응이 일어나면 몇 단계를 거쳐 과산화지질(활성산소)을 발생하고 이것이 멜라노사이트를 죽게 만드는 결과를 초래하여 백반이 발생하고야 만 것이다.

11.1.3. 알레르기

Fragrance Journal 2013년 6월에 보고된 자료에 의하면, 일본의 한 41세 여성이 얼굴의 한쪽 면이 갈색으로 색소침착형 화장품피부염에 걸린 사례를 들고 있다. 이 경우 약제도 레이저도 효과가 없는 질환이었고, 사용하고 있는 화장품의 각 성분별로 패치테스트를 시행해 본 결과 rose oil과 orange oil이 양성반응을 나타내었다. 이 두 가지가 들어 있지 않은 고형비누와 화장품만 사용하도록 한 결과, 갈색 침착은 서서히 없어졌고 완치되었다고 한다.

화장품을 사용해서 뭔가 알레르기가 일어났다면 그 화장품의 특정 성분이 나에게 알레르기를 일으킨 것이므로 그 화장품이 저질이 아니고, 다른 제품으로 교체하는 것이 중요하다.

알레르기를 일으키는 요주의 성분으로는 식물성추출물, 금속(용기)이 있다. 향도 주의해야 하는데, 그중에서도 Jasmine absolute, Ylang-ylang oil, Lavender oil 등이 주의를 요한다.

11.2. 나노 재료의 안전성

나노 재료, 특히 자외선방어제의 인간에 대한 안전성은, 접촉 부위를 중심으로 생각해 나갈 수밖에 없다. 자외선방어제를 중심으로 생각하면, 접촉경로의 중심은 경피접촉이라 생각할 수 있다.

Bos와 Meinardi는 [분자량 500돌턴한계설(500Dalton rule)]을 발표하였다. 그들은 현재까지 피부감작성을 나타내는 물질의 분자량이 거의 500돌턴 이하인 것과, 피부조직에 물질을 전달하는 국소작용을 기대하는 의약품제제나 전신흡수성을 기대하는 TDDS(Transdermal Drug Delivery Systems) 중에 포함되는 약물은 거의 분자량 500돌턴 이하라는 것을 근거로 이 경험에 의거한 가설을 제시하였다. 즉, 분자량 500돌턴 이상인 물질은 피부를 투과하지 못한다는 것이다. 분자량 500돌턴 정도의 물질의 직경(또는 직경 중 가장 긴 것)은 0.2~0.4nm 정도인데 비해, 근래에 이슈가 되고 있는 자외선방어제 중에 나노 재료는 15~50nm인 미립자분제인 것을 고려한다면, 100배 정도의 입자 지름을 갖는 나노 재료는, 상식으로 볼 때 피부 속으로 흡수되는 것은 거의 불가능하다고 할 수 있다.

그러나 피부에는 500돌턴 이하의 물질이 주로 투과하는 경로인 각질 이외에, 모낭이나 땀샘 등 부속기관이 존재하기 때문에, 나노 재료가 이들 부속기관을 매개로 하여 침투할 가능성에 대해 검토할 필요가 있다. 또 아토피성염증을 갖는 피부를 비롯하여 베리어 기능이 현저하게 저하한 피부나, 상처를 갖고 있는 피부도 가능성이 있기 때문에, 나노 재료의 피부투과성에 미치는 피부질환과 상처의 영향에 대해서도 연구가 진행되어야 한다.

12 | 방부

화장품에서 미생물의 한도 기준을 보면 총 호기성 생균 수는 영유아용 제품류 및 눈 화장용 제품류는 500개/g(mL) 이하, 기타 화장품의 경우 1,000개/g(mL) 이하로 규정되어 있고, 대장균, 녹농균 및 황색포도상구균은 불검출되어야 한다.

**** 피부 위에 미생물을 바른다?**

피부 상제균 중 피부에 유익한 균을 오히려 화장품을 통해 피부에 공급하려는 시도도 이루어지고 있다. 예를 들면, 피부건강의 유지 · 증진에 기여하는 표피포도구균의 일종은, 감염증의 원인균이기도 하는 Staphylococcus aureus의 정착 · 증식을 억제하는 항균물질이 되는데, 피부에서 채취한 S. epidermidis를 대량으로 배양하여 얼굴 부위에 다시 도포하면, 증량된 S. epidermidis의 대사의 영향으로 피부 위에 글리세린이 증가(보습)하고, 젖산은 1.9배, 프로피온산은 1.6배로 증가하여 피부약산성화로 인해 세라마이드 합성에 우호적 조건을 줄 수 있다. 또 S. epidermidis가 생성하는 Lipoteichoic acid가 염증의 완화에도 유효하다.

또 표피포도구균 증식촉진제도 Ichimaru사에 의해 개발되었다. 인간 유래 유산균의 일종인 Enterococcus faecalis EC-12주를 가열처리한 분말로써, 피부에 바르면 피지분해를 통해, 피부를 산성화하고 보습제 글리세린을 생성하여 피부를 보습한다. 민감피부 및 트러블피부의 균총은 흐트러져 있을 것으로 예상되는데 이런 피부에 도포하면 균총이 개선되어 베리어 기능이 향상될 것으로 기대된다.

12.1. 방부제 첨가의 필요성

화장품은 식품과 마찬가지로 미생물이 살기 좋은 환경에 있다. 기름과 물이 주성분이고, 탄소원이 되는 글리세린이나 솔비톨이 대부분 함유되어 있고, 질소원이 되는 아미노산 유도체, 단백질이 함유되어 있으며, 손가락으로 떠서 사용하는 경우도 있다. 또 식품보다 사용기간이 매우 길다(2~3년 보관 사용). 따라서 화장품을 장기간 보호하기 위해 방부제를 반드시 첨가해야만 한다.

화장품의 오염원은 대부분 세균(Bacteria)이고 곰팡이(Fungi)나 효모(Yeast)도 오염원이 될 수 있다.

공기 중에는 $8 \sim 35 \times 10^2$ cfu/m^3(cfu: colony forming units)의 미생물이 존재한다. 따라서 낙하균에 주의하여야 한다. 흙 속에는 $1 \times 10^8 \sim 5 \times 10^{10}$ cfu/m^3의 미생물이 존재한다. 사람의 두피에도 1.4×10^7 cfu/m^3의 미생물이 존재한다. 그러나 방부제의 첨가량은 피부 안전성을 위해 최소화가 요구된다.

12.2. 항균제(antimicrobial agents)

사용 목적에 따라 크게 2가지, 즉 방부제(preservatives)와 살균제(disinfectant, Germicide)로 구별된다.

방부제는 외부로부터 들어오는 미생물의 증식을 억제한다(정균작용: microbiostasis). 즉, 침입한 미생물은 시간 경과와 함께 사멸된다. 대표물질로는 파라옥시안식향산에스터(파라벤 paraben)가 있는데, 식품에도 사용하는 안전성이 우수한 물질이다.

살균제는 화장품과 함께 피부에 도포되어 피부 면 소독, 청결 유지가 목적이다. 단기간에 피부상재균을 사멸 또는 감소시킨다. 항여드름제품, 탈취제품(deodorant)이 여기에 해당한다. 또 비듬의 원인으로 생각되는 효모(피치로스포람, 오발)를 억제하는 비듬샴푸(징크피리치온)도 있다. 이런 유효성분을 처방 시 다른 성분과 화학반응 유무, 용해상태, 피부 위 단백질 등과 반응 여부를 잘 살펴야 한다.

12.2.1. Paraben

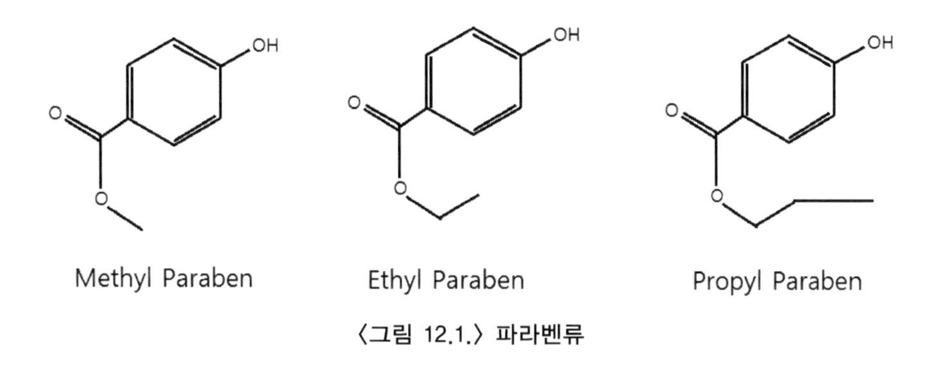

〈그림 12.1.〉 파라벤류

기초화장품에 가장 많이 사용되는 항균제는 파라벤류이었다. 적용 pH는 3~9.5로 넓고, 코스트가 저렴하고, 비교적 저자극이지만, 에스터오일에 잘 녹아 효과가 저감되거나, 알칼리 영역에서 그리고 80℃ 이상에서 경시적으로 분해되고, 불활성화시키는 원료도 존재한다는 점을 주의해야 한다. 보통 3개 이상의 항균제가 복합 처방된다. 생활용품인 경우에는 가격이 더 저렴한 항균제를 일반적으로 사용하나, 일부 제품은 파라벤류를 사용하기도 한다.

파라벤의 안전성에 대한 우려가 본격화된 것은, 영국 레딩대학의 분자생물학자, 필립 더블 박사가 Journal of Applied Toxicology 2004년 1/2월호에 20명의 유방암 환자의 종양에서 파라벤의 축적을 보고하면서부터라 할 수 있다.

SCCS(The EU Scientific Committee on Consumer Safety)는 메틸파라벤과 에틸파라벤은 상한 0.4%까지, 프로필파라벤과 부틸파라벤은 상한 0.19%까지 문제없다는 의견을 제시하였다.

12.2.2. 비Paraben 방부제

파라벤프리를 소구하는 화장품에는 주로 페녹시에탄올이 방부제로서 들어간다. 물, 알코올 및 글리세린에 쉽게 녹는다. 파라벤보다 방부력이 약하고, 특히 곰팡이에 대한 효과가 약하다.

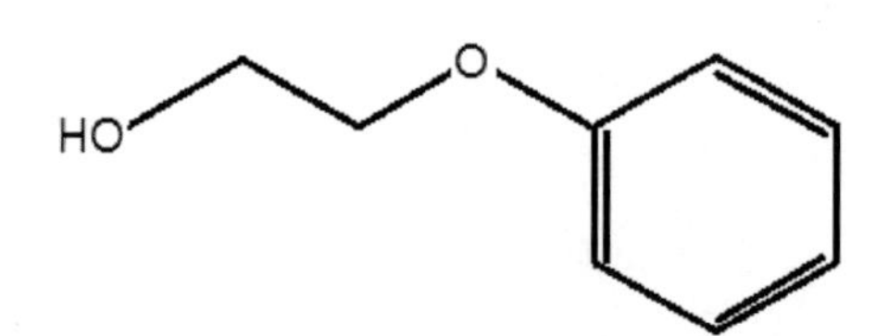

〈그림 12.2.〉 페녹시에탄올

트리클로산(트리클로로하이드록시디페닐이써)은 물에 불용성(oil soluble)이고, 알칼리용액 및 유기용매에 쉽게 녹는다. 곰팡이보다는 일반 세균에 활성이 높다.

12.2.3. 다가알코올

파라벤을 사용하지 않는 화장품 회사들은 파라벤을 대체하는 방부시스템을 꾸준히 발전시켜 현재에는 어느 정도 정착되었다. 대체 방부시스템은 다가알코올(-OH기가 많은 분자)조합으로 바뀌었다. 즉, 에틸헥실글리세린과 1,2-헥산다이올이 기본으로 함께 처방되고 여기에 추가로 글리세릴카프릴레이트 같은 다른 성분을 추가하거나, 아니면 1,2-헥산다이올만 기본으로 처방하고 여기에 추가로 펜틸렌글리콜 등이 처방되고 있다(산업기술연구논문지, 제27권 제3호, 2022년, pp.73~79). 다가알코올들은 방부제가 아니지만 방부활성을 갖는 특성이 있다. 방부활성이 있는 다가알코올은 알킬사슬의 한쪽 편 말단에 하이드록시기가 이웃하여 위치하는 공통의 구조를 갖는다.

디올류(-OH기가 2개)인 알칸디올 및 에틸헥실글리세린은 항균스펙트럼이 넓고, 보습성 및 안전성도 우수하다. 그람양성균, 그람음성균 등에 항균활성이 높다. 진균류, 특히 곰팡이에 대한 살균효과는 낮다. 에틸헥실글리세린 및 카프리릴글리콜은 1% 미만의 배합량으로도 처방에 높은 방부효과를 부여할 수 있지만, 계면활성을 가지고 있어서 제형에 큰 영향을 준다. 또 여러 종류의 소재를 조합함으로써 더욱 효과적이고, 더욱 안전한 방부처방설계가 가능한 것을 이용하는 추세이다.

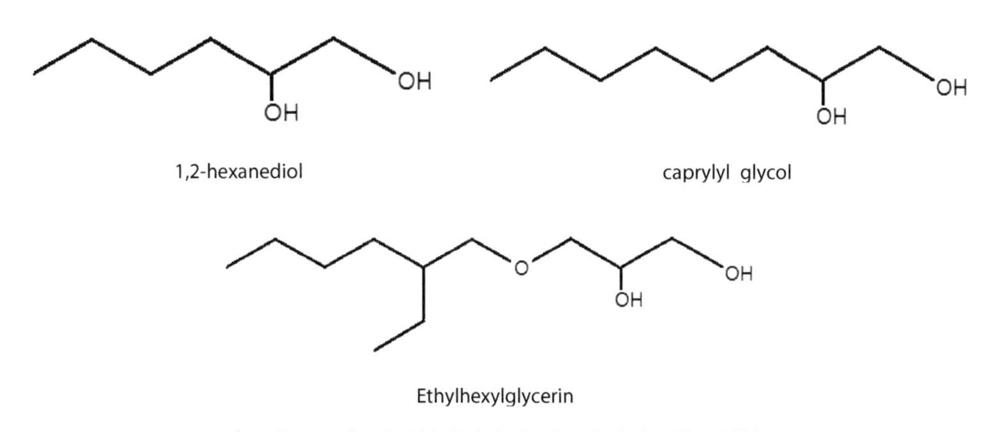

〈그림 12.3.〉 비방부제이면서 방부효과가 있는 성분

12.3. 방부성분의 오일에 대한 분배계수

화장품에는 오일과 물이 일반적으로 섞여 있다. 넣어준 방부제가 효과를 발휘하려면 미생물이 서식하는 물 쪽에 녹아 있어야 한다. 실제로 오일 100%인 제품에는 방부제가 필요 없다. 제품에 넣어줄 방부제가 친유성이고 약간 극성이 있으면 IPM, 에스터오일 등 극성오일보다 바셀린, 실리콘오일, 유동파라핀, 스쿠알란 등 비극성오일을 사용하게 되면 방부제가 오일에 녹지 않고 물에 많이 녹게 되어 방부에 도움을 준다. 또 1,3-butylene glycol은 물의 극성도

를 낮춰주어 친유성 방부제가 물 쪽에 더 분배되게 하여 방부를 도와준다.

오일과 물로 된 시스템에서 방부제의 각 상에서의 농도비를 분배계수(P)라 한다.

$P=C_o/C_w$

P: partition coefficients, C_o,C_w: equilibrium concentrations of preservatives in the oil and aqueous phase

즉, 분배계수가 클수록 방부력은 떨어진다.

12.4. 처방과 방부력

방부제, 곰팡이 방지제의 작용이 불활성화되는 경우도 있다. 이것은 화장품에 많은 구성 원료가 있기 때문이다. 불활성화 주원인은 첫째, 오일의 총량 또는 극성이다. 둘 다 방부제가 오일 쪽으로 분배되는 비율을 높여 방부력이 저하한다. 둘째는 비이온계면활성제의 HLB나 총량 HLB가 높으면 방부력이 저하한다. 셋째는 폴리머(점증제, 피막제, 보습제(PEG 등))이다.

방부력을 높이는 화장품 처방은 극성이 낮은 오일, HLB가 낮은 계면활성제, 1,3-부틸렌글리콜을 많이 쓰는 것이다.

식품에서 Glyceryl Caprylate는 물에 대한 용해도가 0.1% 이하로 낮아, 더 많은 양을 물에 녹이기 위해 계면활성제를 활용하고 있다. 즉, 식품용 가용화제인 폴리글리세린지방산에스터(polyglyceryl-10 myristate)를 사용하여 가용화한다. 각종 폴리올, 염 존재하에서도 가용화가 가능하다.

12.5. 화장품원료가 방부에 미치는 영향

계면활성제는 분말상태에서는 미생물에 아무런 영향을 주지 못한다. 양이온성계면활성제는 대부분 항균력을 갖는데, 소수성이 증가하면 그람양성균에 대한 살균력이 증가하고 알킬기가 짧은 것은 그람음성균에 대한 살균력이 증가한다. 양성계면활성제는 양이온성계면활성제보다 약간 낮은 항균력을 갖는다. 비이온성계면활성제는 대부분 항균력이 없고 폴리소르베이트류는 파라벤과 complex를 형성하여 방부제의 역가를 떨어뜨린다.

보습제, 즉 글리세린, 프로필렌글리콜, 1,3-부틸렌글리콜, 솔비톨은 수분의 활성도(vapor pressure)를 낮추거나, 삼투압을 통해 미생물의 성장을 억제한다. Propyleneglycol은 단독으로도 10% 사용 시 세균증식을 저해한다. 그러나 같은 폴리올이라도 PEG(polyethyleneglycol)는 방부를 저해한다.

금속이온봉쇄제 EDTA 첨가는 방부상승작용을 가져온다. 이것은 미생물이 살아가는 데 필요한 금속이온을 빼앗기 때문이다.

그 외 항산화제(Antioxidant)를 오일 100% 제품에 투입하여 방부 역할을 하기도 한다.

〈표 12.1.〉 방부에 문제를 주는 원료들

미생물 증식을 촉진하는 원료	식물추출물, 비타민, 알로에, 히알루론산나트륨, 꿀
방부제를 불활성화시키는 원료	셀룰로오스검, Xanthan gum, 레시틴, 폴리소르베이트
방부제를 흡착하는 원료	규조토, 카올린, 실리카, 탈크, 이산화티탄, 운모
기타 원료	산화철, Ultramarine색소

〈표 12.2.〉 대표적 보습제(다가알코올)와 항균성

보습제	항균성(그람음성균의 억제력) (용액 중에서 2~99% 사멸)
글리세린	억제력 없음
에리스리톨	억제력 없음
솔비톨	억제력 없음
PEG-400	억제력 없음
프로필렌글리콜	10% 이상에서 효과 있음
1,3-부틸렌글리콜	8% 이상에서 효과 있음
1,2-펜탄디올	4% 이상에서 효과 있음
헥실렌글리콜	2% 이상에서 효과 있음

* Fragrance Journal, 2006.04.

13 | 용기

13.1. 화장품 용기

용기는 사용하기 쉽고, 사용 중 위험이 없으며, 사용 후 폐기하기 쉬워야 한다.

① 사용상 기능

- 잡기 쉽고, 열기 쉽고, 인간 공학적 기능을 충분히 배려
- 용기의 의도된 기능은 소비자가 사용 완료 시까지 성능 발휘

② 사용상의 안전성

- 소비자의 사용환경, 습관, 사례 등을 고려하여 용기 설계, 예) 욕실에서 사용하는 제품이 유리용기일 때는 파손될 때 상처 우려
- 소비자가 잘못 사용하지 않도록 해야 함, 예) 날카로운 부분을 없애거나, 부드러운 소재를 사용하거나, 설명서, 그림 첨부

13.2. 화장품 용기에 요구되는 특성

용기는 내용물을 보호하고, 휘발성 성분의 휘발 방지, 산소 및 빛에 의한 변질 방지, 그리고 내용물과의 상호작용이 없어야 한다. 그 외 내부식성과 사용편리성이 요구된다.

13.2.1. 내용물과의 비상호작용

향료, 처방 중 일부 물질, 산소 및 수분이 용기 속으로 침투하는 일이 없어야 한다.

13.2.1.1. 유리: 알칼리 용출

유리는 약품에 대하여 매우 안정적이지만 알칼리가 용출되어 내용물을 변색, 침전, 분리 등을 일으키거나, pH를 변화시킬 수도 있다. 유리는 알칼리 용출량이 적은 것을 사용해야 한다.

13.2.1.2. 플라스틱: 첨가제의 용출

플라스틱은 일반적으로 첨가제(염료, 안료, 분산제, 안정제 등)가 배합되었다. 이것들이 내용물과 반응하거나, 내용물에 용출되어 변질, 변취의 원인이 되기도 한다. 화장품원료에 대한 플라스틱 용기의 내성을 사전에 파악해 두어야 한다.

〈표 13.1.〉 여러 원료를 보관 시 각 플라스틱 용기의 팽윤

	LDPE	HDPE	PP	PVC	PS	AS	ABS
물	0.04	0.17	0.06	0.32	0.07	0.62	0.75
에탄올 50%	0.10	0.17	0.28	0.46	0.68	1.76	2.39
에탄올 99.5%	0.014	-0.031	0.45	1.19	1.33	13.95	52.44
바셀린	11.55	4.04	1.05	0	-0.06	-0.09	-0.05
유동파라핀	10.22	3.71	1.42	-0.09	-0.04	-0.11	-0.10
PEG-400	0.10	0.16	0	0.09	0.15	0.15	0.12

* 50℃, 1개월 보관 후 중량변화율(%).

〈표 13.2.〉 범용바틀재질의 성능 비교

	HDPE	LDPE	PP	PET	유리	알루미늄	(PVC)
투명성	X	Δ	O~Δ	O	O	X	O
표면광택	X	Δ	O~Δ	O	O	O	O
강성	Δ	X	O~Δ	O	O	O	O
내충격성	O	O	O~Δ	O	X	O	Δ~X
산소베리어성	Δ~X	X	Δ~X	Δ	O	O	Δ
수증기베리어성	O	O~Δ	O	Δ~X	O	O	X
내용제성	O	Δ	O	Δ	O	O	X
내유성	Δ	X	O	O	O	O	O

	HDPE	LDPE	PP	PET	유리	알루미늄	(PVC)
내ESC성	Δ	X	O~Δ	O	O	O	O
대전방지성	X	X	X	Δ	O	O	O
폐기적정성	O	O	O	O	O	O	X

* O: 우수, Δ: 보통, X: 나쁨.
* 일간공업신문사 제45기 [포장기술학교] 소비자포장코스 스쿨링[1] 자료를 참고로 수정.

13.3. 용기 리사이클

시세이도에서는 화장품 용기 중 유리병을 회수하고 있다. 내용물에 유분과 안료 등이 포함되어 있으면 세정하기 어렵다는 점에서 재처리에 어려움이 있어, 회수 시는 세정해서 가져다 줄 것을 소비자에게 부탁하고 있다.

화장품용 PET보틀은 용기포장리사이클법에 의해서 [기타other 플라스틱]으로 취급되고 있다. 화장품의 경우는 유분 등의 혼입에 의해, reduce・리사이클이 어렵기 때문이다. [기타플라스틱]은 소각처리(thermal recycle)되는 비율이 높기 때문에, 카본뉴트럴 관점에서 배출이산화탄소로 카운트되지 않는 식물 유래 플라스틱(예, 폴리젖산)이 저환경부하소재로서 주목되고 있다. 폴리젖산은 수지특성은 좋지만 가수분해에 의해 열화하기 때문에 폴리에틸렌에 삽입시켜 사용하는 기술도 개발되었다. 또 사탕수수로 만든 식물폴리에틸렌(PE)의 사용이 도입되고 있다. 이것은 사탕수수에서 에탄올을 만들고 이것으로부터 합성한 에틸렌을 중합하여 폴리에틸렌을 만드는 것이다.

P&G는 사탕수수 추출물로 만든 친환경 용기를 2011년부터 화장품 용기와 샴푸에 사용해 오고 있다.

14 | 제조장치

화장품 제조장치는 내용물 제조장치, 성형, 충전, 포장장치로 분류된다. 내용물 제조장치는 분산기, 유화기, 냉각기 등이 있다.

14.1. 분산기(Disper)

프로펠러믹서는 프로펠러가 회전봉의 앞 끝에 부착된 구조로서 분산력이 약하다. 디스퍼는 고속으로 회전하는 봉의 끝에 터빈형의 회전날개를 부착시킨 것이다. 분산력은 프로펠러믹서보다 강하다.

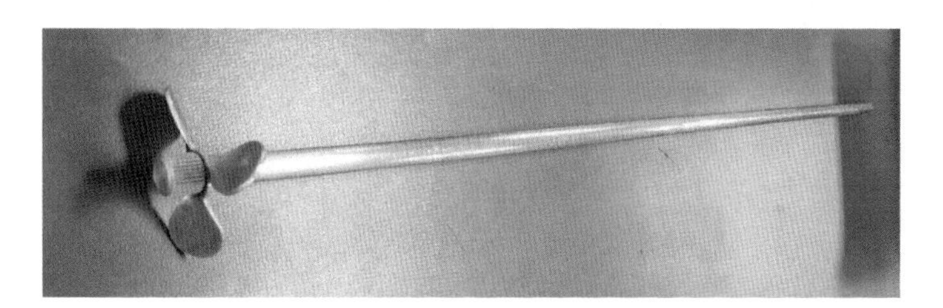

〈그림 14.1.〉 프로펠러믹서

14.2. 유화기(Emulsification equipment)

호모믹서(homo-mixer)는 터빈형의 회전날개를 원통으로 둘러싼 구조이다. 통 속에서 대류가 일어나도록 고안되었다. 균일하고 미세한 유화입자(1㎛)가 만들어진다.

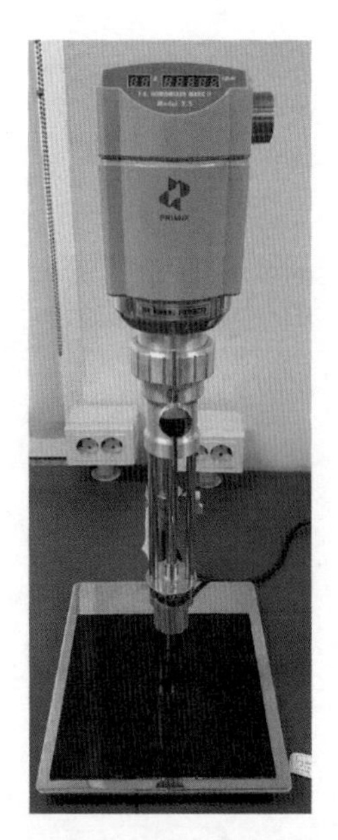

〈그림 14.2.〉 소형(2.5L) 호모믹서

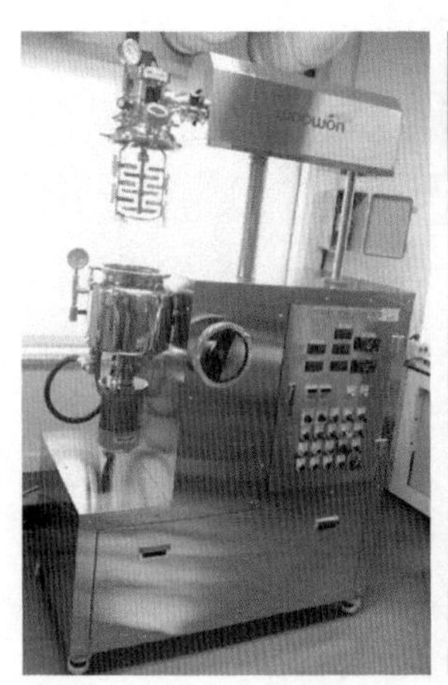

〈그림 14.3.〉 파일럿(5L) 호모믹서

14.3. 고압유화기(균질기, microfluidizer)

나노 단위의 유화입자를 만들 때는 호모믹서로는 불가능하여, 고압유화기를 사용한다. 입자를 나노 단위로 만듦으로써, 투명감이 있는 크림을 제조할 수 있다.

14.4. 냉각장치(cooling equipment)

냉각법은 서랭과 급랭으로 구분할 수 있다. 서랭은 쿨링워터가 제조탱크 주위를 돌고, 교반하며 냉각하는 장치이다. 탱크벽면을 긁어주는 패들이 부착되어 있다. 완만한 온도 강하가 필요한 비누 등 계면활성제를 많이 배합한 제품이나, 냉각하면서 여러 가지 물질을 첨가, 분산시키는 경우에 사용된다. 제조탱크는 진공을 걸어주면서 탈포한다.

급랭은 플레이트식 열교환기(plate heat exchanger)를 이용하는데, 플레이트의 좁은 간격으로 층을 이루어 나란히 배치시키고, 이 내부를 뜨거운 유화계와 냉매가 교대로 흐르게 한다. 열교환기에 들어가기 직전의 유화물의 온도가 55℃라면, 열교환기를 나올 때의 온도는 30℃가 된다. 통과 시간은 30초 정도이다.

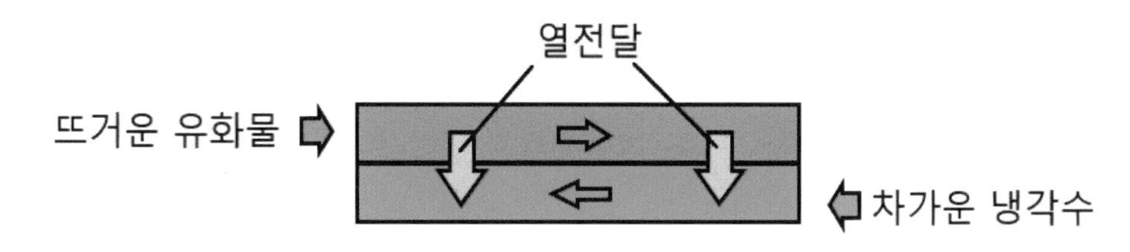

〈그림 14.4.〉 유화물의 급랭 원리

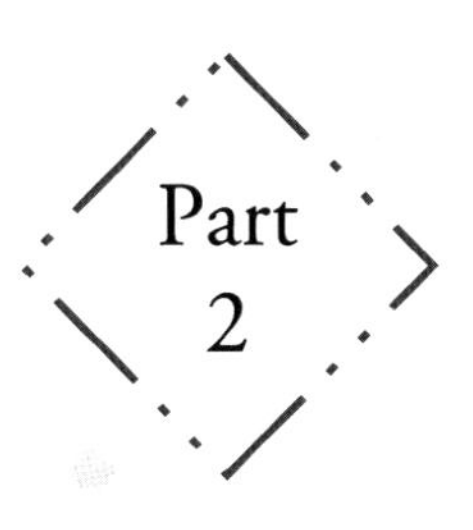

실습

01 | 스킨로션, 젤

1.1. 스킨로션, 젤의 기본 특성

스킨로션은 각질층에 수분과 보습성분을 공급하여, moisture balance를 유지시킨다. 또 비누 세안 후 알칼리성으로 일시적으로 변한 피부 pH를 중화(buffer solution)하여 pH balance를 유지시킨다. 그 외에 유연, 수렴, 세정 등의 기능이 있다.

스킨로션에서 제조기술은 물에 녹지 않는 친유성물질을 녹이는 가용화인데, 가용화의 주 대상은 향이다. 물에 대한 용해도 이상으로 향을 가용화시키기 위해 계면활성제가 들어간다. 바꾸어 말하면, 무향을 콘셉트로 하는 스킨로션에는 계면활성제가 들어갈 필요가 없다. 가용화제의 양은 향을 가용화시킬 수 있는 최소량이 들어가는데 실제량은 향의 5배 이상 들어가게 된다.

제조는 일반적으로 가열하지 않고 실온에서 하므로, 무알코올이나 방부제가 적은 계는 특히 미생물 오염에 유의해야 한다.

제형은 투명한 제형과 유분을 소량 함유한 현탁제형이 보통이다. 현탁제형은 유분이 함유되어 있어서 피부유연감을 향상시키고, 보습제와 계면활성제가 주는 끈적임이 적다. 유분으로는 물과 비슷한 비중을 갖는 MDF(meadowfoam seed oil) 등을 이용하여 크리밍이 잘 일어나지 않도록 한다. 또 다른 유분으로는 세포간지질 성분인 세라마이드가 가용화되어 보습력이 크고 유연감이 있는 스킨로션을 만들 수 있게 한다.

여성용 스킨로션에 알코올은 5~10% 들어간다. 세정용 스킨로션에는 더 많은 15% 정도 들어가고, 세정제인 PEG-PPG 블럭폴리머가 1.5% 정도 들어간다. 남성용 스킨로션에 알코올은 10% 이상 들어가고, 특히 애프터쉐이브에는 소독효과를 위해 약 40% 들어간다.

알코올에 민감한 피부를 위해서 무알코올 스킨로션도 판매되고 있다. 알코올이 들어가지 않은 대신 제조 시 알코올의 역할(용매)을 보습제(1,3-BG 등)가 대신하게 된다. 즉, 향과 계면활성제를 보통 알코올에 녹인 후 수상에 떨어뜨리는데, 알코올 대신 보습제에 녹인 후 이것을 다시 수상에 떨어뜨려 가용화하게 된다.

젤은 수용성 폴리머를 물에 녹여 점도를 높이는 것이다. 젤의 점도는 폴리머의 함량에 비례한다. 유용성 비즈(예, 철갑상어알 콘셉트)를 젤에 분산시키면 유용성 성분을 함께 제형화할 수 있다.

1.2. 일반적 구성성분

구성성분	주 기능	대표적 원료	첨가량
정제수	각질층에 수분공급 다른 친수성분의 용매	이온교환수	30~95%
알코올 (95%)	청량감, 살균, 수렴, 진정 효과를 주며 향 가용화의 용매로 쓰임	에탄올, 이소프로판올	~20%
보습제	피부 보습, 부드러운 피부 느낌, 방부제 용해 등	Humectant: 글리세린, 프로필렌글리콜, 1,3-부틸렌글리콜, 폴리에틸렌글리콜 등의 다가알코올, 히알루론산 등의 당류(Bio-HE, SC-Glucan), 피롤리돈카르본산(PCS Liquid) 등의 아미노산류(Soypol SP), Trehalose	~20%
유연제 (에몰리언트제)	피부 유연, 보습, 촉촉한 피부 느낌	에스터유, 식물유(MDF 오일, 올리브유, 호호바유 등)	적당량
가용화제	유성성분의 가용화	HLB값이 13 이상인 것 주로 사용 (PEG-60 hydrogenated castor oil 등)	~1%
점증제	수용액의 점도 상승	carbomer(예, carbopol series)	0.3~0.5%
염기	산성인 카보머를 중화	Tromethamine, Triethanolamine(TEA)	제품의 pH가 약산성이 될 때까지
완충제	pH를 약산성으로 유지	Citric acid/sodium citrate	
방부성분	방부 기능	1,2-Hexanediol	2~3%

* Carbomer를 중화하는 염기는 Triethanolamine이 압도적으로 사용되어 왔으나, 현재는 안전성 때문에 Tromethamine으로 전량 대체되고 있다.

1.3. 실습스킨, 젤 처방

성분	#1	#2	#3	#4
Alcohol(95%)	5	5	5	5
MDF(Meadowfoam seed oil)	-	-	-	1

향	0.07	0.07	0.07	0.07
Nikkol HCO-60	0	0.7	0.7	0.7
D. I. Water	88.83	88.13	70.13	81.13
Glycerin/1,3BG	3/2	3/2	3/2	3/2
히알루론산나트륨(1%)	1.0	1.0	1.0	1/0
Carbopol Ultrez-21(2%)	-	-	15	5
Tromethamine(10%)	-	-	3	1
남원연꽃잎추출물	0.1	0.1	0.1	0.1
색소(0.1%)	적당량			

**** 정제수 함량**

물의 함량은 100에서 물을 제외한 모든 다른 성분의 함량을 빼서 구한다.

#1 가용화제가 없어서 백탁현상발생(불안정한 가용화 예)

#2 일반 스킨 처방

#3 일반 스킨에 폴리머를 다량 넣어 만드는 젤 처방

#4 식물성오일 첨가로 유연성 부여. 가용화가 불안정해지므로(현탁됨) 폴리머(carbopol) 투입하여 안정화

1.4. 제조흐름도

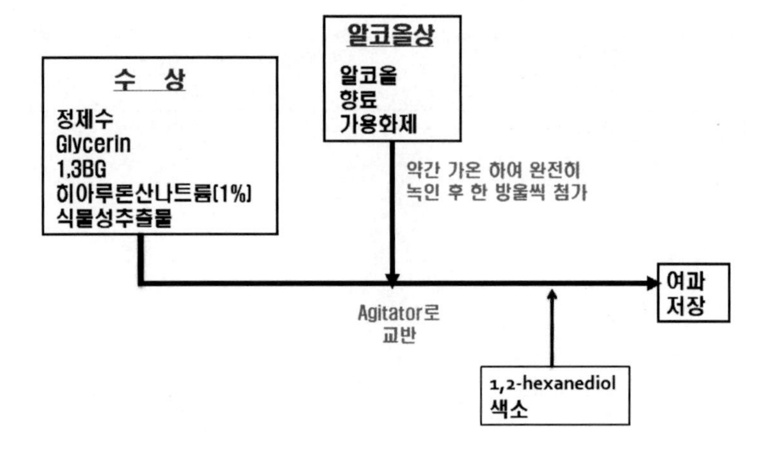

1.5. 스킨로션 제조과정(#2 처방 기준)

① (알코올상) 비커 하나를 저울에 올려놓고 영점조절을 한 후, 가용화제, 향, 알코올을 평량한 뒤, 저어주어 투명하게 녹인다. 약간 가열하면 빨리 녹일 수 있다.

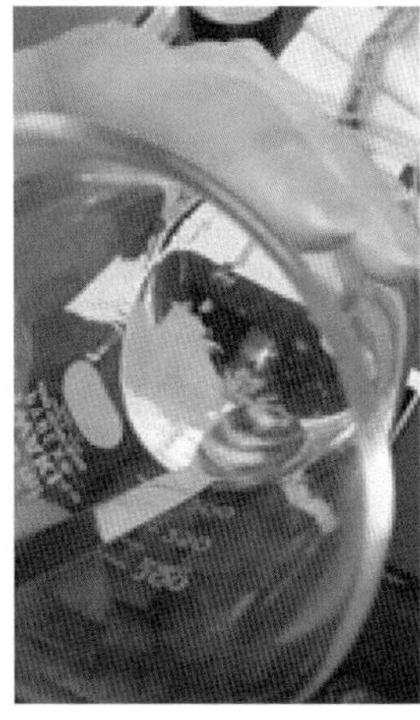

② (수상) 다른 비커를 저울 위에 올려놓고 영점조절을 한 후, glycerin, 1,3-BG, 히알루론산 나트륨(1%), 식물성추출물을 평량하고 정제수를 넣은 뒤 agitator로 교반하여 녹인다.
③ 수상을 교반하면서 알코올상을 한 방울씩 떨어뜨려 준다.

* 알코올이 수상에 들어가면, 순식간에 마이셀이 생기며, 또 순간적으로 향(오일)이 마이셀 안으로 들어가게 된다.

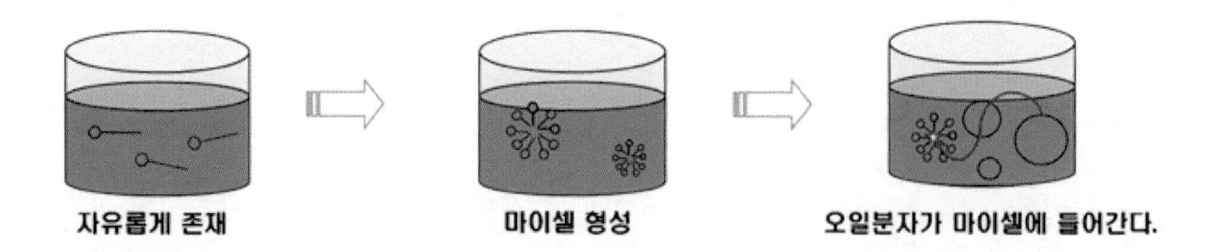

④ 10분 정도 지나면 색소를 넣고 교반한다. 색소 첨가 여부 및 색상 결정은 마케팅적으로 결정한다.

⑤ 공장에서는 진공을 걸어 탈기하여 저장하고, 품질검사(안정도, 방부, 향취, 물성-pH, 비중, 점도 등) 후 포장된다.

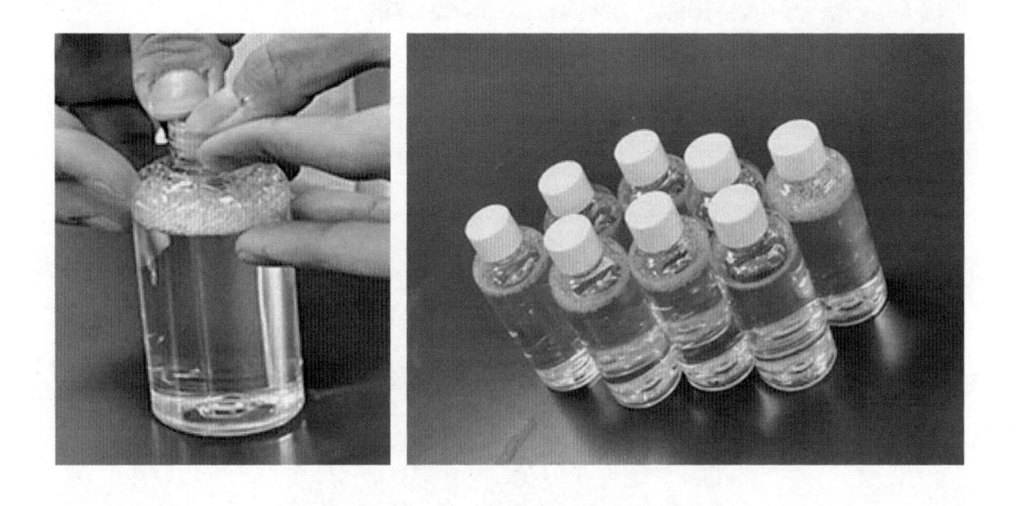

1.6. 젤 제조 실습(#3 처방)

완성된 스킨(#2 처방)에 Carbopol(2%) → tromethamine → 색소 순서로 첨가한다. 폴리머 carbopol은 산성이고, 중화되기 전에는 물에 잘 녹지 않는다. 염기를 넣어주면 중화되어, 물에 잘 녹고 또 비로소 점도도 증가한다.

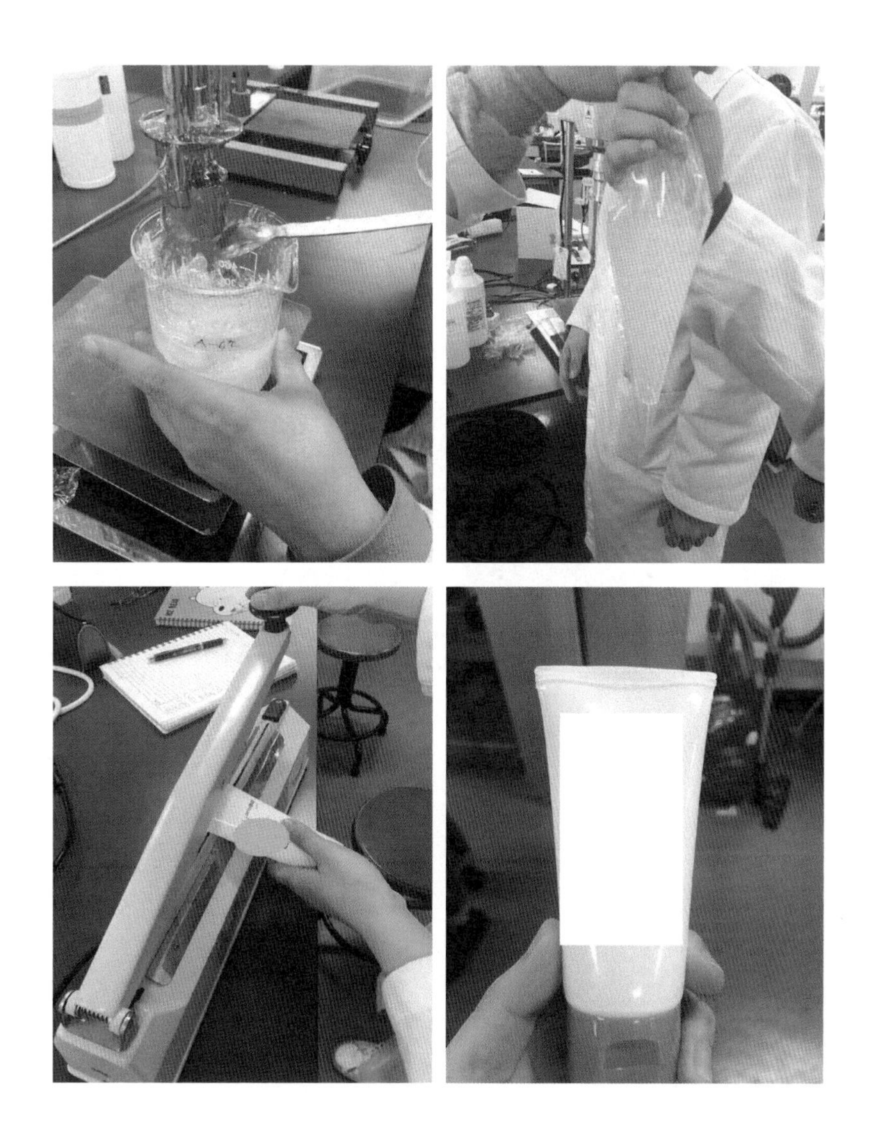

폴리머를 투입하여 점증시킨 젤은 소금과 같은 salt를 첨가하면 salting out되어 점도가 급격히 떨어진다. 피부에 바르면 피부 위 salt로 인해 이런 현상을 관찰할 수도 있다.

1.7. 현탁스킨(#4 처방 오일 1% 첨가) 제조

계면활성제의 함량은 고정하고 오일만 1% 첨가했기 때문에 마이셀 한 개당 들어 있는 유분의 양(분자 수)이 증가하여 마이셀은 부풀어 커지고 결국 현탁된다. 더 이상 열역학적으로 안정한 가용화계가 아니므로 폴리머를 풀어서 안정성을 높여야 한다.

1.8. 불안정 가용화 실험(#1 처방)

계 내에 계면활성제의 마이셀이 존재하지 않아 향이 가용화되지 못하고, 다만 미세하게 분산되어 현탁이 되었다가 시간이 지나면 향이 물 표면 위로 떠오른다.

**** 집에서도 쉽게 만들 수 있는 계면활성제 없는 스킨로션**

집에서 직접 만드는 스킨로션이니만큼 계면활성제를 첨가하지 않고, 즉 계면활성제로 가용화하는 인위적 향을 첨가하지 않고 스킨로션을 만들어 볼 수 있다.

향성분 대신 방향증류수를 넣으면 은은한 향을 기대할 수 있다. 에탄올은 소독용 에탄올보다는 마트에서 파는 과실주용 소주를 사용하면 찜찜한 기분 없이 에탄올을 사용할 수 있다. 개인이 가지고 있는 기능성 성분을 추가할 수도 있는데, 이때 수용성인 성분만 가능하다. 유용성이면 이것을 녹이려고 다시 계면활성제를 써야 하기 때문이다. 묵은 각질을 제거해 주는 AHA 성분(Na-Lactate 등)을 넣어주면 피부가 더 좋아질 것이고, 보습제는 끈적이지 않을 정도로 넣어준다. 마지막으로 방부제는 아니지만 방부효과가 있는 1,2-Hexanediol을 넣어주고 저어서 투명하게 녹이면 완성이다.

성분명	역할	함량(%)
방향증류수(티트리워터 등)	피부진정	75.5
과실주용 소주(알코올 35%)	청량감, 실제 알코올은 약 5.3%	15
알부틴 or 식물성추출물	미백이나 다른 식물성추출물의 기능	0.5
Na-Lactate(50%)	각질 제거	1
Glycerin	보습	3
1,3-Butylene Glycol		2
히알루론산나트륨(1%)		1
1,2-Hexanediol	방부 성분	2

02 | 수분크림

여름철에 바르면 수분크림의 탱탱한 수분이 피부에 흡수될 것 같은 촉촉함을 주는 제형이다. 가벼운 질감의 젤 제형이 대표적이나 색상과 제형은 다양하다.

2.1. 주요 구성성분

일단 수분크림, 즉 보습크림이므로 보습제가 많이 사용된다. 보습제 중 글리세린은 끈적이기 때문에 1,3-butylene glycol을 더 많이 사용하게 된다. 그리고 오일은 폐색효과를 위해서 꼭 사용해야 되는데, 부담스럽지 않게 산뜻한 오일인 실리콘과 가벼운 오일을 사용한다. 마지막으로 젤 타입이 적당한 제형이므로, 고점도 젤을 만들기 위해 폴리머가 다량 사용된다.

2.2. 수분크림 처방

원료명(성분)	100(wt%)
DC 245	6
O.D.O.(capric/caprylic triglyceride)	1.5
D.I. WATER	55.85
BUTYLENE GLYCOL(1,3)	6
GLYCERIN	3
Nikkol HCO-60(PEG-60 hydrogenated castor oil)	0.6
히알루론산나트륨(1%)	1
CARBOPOL Ultrez-21(2%)	20

원료명(성분)	100(wt%)
1,2-Hexanediol	2
Tromethamine(10%)	4
PERFUME	0.05

2.3. 제조흐름도

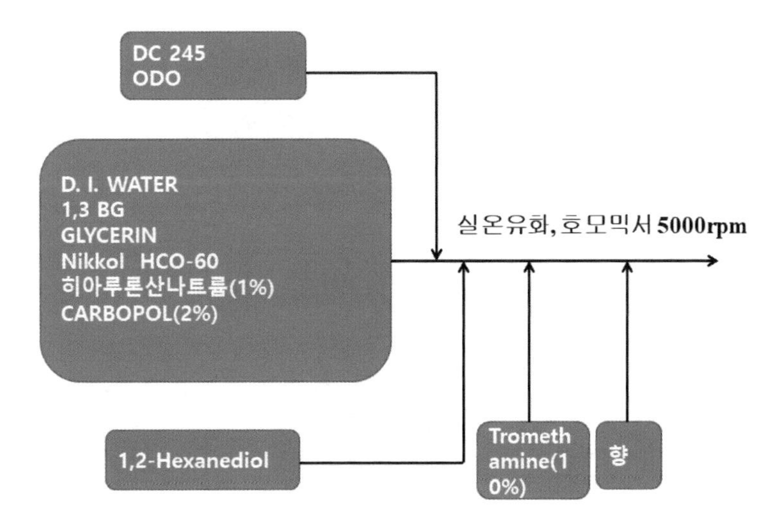

2.4. 제조과정

① Carbopol Ultrez-21 2%를 미리 준비한다.

② 수상(Carbopol Ultrez-21 2% 포함)과 유상(DC 245, O.D.O)을 평량하고, 수상에 유상을 붓고 호모믹싱하여 O/W유화를 제조한다.

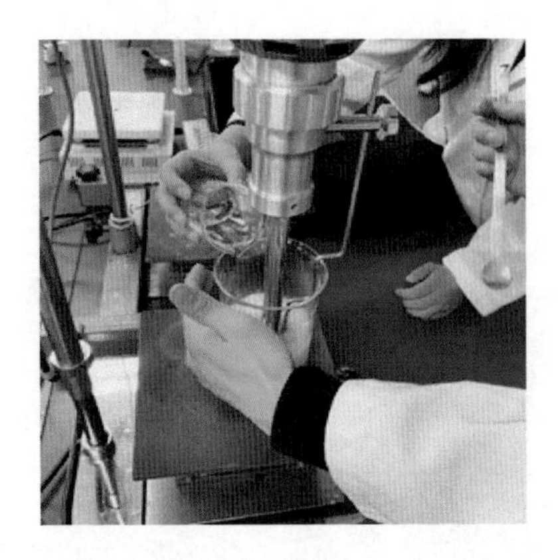

③ Tromethamine을 첨가하여 카보폴을 중화시켜 증점시킨다.

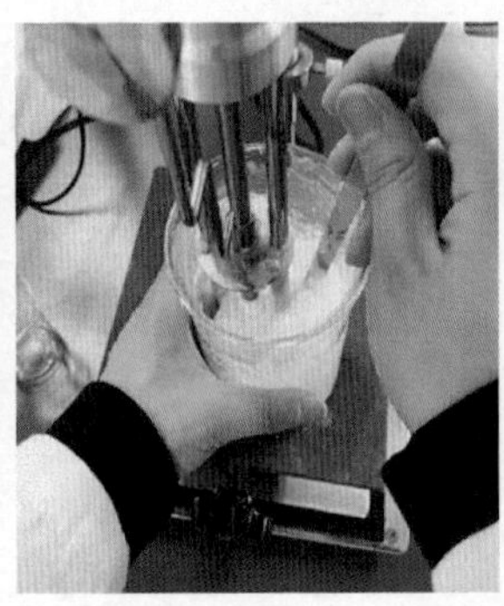
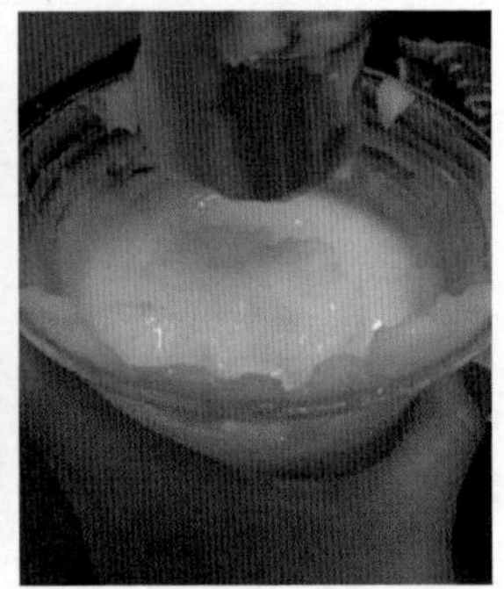

④ pH, 점도를 측정하고 용기에 담는다.

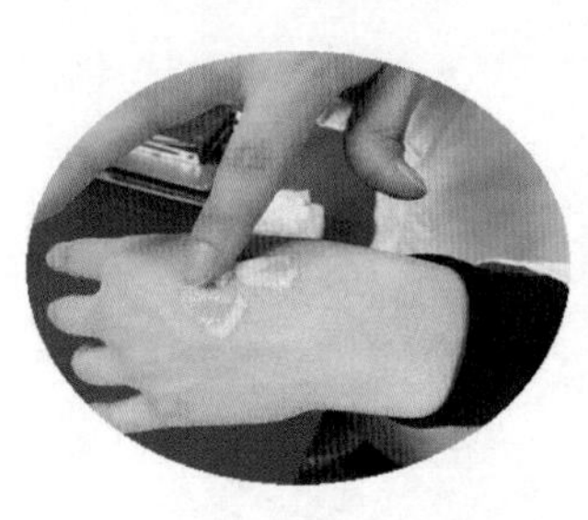

품평

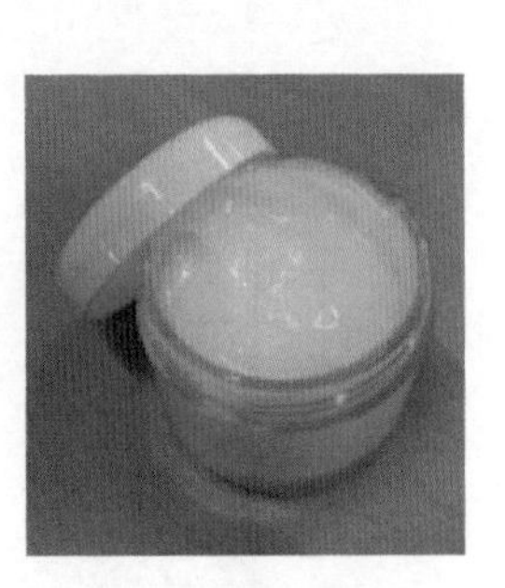

충전

03 | 밀크로션

밀크로션은 화장수와 크림의 중간적 성격을 가진 것으로, 유분량은 적고, 흐름성이 있는 에멀션(유화물)이다. 밀크로션은 피부의 모이스처 밸런스를 유지하는 데 중요한 수분, 보습제, 유분을 공급하고 피부의 보습, 피부의 유연 기능을 하는 화장품이다. 로션의 종류로는 피부 보습, 유연을 주목적으로 하는 에몰리언트로션, 피부 혈행촉진, 유연을 위한 마사지로션, 세정, 메이크업 제거를 위한 클렌징로션, 자외선 차단을 위한 UV차단로션, 바디 보습을 위한 바디로션이 있다. 로션은 유성성분이 적고 수분이 많아 산뜻한 사용감을 가져, 여름철에 좋고 피부 타입은 보통 피부에서 지성 피부에 적합하다.

유화안정화, 기본 수준의 점증은 고분자가 담당하지만, 최종 제품의 점도조절은 cetostearyl alcohol 함량을 조절하여 맞춘다.

3.1. 일반적 구성성분

구성성분은 크림과 유사하나, 함량 면에서 유성성분의 함량이 상당히 적다. 유화제는 비이온성계면활성제를 주로 사용한다. 1990년대까지도 Tween 60/arlacel 60 시스템(합성계면활성제)이 주로 사용되었지만, 지금은 PEG free이고 천연계 계면활성제인 sugar ester계, polyglyceryl ester계로 다양화하였다.

친유성분	식물성오일	MDF seed oil, squalane, Jojoba oil → 식물성오일은 변취 우려로 많이 사용할 수 없음
	합성오일	CEH, ODO, MOD
	광물유(석유계)	LP(liquid petrolatum)

친유성분	고형 친유성분	fatty alcohol, fatty acid, paraffin wax, shea butter, Mango butter, Wecobee SS
계면활성제	합성	Tween 60/Arlacol 60 4:1, Arlacel 165(glyceryl monostearate+PEG-100 stearate)
	천연계	Suger esters, glyceryl esters
친수성분	Humectant	polyols(5～10%), aminocoat, trehalose(<0.5%)
	Moisturizer	Hyalrulonic acid, Sodium PCA
active 성분		Vitamine E acetate, Vitamine C glucoside, DL-Panthenol, SC-glucan, AHAs, 미백제, 자외선차단제, 레티놀, 세라마이드유도체, 콜라겐 → 로션은 용량이 크고 제품 가격이 낮아, 비싼 유용성 성분을 많이 넣을 수 없음
점증제		Carbopol류, Sepigel 305, Xanthan gum 등
중화제	carbopol의 중화	Tromethamine, TEA(triethanolamine)

3.2. 제법

일반적으로 75℃로 가열하여 유화하는 가열공정이 사용된다. 가열하는 이유는 일단 왁스의 융점보다 높게 온도를 올려 친유성 성분들을 모두 액체로 만들어 섞은 다음, 물에 녹인 친수성 성분들과 액체 대 액체로 혼합하여 모든 성분의 분산을 균일하게 하기 위해서이다. 또한 오일과 왁스 간의 용해성이 증진되고, 고온공정을 거침으로써 미생물 오염방지도 기대할 수 있다.

계면활성제 측면에서 75℃까지 가열하여 제조하는 유래는 다음과 같다. Tween 60을 주 계면활성제로 사용할 때 Ethylene oxide 부분이 온도가 올라감에 따라 물과의 수소결합이 하나씩 끊어져 친수성을 잃어버리면 HLB가 내려가 친유성계면활성제로 바뀌고, 결국 친유성계면활성제는 O/W제형을 W/O로 바뀌게 한다. 이 전상온도가 75℃ 근방인데, 이 온도에서는 계면장력이 최소로 되어, 작은 전단력으로 매우 미세한 입자를 얻을 수 있기 때문에, 유화온도로 이용했던 것이다. 유화시킨 후 냉각하면 다시 수소결합이 회복되어 친수성이 증가하고 유화는 O/W제형이 된다.

유화제조는 호모믹서로 교반하여 약 1㎛의 직경을 가진 유화입자를 생성시킨다. 공장기기는 약 2,500～3,000rpm이 최대이어서 이 속도로 하지만, 실험실의 경우는 공장과 같은 조건을 만들어 주기 위해 5,000～7,500rpm으로 교반해 준다. 실험실의 기기는 교반날개가 공장기기의 날개에 비해 매우 작기 때문에 같은 충격량을 만들어주기 위해서는 rpm이 훨씬 더 커져야 한다. rpm이 몇백 수준인 아지데이터(교반기)로 교반하면 약 10㎛의 큰 유화입자가 얻어져 안정성이 나빠진다.

3.3. 실습에 사용하는 원료

<table>
<tr><th colspan="3">친수성 원료</th></tr>
<tr><th>원료명</th><th colspan="2">성분/효과</th></tr>
<tr><td>D.I. water</td><td colspan="2">정제수</td></tr>
<tr><td>Glycerin</td><td rowspan="2">저분자</td><td rowspan="3">보습제</td></tr>
<tr><td>1.3 B.G.</td></tr>
<tr><td>히알루론산나트륨(1%)</td><td>고분자</td></tr>
<tr><td>Carbopol Ultrez-21(2%)</td><td colspan="2">점증제(산성고분자)</td></tr>
<tr><td>Tromethamine</td><td colspan="2">염기</td></tr>
<tr><td>남원연꽃잎추출물</td><td colspan="2">콘셉트 원료</td></tr>
<tr><td>1,2-Hexanediol</td><td colspan="2">방부성분</td></tr>
</table>

<table>
<tr><th colspan="2">친유성 원료</th></tr>
<tr><th>원료명</th><th>성분/효과</th></tr>
<tr><td>TIO(triethylhexanoin)</td><td rowspan="2">합성오일</td></tr>
<tr><td>Dermofeel BGC</td></tr>
<tr><td>Squalane</td><td>천연오일</td></tr>
<tr><td>Shea butter</td><td>피부 온도에서 녹는 식물성오일</td></tr>
<tr><td>Arlacel 165(glyceryl monostearate+PEG-100 stearate)</td><td>계면활성제(보조)</td></tr>
<tr><td>Cetostearyl alcohol(cetylalcohol+stearylalcohol)</td><td>점증효과</td></tr>
<tr><td>DC-245(cyclomethicone)</td><td>휘발성 실리콘오일</td></tr>
<tr><td>Montanov-L(C14-22 alcohol & C12-20 alkyl glucoside)</td><td>주 계면활성제(alkyl glucose)</td></tr>
<tr><td>향</td><td></td></tr>
</table>

3.4. 실습 처방

로션 실습 처방	#1	#2	#3
TIO	2	2	2
Dermofeel BGC	2	2	2
ODO	3	3	3
Shea butter	0.5	0.5	0.5

로션 실습 처방	#1	#2	#3
Arlacel 165	0.5	0.5	0.5
Cetostearylalcohol	1.0	1.0	1.0
Montanov-L	1.0	1.0	1.0
DC-245	3	3	3
D.I. Water	74.8	74.8	80.8
Glycerin	3	3	3
1,3 BG	2	2	2
히알루론산나트륨(1%)	1	1	1
Carbopol Ultrez-21(2%)	5	5	
Tromethamine(10%)	1	1	
식물성추출물/향	0.1/0.1	0.1/0.1	0.1/0.1

#1은 Homomixer로 5,000rpm으로 유화하고, #2는 agitator로 300rpm으로 유화하여, 유화에 rpm의 영향을 살펴본다.

#3은 카보머가 없는 처방으로서, 카보머가 유화안정화에 주는 영향을 살펴본다.

3.5. 제조흐름도

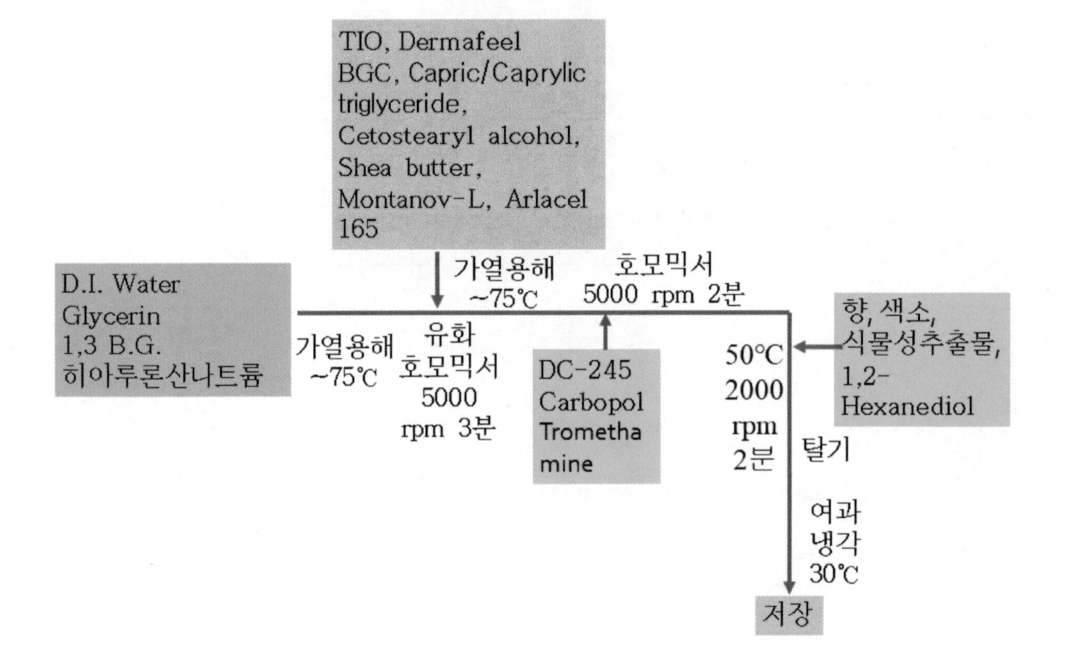

3.6. 실습과정

① 친수성, 친유성 원료를 각 비커에 모두 칭량한다. 증류수의 경우, 가열 시 증발하므로 1%를 더 추가하여 칭량한다.

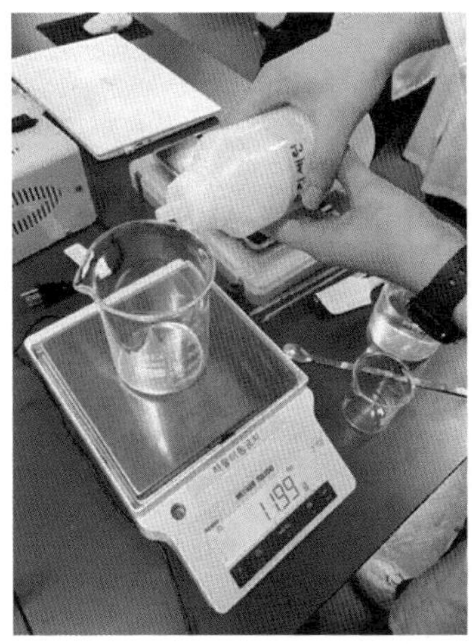

② 카보폴(2%)과 실리콘오일, Tromethamine은 따로 평량해 둔다.

③ 친유성과 친수성 비커를 75℃로 가열한다.

④ 75℃까지 가열 후 오일파트를 물파트에 붓고(O/W유화, oil in water), 호모믹서를 5,000rpm으로 3분간 돌려준다.

⑤ DC-245, Carbopol(산), Tromethamine(염기)을 각각 하나씩 넣어준 후 5,000rpm의 호모믹서로 2분간 돌려준다. Carbopol과 Tromethamine이 만나 점증 효과를 낸다.

⑥ 찬물에서 50℃까지 냉각시켜 준 후, 향과 식물성 추출물을 넣고 호모믹서로 2,000rpm에서 2분간 돌려준다. 온도가 높으면 휘발성으로 인해 향이 날아가거나 식물성추출물의 성분이 변질될 수 있다. 또 60℃ 이하에서 오일 방울 주위로 액정이 형성되므로 이 온도 이하에서는 강한 호모믹싱을 하지 않고, 잘 섞어준다는 식으로 교반한다.

⑦ 30℃까지 찬물에서 냉각시켜 준다.

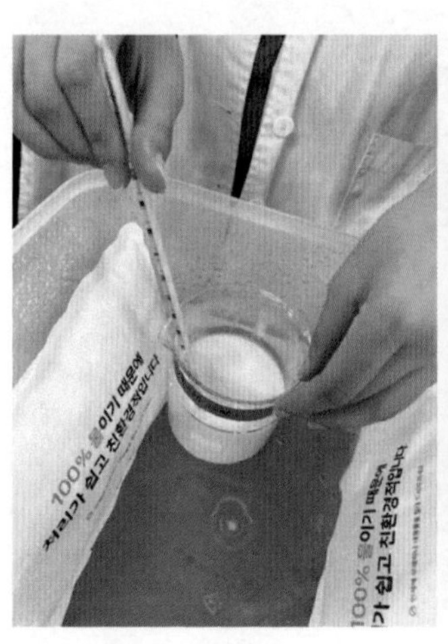

⑧ pH 및 점도 측정

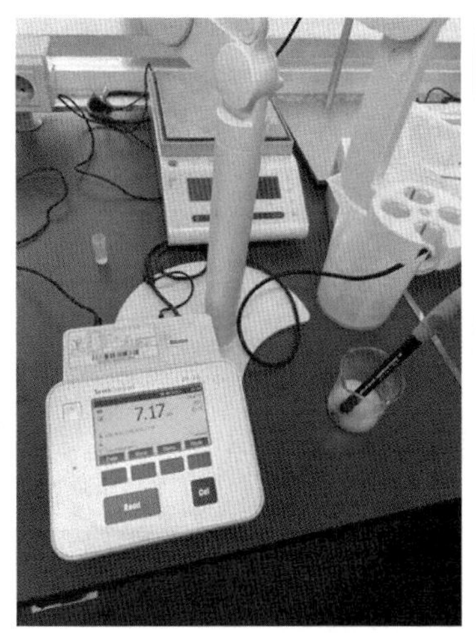

04 | 미백크림

크림은 반고형상으로, 밀크로션과 비교하여 안정성의 폭이 넓고, 유분, 보습제 등을 매우 큰 비율로 배합할 수 있다. 크림의 가장 큰 기능은 보습이고, 다음은 다양한 기능성 성분의 배합으로 피부에 특정 기능을 주는 것이다. 크림을 기능별로 분류하면 에몰리언트크림, 마사지크림, 클렌징크림, 선크림 등으로 나뉜다.

마사지크림은 콜드크림(비즈왁스+borax)의 대표제품이었다. 비즈왁스(일부가 지방산)와 붕사(염기)의 반응에 의해 생성되는 비누를 유화제로 활용하였고, 이후 비누를 전혀 포함하지 않는 마사지크림으로 발전하였다.

영양크림(바니싱크림)은 물과 스테아린산 및 고급알코올, 스테아린산 모노글리세라이드 등의 유화계이다. 바니싱이란 이름은 바를 때 백탁 생성 후 사라지는 특징에서 유래하였다.

내상비가 높은 크림은 유화입자의 밀도가 높아짐에 따라 경도가 증가하여 크림상이 된다. 내상비가 낮은 크림은 경도를 높이기 위해, 딱딱한 양친매성물질인 고급알코올, 고급지방산 등을 배합해야 한다. 고급알코올은 계면활성제와 함께 계면에서 배열하여 라멜라액정을 형성하고 외상 중에 젤구조를 형성시켜 경도를 증가시킨다. 단독보다 세틸알코올과 스테아릴알코올의 조합이 유리하다.

광물유, 즉 석유 유래 오일 및 왁스는 피부에 밀착력이 낮고 겉돌기 때문에 마사지크림의 주성분으로 사용된다.

4.1. 미백크림 실습에 사용되는 원료

미백크림에 들어가는 미백원료로는 알부틴, 비타민 C 유도체(ascorbyl glucoside), 플라센타

(태반) 추출물 등이 주로 사용된다.

친수성 원료	
원료명	성분/효과
D.I. Water	
Glycerine	저분자 보습제
1,3-Butylene glycol(1,3-BG)	
히알루론산나트륨(1%)	고분자 보습제
Carbopol Ultrez-21(2%)	점증제(산성고분자)
잔탄검	천연고분자
Tromethamine	염기
남원연꽃잎추출물	
색소(0.1%)	
알부틴(Arbutin)	미백제
1,2-Hexanediol	방부성분

친유성 원료	
원료명	성분/효과
TIO	액체(Oil)
Dermofeel BGC	
ODO(Capric/caprylic triglyceride)	
Beeswax	고체(Wax)
Vaseline	폐색효과
Arlacel 165	계면활성제(보조)
Vit.E acetate	항산화제
Cetostearyl alcohol	유화안정화, 점증효과
Montanov-L(C14-22 alcohol & C12-20 alkyl glucoside)	주 계면활성제
DC-245	실리콘오일(액체)
향	

4.2. 실습 처방

미백크림 실습 처방	#1	#2	#3
TIO	3	3	3
Dermafeel BGC	3	3	3
ODO	4	4	4
Vit.E acetate	0.5	0.5	0.5

미백크림 실습 처방	#1	#2	#3
Vaseline	1	1	1
Beeswax	1.5	1.5	1.5
Arlacel 165	0.5	0.5	0.5
Cetostearyl alcohol	0.5	1	2
Montanov-L	3	3	3
D.I. Water	55.7	55.2	54.2
잔탄검	0.1	0.1	0.1
1,3 BG	4	4	4
Glycerin	4	4	4
히알루론산나트륨(1%)	1	1	1
Carbopol Ultrez-21(2%)	5	5	5
Tromethamine(10%)	1	1	1
1,2-Hexanediol	2	2	2
식물성추출물/향	0.1/0.1	0.1/0.1	0.1/0.1
알부틴(20%)/색소(0.1%)	10/적당량	10/적당량	10/적당량

* cetostearyl alcohol의 함량에 따른 제품의 경도 차이를 확인한다.
* 미백기능성 성분 알부틴을 2% 넣는다.

4.3. 제조흐름도

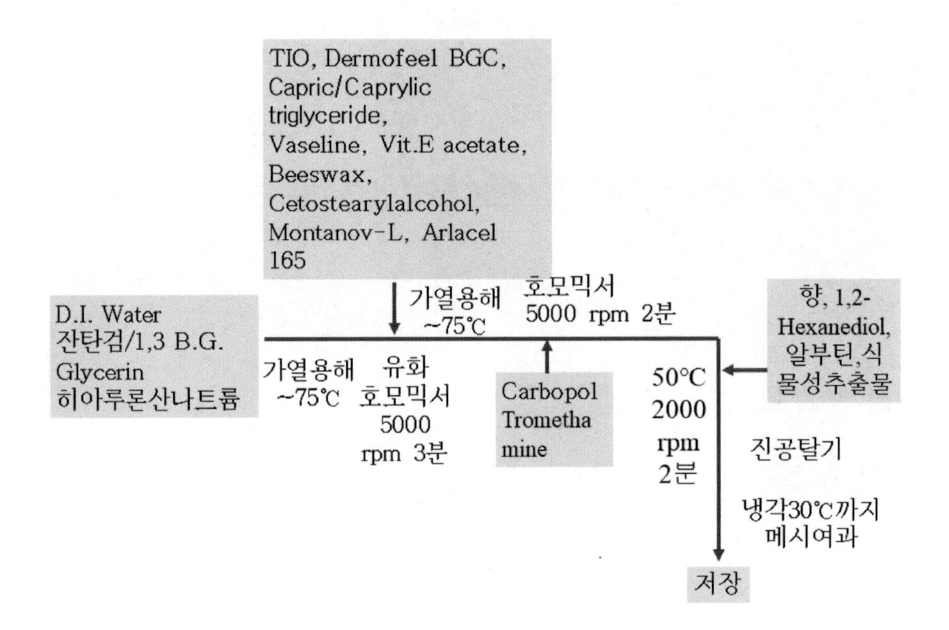

4.4. 제조과정

제조 순서는 같은 유화제품인 로션 제조와 거의 같다.

① 친수성 성분을 담는 비커에 잔탄검을 평량하고 1,3-Butylene Glycol을 넣어 잔탄검을 녹인 다음, 글리세린, 히알루론산나트륨, 물을 차례대로 넣는다.

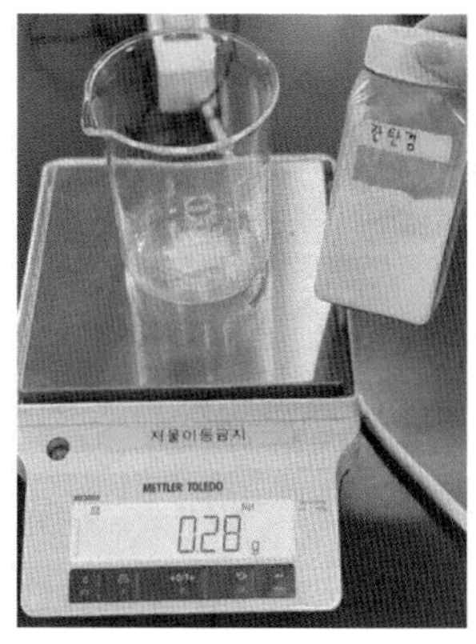

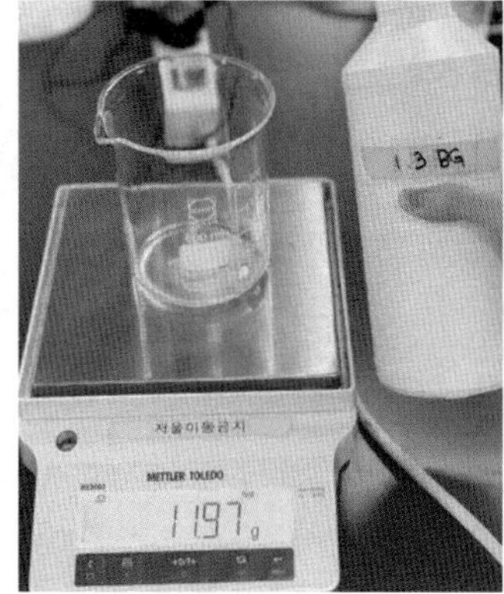

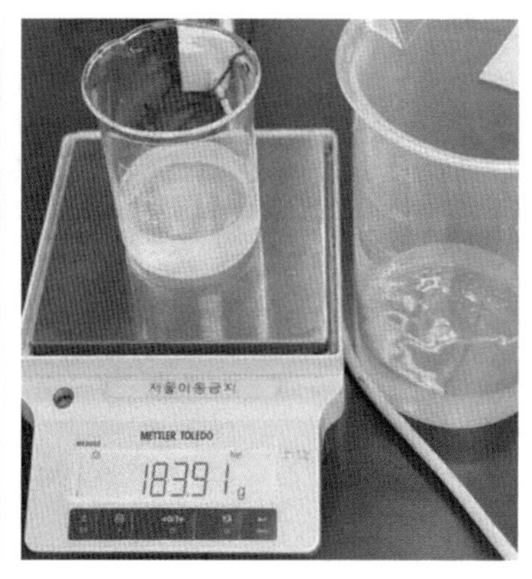

② 다른 비커에는 친유성 성분을 평량한다. 그리고 카보머(2%), Tromethamine은 각각 별도로 평량해 둔다.

③ 친수성 성분이 든 비커와 친유성 성분이 든 비커를 75℃로 가열하고, 친유성 성분을 친수성 성분에 부은 후(O/W유화), 호모믹서로 교반한다.

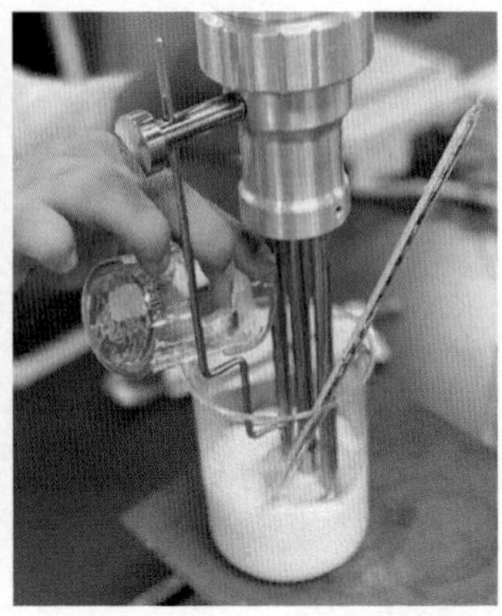

④ 3분이 지나면 카보머, Tromethamine을 순차적으로 넣고, 2분간 교반한다.

⑤ 50℃까지 찬물에서 냉각하고, 알부틴, 향, 식물성추출물을 투입한 후 다시 호모믹서로 천천히 2분간 교반한다.

* 60℃ 이하에서는 교반하는 속도를 3,000rpm 이하로 약하게 쳐준다. 그 이유는 60℃ 아래에서는 cetostearyl alcohol이 물/오일 계면에 액정을 형성하므로, 이 액정이 파괴되지 않게 약하게 쳐주는 것이다. 만약 강하게 쳐서 이 액정을 파괴해 버리면 유화 안정성에 문제를 줄 수 있다.

⑥ 찬물에서 30℃까지 냉각한다.

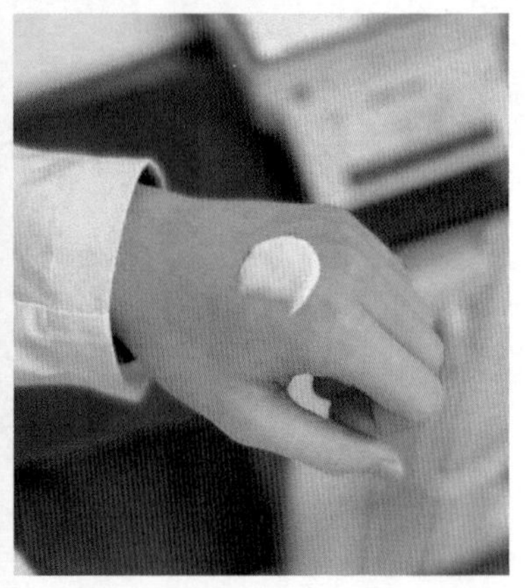

05 | 주름개선에센스

피부생리학적 발전으로 에센스라는 제품군이 급팽창하였다. 그러나 새로운 상품형태는 아니다. 에센스의 제형은 로션과 크림에 비해 매우 자유롭다. 즉, 정해진 틀은 없고 고기능성이란 개념만 유지한다.

투명, 반투명 타입은 일반적으로 보습제 함량이 높다. 투명한 제형을 활용하여 외관이 고급스러운 금박, beads 등을 분산시키기도 한다.

유화타입은 O/W형, W/O형, W/O/W형이 있다. 투명제형에 비해 유용성 성분을 다량으로 배합할 수 있고, W/O형은 발수성이 우수하며, W/O/W형은 내부 수상에 친수성 기능성분을 삽입하여 안정화할 수 있다.

2제타입도 있다. 유화제형 내에서는 안정성이 떨어지는 기능성 성분을 따로 포장하여 소비자가 사용 직전에 혼합하여 사용하는 타입으로서, 외관도 약품의 이미지를 갖게 하여 효능 콘셉트를 강화한다. 액-액, 액-분말 조합이 일반적이다.

심지어 오일만 들어 있는 경우도 있다.

기능성 성분의 안정화를 시각화시켜, 기능과 콘셉트를 동시에 추구하기도 한다. 레티놀2500의 경우 레티놀을 안정하게 함유한 캡슐을 눈에 보일 정도로 크게 만들어 이 캡슐을 문질러 레티놀을 피부에 흡수시키는 과정을 시각화하였다.

5.1. 주름개선에센스 원료

<table>
<tr><th colspan="3">친수성 원료</th></tr>
<tr><td>D.I. water</td><td colspan="2">정제수</td></tr>
<tr><td>Glycerine</td><td rowspan="2">저분자</td><td rowspan="3">보습제</td></tr>
<tr><td>1.3 B.G.(butylene glycol)</td></tr>
<tr><td>히알루론산 나트륨(1%)</td><td>고분자</td></tr>
<tr><td>Carbopol Ultrez-21(2%)</td><td colspan="2">점증제(음이온고분자)</td></tr>
<tr><td>Tromethamine</td><td colspan="2">염기</td></tr>
<tr><td>남원연꽃잎추출물</td><td colspan="2">콘셉트 원료</td></tr>
<tr><td>색소(0.1%)</td><td colspan="2"></td></tr>
<tr><td>1,2-Hexanediol</td><td colspan="2">방부성분</td></tr>
</table>

<table>
<tr><th colspan="2">친유성 원료</th></tr>
<tr><td>TIO(triethylhexanoin)</td><td rowspan="3">액체(오일)</td></tr>
<tr><td>Dermofeel BGC(butylene glycol dicaprylate/dicaprate)</td></tr>
<tr><td>Caprylic/capric triglyceride</td></tr>
<tr><td>Vitamin E acetate</td><td>항산화제</td></tr>
<tr><td>Vaseline</td><td>폐색효과</td></tr>
<tr><td>Beeswax</td><td>고체(왁스)</td></tr>
<tr><td>GMS(glyceryl monostearate)</td><td>보조계면활성제</td></tr>
<tr><td>Cetostearylalcohol</td><td>점증효과</td></tr>
<tr><td>Montanov-L(C14-22 alcohol & C12-20 alkyl glucoside)</td><td>주 계면활성제</td></tr>
<tr><td>DC-245(cyclomethicone)</td><td>실리콘오일(액체)</td></tr>
<tr><td>레티놀</td><td>주름개선제</td></tr>
<tr><td>향</td><td></td></tr>
</table>

5.2. 실습 처방

	#1	#2	#3
TIO	3	3	3
Dermafeel BGC	3	3	3
Caprylic/capric triglyceride	4	4	4
Vaseline	0.5	0.5	0.5
Beeswax	1.5	1.5	1.5
Vit.E acetate	0.5	0.5	0.5

	#1	#2	#3
GMS	1.0	1.0	1.0
Cetostearylalcohol	0.5	1	2
Montanov-L	2	2	2
DC-245	3	3	3
D.I. Water	62.76	57.76	56.76
Glycerine	5	5	5
1,3 BG	4	4	4
히알루론산나트륨(1%)	1	1	1
Carbopol Ultrez-21(2%)	5	5	5
Tromethamine(10%)	1	1	1
1,2-Hexanediol	2	2	2
식물성추출물/향	0.1/0.1	0.1/0.1	0.1/0.1
레티놀/색소(0.1%)	0.04/적당량	0.04/적당량	0.04/적당량

#1～#3과 같이 cetostearyl alcohol 함량을 높여가며 알맞은 점도 처방을 결정한다.

5.3. 실습과정

① 수상과 오일파트를 각각 칭량 후 75℃로 가열한다.

② 수상파트에 오일파트를 첨가한다(O/W유화 제조, 호모믹서로 5,000rpm 3분간 교반).

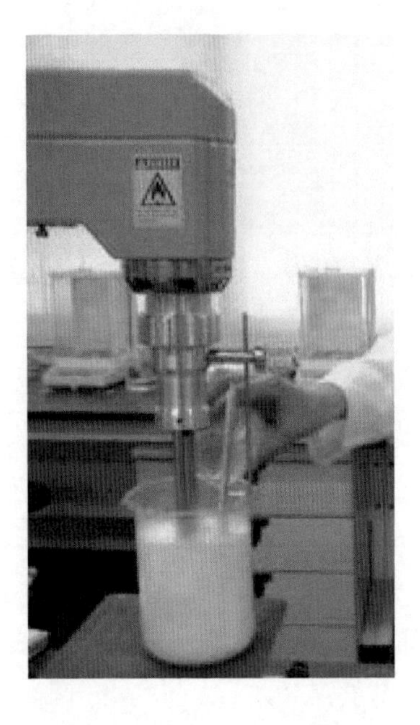

③ 65℃에서 DC-245, Carbopol, Tromethamine를 순서대로 첨가하고, 호모믹서 5,000rpm 2분간 교반한다.

④ 찬물에서 50℃까지 냉각한다.

⑤ 1,2-Hexanediol, 향, 색소, 레티놀 첨가 후 2분간 호모믹서로 약하게 교반 후 찬물에서 30℃까지 냉각한다.

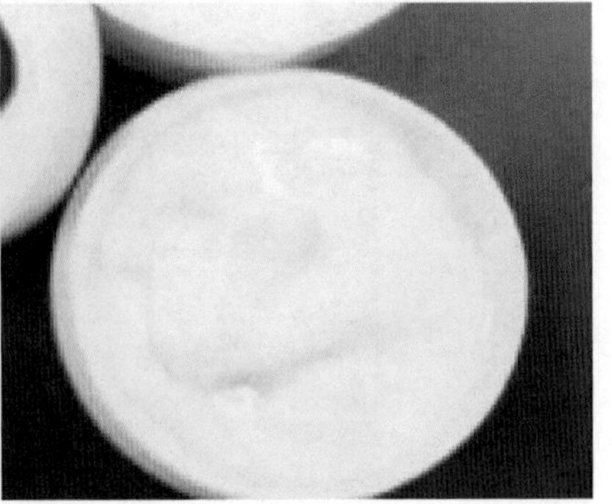

06 | 선크림

1990년대 선케어 제품은 SPF수치를 높이는 경쟁이 반복되었던 시절이었다. 2000년대에 들어와서는 SPF수치 표기가 50+로 제한되면서 드디어 SPF수치경쟁에 종지부가 찍히게 된다. 현재 일본의 경우 백탁되지 않고 사용감이 우수한 제품의 경쟁이 벌어지고 있다.

선케어시장은 일본에서 2014년에 46.5% 성장한 아직도 유망한 아이템이다.

선크림은 자외선 흡수제(유기계)와 산란제(무기계)를 함유하는 크림이다. 제형은 W/S, O/W가 일반적이다. W/S는 내수성이 크고, O/W는 산뜻한 사용성이 강점이다.

6.1. W/S 선크림의 원료

친수성 원료	
$MgSO_4 7H_2O$	Salt, W/O유화안정화
Glycerine	저분자 보습제
1,3 BG(butylene glycol)	
1,2-Hexanediol	방부성분
식물성추출물	콘셉트 원료

친유성 원료		
DC 245	액체(오일)	실리콘오일
TIO		Triethyl hexanoin
KP-545	실리콘검	Acrylates/Dimethicone Copolymer (siloxane grafted acrylate polymers)
Antaron V220	유용성 폴리머	VP/Eicosene Copolymer : a polymer of vinylpyrrolidone and eicosene moners

친유성 원료		
Varisoft TA100	Bentone 활성화제	Distearyldimonium Chloride
Bentone 38v	W/O유화안정화제, 점증제	유기 벤토나이트, disteardimonium hectorite
Zn-stearate	금속비누, 아연	분산안정화제
ChoiceZinc 50NS	산화아연 48% in 실리콘오일	
Choice Titan V40	산화티탄 32% in 실리콘오일	
유성 Pigment	색소	
KF-6017	실리콘계 계면활성제	PEG-10 Dimethicone, HLB 4.5
Arlacel 83 V	친유성계면활성제	Sorbitan sesquiolate
향		

6.2. 실습 처방

선크림 실험 처방	#1	#2
DC 245	9	9
TIO	7	7
OMC(Octyl Methoxycinnamate)	-	4
KP-545	0.5	0.5
Antaron V220	0.6	0.6
Varisoft TA100	0.2	0.2
Bentone 38v	1	1
Zn-stearate	0.5	0.5
Choice Zinc 50NS	28	28
Choice Titan V40	10	0
유성 Pigment	0.7	0.7
KF-6017	1	1
Arlacel 83 V	0.5	0.5
D.I. Water	24.8	30.8
MgSO4	0.1	0.1
Glycerine	2	2
1,3 BG	12	12
1,2-Hexanediol	2	2
향	0.1	0.1

#1은 유기계(케미컬)를 쓰지 않고, 무기계 산란제만으로 자외선을 차단하는 제품이다. 안전성이 더 높아 유아용 선스크린에 응용된다.

#2는 유기계와 무기계의 혼합으로 자외선을 차단한다.

6.3. 제조흐름도

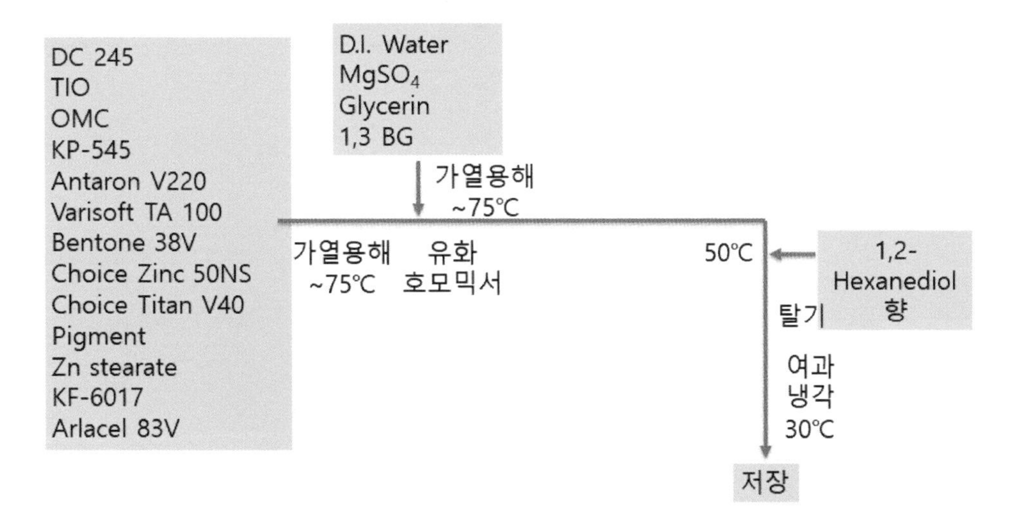

6.4. 실습과정

① 두 개의 비커에 오일파트와 물파트 각각의 성분을 칭량한다.

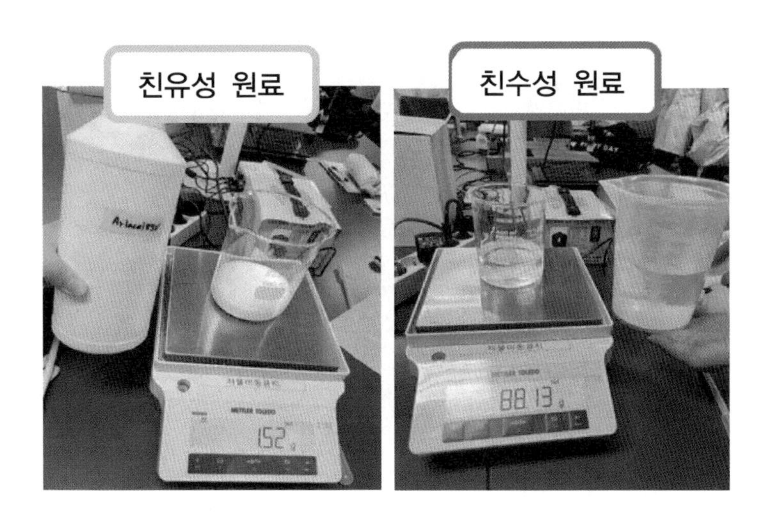

② 물파트와 오일파트를 75℃까지 가열하고, 오일파트를 호모믹서로 저속으로 교반하면서 물파트를 천천히 붓는다(W/O유화, 갑자기 부으면 점도가 급증하거나, 유화가 불안정해질 수 있다). 물을 부으면 부을수록 점도가 증가하는 것을 느낄 수 있다. 즉, 내상비가 높아지면 점도는 증가한다.

③ 물파트 투입 완료 후, 호모믹서로 5,000rpm에서 3분간 교반하고, 찬물에서 50℃까지 식힌다.

④ 50℃에서 향을 넣고 2분간 저속으로 교반한 후, 찬물에서 30℃까지 식힌다.

30℃

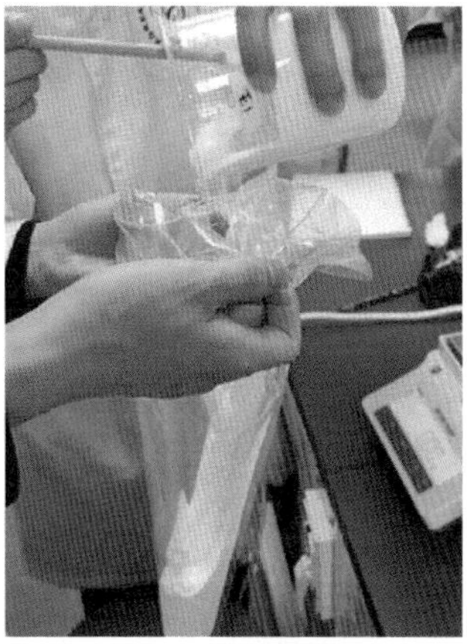

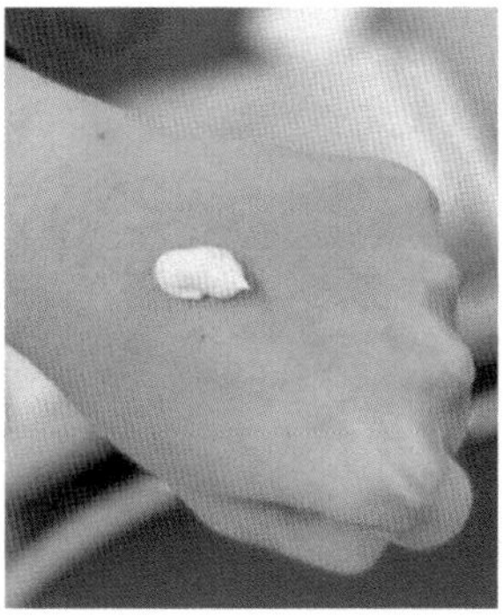

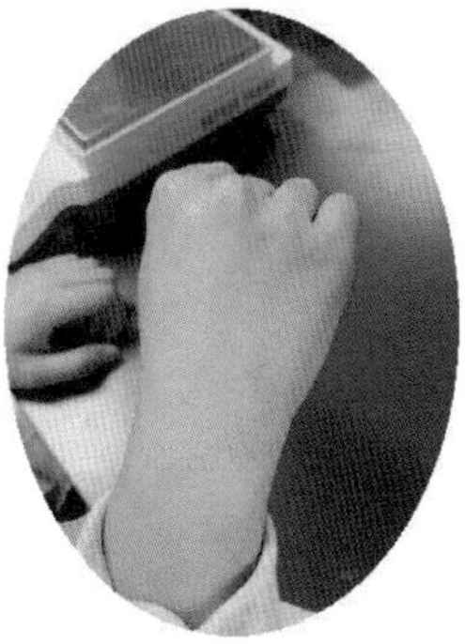

07 | 클렌징크림

메이크업클렌저에 요구되는 성능은 세정성, 마일드, 헹굼성, 간편성 등이다. 세정성 향상을 위해서는 계면화학적 접근, 즉 계면장력을 저하시켜야 한다. 계면장력 저하 목적으로 계면활성제, 거품, 오일 등이 활용된다. 물리적 접근으로는 마찰 및 계면을 크게 만들기 위해 손가락으로 마사지하거나 cotton을 이용한다.

계면활성제는 클렌징제제와 메이크업성분 간의 계면장력을 저하시킨다. 워터 타입이라면 특히 cmc에서 표면장력이 낮은 계면활성제를 사용해야 세정성이 높아진다.

거품막은 계면활성제가 표면에 배열(패킹)하여 안정화하고 있으므로, 패킹 밀도를 높일수록 거품과 메이크업 간의 계면장력이 저하하고, 포질 및 안정성이 높아진다. 지방산알카놀아마이드 등 다가알코올형 비이온성계면활성제는 물과 강하게 상호작용하는 수산기가 있어서, 음이온성계면활성제 사이에 침투하여 거품 표면에 패킹성을 높일 수 있다.

클렌징오일은 적절한 오일 조합으로 메이크업기제와의 계면장력을 거의 0까지 낮출 수 있다. 따라서 계면활성제 수용액 및 거품보다 월등히 세정성이 높다.

클렌징워터는 오일에 비해 세정성이 크게 낮다. 표면적이 큰 cotton에 용액을 함침시켜 닦아내면 세정성이 향상한다.

클렌징크림은 오일을 다량 함유하는 O/W유화물로서 피부에 도포하여 문지를 때에 W/O로 전상되어 메이크업을 녹여낸다. 메이크업에 대한 멜팅력은 높고, 사용성은 그리지하다.

7.1. 클렌징크림 실습에 사용되는 원료

친수성 원료	
D.I. water	
1.3 B.G.	보습제
Carbopol Ultrez-21(2%)	점증제(산성고분자)
Tromethamine	염기
1,2-Hexanediol	방부성분

친유성 원료	
LP 70	광물유(석유)
TIO	합성오일
Capric/caprylic triglyceride	
Beeswax	왁스
Arlacel 165(glyceryl monostearate+PEG-100 stearate)	보조계면활성제
Stearic acid	세정성, 보조유화제
Cetostearyl alcohol(cetylalchol+stearylalcohol)	왁스(점증)
DC-245	실리콘오일
Montanov-L	주 계면활성제
향	

7.2. 클렌징크림 처방

클렌징크림 실험 처방	#1	#2	#3
Cetostearyl alcohol	1	1	1
Beeswax	2	2	2
GMS	2	2	2
Stearic acid	0.6	0.6	0.6
LP 70	26	4	26
TIO	10	10	10
Capric/caprylic triglyceride	4	4	4
DC 245	4	20	4
Montanov-L	2	2	2
D.I. Water	32.2	38.2	32.2

클렌징크림 실험 처방	#1	#2	#3
1,3 BG	10	10	10
Carbopol Ultrez-21(2%)	5	5	5
Tromethamine(10%)	1	1	1
향	0.2	0.2	0.2

* 클렌징제품이기 때문에 기능성 성분은 들어가지 않으나, 들어간다면 콘셉트로 활용하기 위해 넣는다.

#1, 2는 오일상을 수상에 부어 O/W유화를 만든다. 오일 종류의 차이가 사용성, 멜팅력에 주는 영향을 체크한다.

#3은 수상을 오일상에 부어 불안정한 유화를 제조해 본다. 실제로는 W/O유화가 되지 않고 유화가 파괴된다. 즉, O/W유화가 불안정해져서 분리될 때의 모습을 보여주기 위한 실습이다.

7.3. 제조과정

만드는 과정은 로션, 크림의 유화와 같다. 단, 로션, 크림보다 훨씬 많은 오일을 함유하고 있기 때문에, 오일파트를 물파트에 급히 부으면 유화가 불안정해질 수 있다. 따라서 물파트를 약하게 교반하면서 오일파트를 서서히 붓는 공정을 취한다.

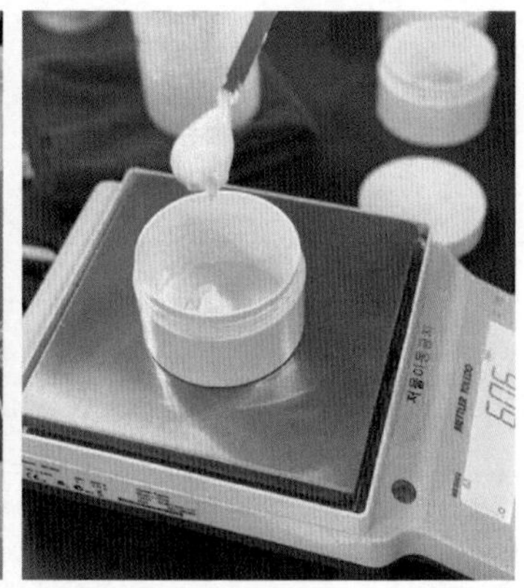

7.4. 클렌징 테스트

제조한 클렌징크림으로 자신이 쓰고 있는 립스틱을 손등에 바르고 제거 테스트를 한다. 피붓결 속까지 깨끗하게 지워지는지를 확인한다.

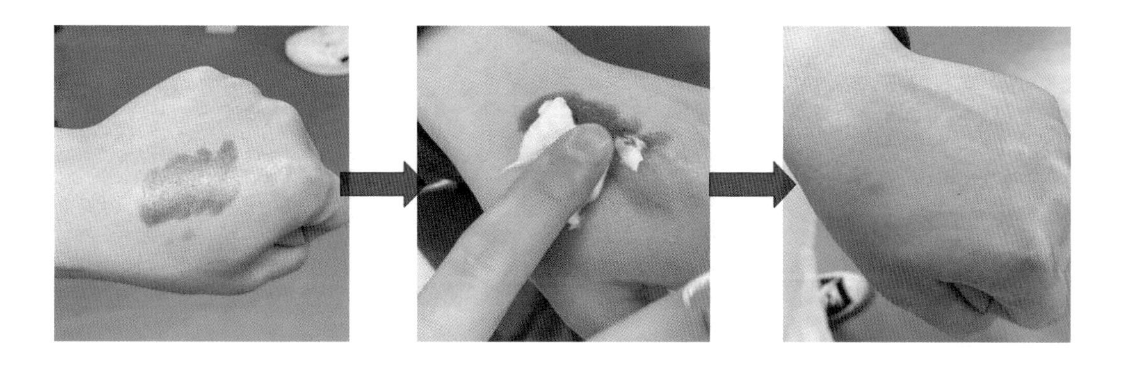

08 | 폼클렌징

일본에서 최초로 개발된 제품이다. 제품의 제형적인 변화와 사용 범위가 확대되어 화장 비누화되고 있는 추세이다. 소비자가 생각하고 있는 클렌징폼의 특성은 향취, 기포력, 저자극, 깨끗하게 닦임이라 할 수 있다. 깨끗하게 잘 닦이면서 세안 후 당기지 않게 만들어야 소비자의 만족을 얻을 수 있다.

주 기제에 따라 클렌징폼을 나누면, 지방산 Type, 아미노산계 계면활성제 Type, MAP(Mono Alkyl Phosphate) Type, speedy foam Type으로 나눌 수 있다.

지방산 주 기제의 클렌징폼은 중화되지 않은 free지방산에 의해 나타나는 외형적인 특성이 폼 특성을 결정한다. 단점으로는 충전 시 쉐어에 기인한 경도 저하 문제와 온도안정도 문제가 있다. 중화도가 낮을수록 경도가 높아지고, 중화도가 100%에 근접하면 유동상이 된다. 아크릴레이츠/아크릴산알킬(C10-30)크로스폴리머 같은 고분자를 첨가하여 증점하기도 한다.

〈표 8.1.〉 지방산의 종류별 특성

	지방산명	물에 대한 용해성	세정력	기포	단단한 정도	안전성
포화 지방산	C10 이하	크다	대체로 적다	사이즈는 약간 크고, 기포량은 적고, 지속성도 적다	딱딱하다	좋다
	C12	찬물에 쉽게 녹는다	약간 크다	사이즈 약간 크고, 기포량 많고, 지속성은 중간이다	딱딱하다	좋다
	C14	찬물에 녹는다	크다	사이즈가 미세하고, 기포량 많고, 지속성이 크다	딱딱하다	좋다
	C16	찬물에 잘 안 녹는다	크다	사이즈 미세하고, 기포량은 중간이고, 지속성이 크다	딱딱하다	좋다
	C18	찬물에 녹지 않는다	대체로 크다	사이즈 미세하고, 기포량이 적고, 지속성은 중간이다	딱딱하고 부서지기 쉽다	좋다

지방산명		물에 대한 용해성	세정력	기포	단단한 정도	안전성
불포화지방산	C18 (올레산)	찬물에 쉽게 녹는다	크다	사이즈 약간 크고, 기포량 많고, 지속성 중간이다	연하고 끈기가 있다	보통
	C18 (리놀렌산)	찬물에 쉽게 녹는다	중간	사이즈 약간 크고, 기포량 중간, 지속성도 중간이다	연하다	변하여 부패되기 쉽다

8.1. 폼클렌징 실습 처방

성분명		역할	#1	#2	#3
Fatty acid	Lauric acid Myristic acid Stearic acid	산	10 5 7.2	10 5 7.2	10 5 7.2
Arlacel 165(Glycerl Stearate/PEG-100 Stearate)		보조계면활성제	2	2	2
CDE		속포성	1	1	1
EGDS		펄감	2	2	2
Glycerin		보습제	28	28	28
PEG-400		보습제	6	6	6
D.I. Water		정제수	24.2	26.64	29.08
Potassium Hydroxide(45%)		염기	12.2	9.76	7.32
1, 2-Hexanediol		방부성분	2	2	2
Perfume			0.4	0.4	0.4
중화도			100%	80%	60%

* 중화도의 차이가 미치는 영향을 살펴본다.

#2 처방 완전 중화를 위한 KOH 양 결정실험: 3가지 지방산을 에탄올에 녹이고 페놀프탈레인용액을 1, 2방울 떨어뜨린 다음 KOH를 가하면서 용액의 색이 붉은색으로 바뀔 때 넣어준 KOH 양으로 결정한다.

8.2. 제조흐름도

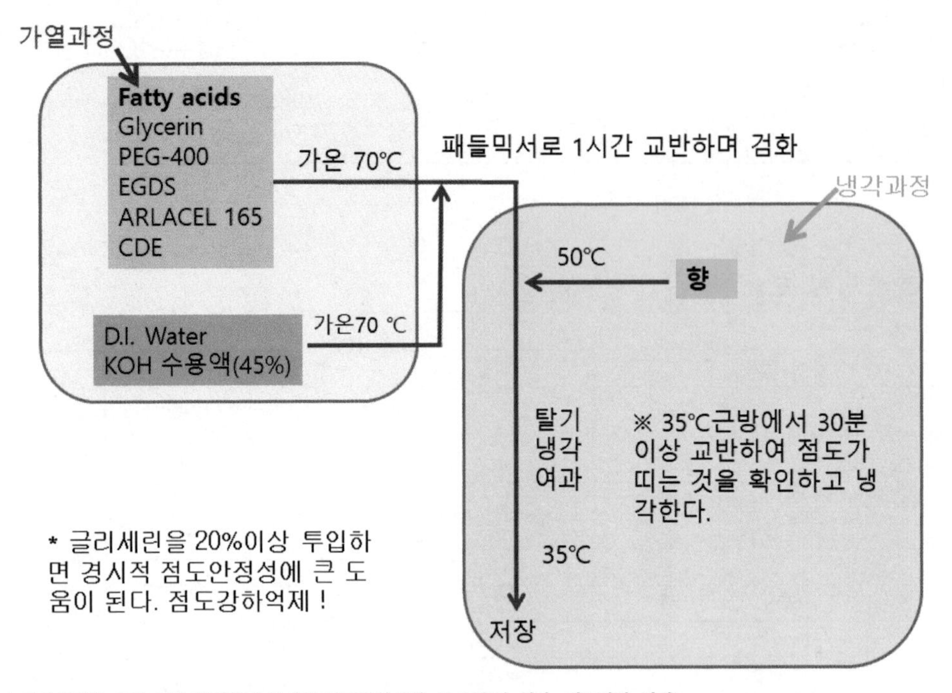

* 글리세린을 20% 이상 투입하면 경시적 점도안정성에 큰 도움이 된다. 점도강하 억제!

8.3. 실습과정

① 두 개의 비커에 친유파트와 친수파트 각각을 평량한다.

② 두 비커를 75℃까지 가열하고, 친수파트를 친유파트에 서서히 투입하면서 저속으로 교반한다(호모믹서를 사용하지 않고, 패들믹서 또는 agitator를 사용한다).

③ 두 파트가 섞이면서 지방산의 중화가 진행되고, 중화도가 높아질수록 투명한 액체상으로 바뀐다.

④ 실온에서 저속으로 교반하면서 식힌다.

⑤ 50℃가 되면 1, 2-Hexanediol과 향을 넣는다.

⑥ 35℃ 근방에서 점도가 띠는 것을 확인하고, 30℃가 되면 교반을 끝낸다.

물part, 오일part 평량

가열(70℃) 후 혼합
→ 중화는 발열반응이다.

1일후, #2 80%중화

8.4. 결과

중화도가 낮을수록 미중화(free)지방산의 영향으로 딱딱해지고, 푸석해진다.

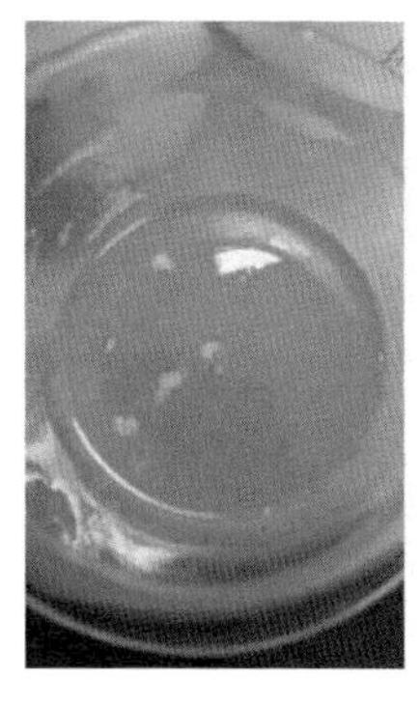

#1 반투명액상

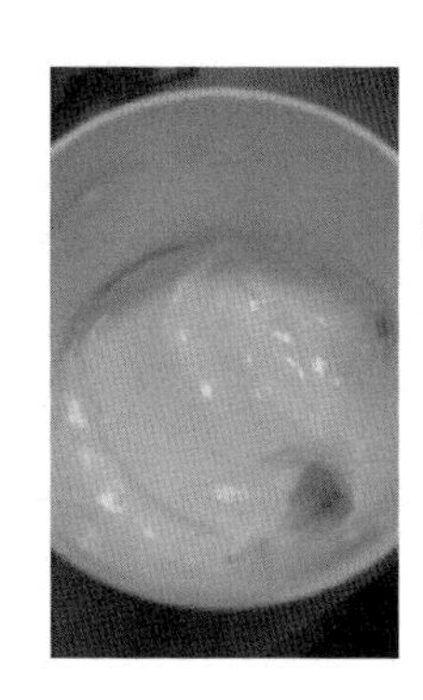

#2 윤기 있는 백탁

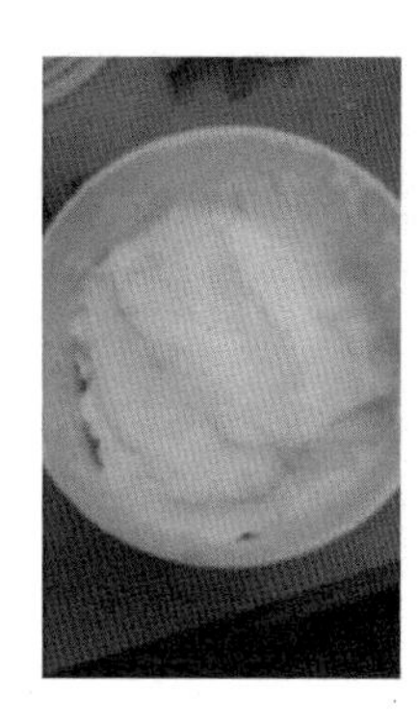

#3 푸석해 보이는 백탁

09 | 샴푸

9.1. 샴푸 개요

샴푸는 머리카락과 두피를 세정하여 청결하게 하는 목적이 기본이고, 머리카락에 컨디셔닝 효과와 비듬 방지 등의 부가가치를 첨가하고 있다.

1930년 이전에는 비누 또는 비누베이스로 된 샴푸를 사용하였다. 비누로 머리를 감게 되면 석검이 발생하여 모발에 달라붙는데, 이 석검은 식초산, 구연산, 레몬즙 등으로 제거하였다.

2000년대는 친환경이 요구되는 시대였고, 한방 샴푸, 탈모방지 샴푸도 개발되기 시작하였다. 친환경 개념 강화로 천연, 유기농 원료 도입 및 이산화탄소 배출량 표시, 무방부제, Sulfate Free 제품이 등장하였다.

샴푸의 세정 대상은 두피 유래의 피지, 땀의 노폐물, 각질, 먼지 등 외부 유래물질, 두발용 화장품이다. 샴푸 시 거품의 역할은 세정 중 세정액이 흘러내리지 않도록 유지하고, 손으로 비빌 때 윤활성을 좋게 하여 헝클어짐을 방지하는 쿠션 역할을 한다. 샴푸에서 거품은 조밀하고 풍성하고 지속성이 좋아야 하므로 별도의 기포조제가 합입된다(비이온성계면활성제).

샴푸의 세정은 계면활성제의 침투작용과 유화, 분산작용을 이용한다. 세정 메커니즘은 아래와 같다.

① 계면활성제가 오물과 두피 또는 오물과 두발 사이에 침투

② 오물의 부착력 약화

③ 물리적인 힘에 의해 쉽게 물로 이탈

④ 물속에 안정적으로 분산, 계면활성제가 오물의 두피 또는 모발에 재부착방지

세정뿐만 아니라 샴푸의 기능 중 중요한 것이 컨디셔닝이다. 즉, 샴푸 속에는 컨디셔닝 성분이 들어 있어서 모발을 부드럽고, 윤기 있게 마무리해 준다. 정전기 방지 및 젖은 상태에서 매끄러움은 양이온성 폴리머가 담당하고, 마른 상태에서 매끄러움은 실리콘검이 담당한다.

9.2. 샴푸의 성분들

배합 목적	분류	성분
세정제	음이온성계면활성제	알킬황산염(SLS), 폴리옥시에틸렌알킬이써황산염(SLES), α-올레핀설폰산염, N-아실글루타민 등
	양성계면활성제	알킬다이메틸벤젠, 아실아마이드베타인, 이미다졸리움베타인 등
기포력 증진, 세정보조제	비이온성계면활성제	지방산다이에탄올아마이드, 지방산모노에탄올아마이드, 알킬아민옥사이드 등
컨디셔닝제	양이온성고분자	양이온화셀룰로스, 양이온화구아검 염화다이메틸다이아릴암모늄 아크릴아마이드공중합체 등
	유분	실리콘검, 에스터유, 라놀린유도체, 고급알코올 등
	기타	단백질유도체 등
기능성분	항비듬제	징크피리치온, 요오드, 피로크톤오라민, 살리실산 등
	청량제	멘톨 등
외관부여성분	펄화제	고급지방산글리콜에스터 등(예, ethyleneglycol distearate, EGDS)
	현탁제	폴리스티렌폴리머 등
	착색제	색소 등
부향제		향료 등
성상조절제	점증제	지방산알카놀아마이드, 수용성고분자, 유분 등
	pH 조정제	무기산, 구연산, 무기알칼리, 트리에탄올아민 등
안정화제	하이드로트롭제	글리세린, 프로필렌글리콜, 1,3-부틸렌글리콜 등
	자외선흡수제	옥시벤존 등
금속이온봉쇄제		EDTA(염), 구연산 등
방부제		안식향산(염), 살리실산(염), 파라벤 등

① 라우릴황산에스터염(LS)과 폴리옥시에틸렌라우릴이써황산에스터염(LES), $ROSO_3M$, $RO(CH_2CH_2O)_nSO_3M$: M은 나트륨, 암모늄, 트리에탄올아민 등

예) Sodium lauryl sulfate, Sodium laureth-3 sulfate

② 양성계면활성제

샴푸의 안전성을 향상시키고, 점증 목적으로도 사용된다.

예 1) INCI name-cocamidopropyl betaine
pH 4.5~7.0이고, 염화나트륨이 4.5~6.5% 함유되어 있어서 salt에 의한 점증력도 있다. 계면활성제 정량은 28.5~31.5%이고, 건조감량은 65%이다.

예 2) 이미다졸리늄 베타인
눈에 대한 자극성이 적어서 베이비샴푸의 주원료로 사용된다.

③ 양이온성 고분자

헹굴 때(희석) 양이온성 고분자와 음이온계면활성제 간의 콤플렉스가 석출하여 모발에 부착함으로써 매끄러움이 부여되고, 모발 손상을 방지한다.

예) polyquaternium-10: 양이온화 셀룰로오스

④ 실리콘검

모발에 광택을 향상하고 마른 모발에 매끄러움을 준다.

예) Cyclomethicone/Dimethicone의 혼합물(cyclometicone은 휘발성이므로, Dimeticone을 모발에 얇게 부착시키고 사라지는, 즉 캐리어 역할을 함)

⑤ 비이온성계면활성제

기포안정성 향상, 점증, 저온안정성 향상(동결, 고화 방지)의 목적으로 사용된다.

예 1) CME

$$RC(=O)O\text{—}N(CH_2CH_2OH)_2$$

Coconut fatty acid monoethanolamide
INCI name-Cocamide MEA
pH 8~10

예 2) CDE
Coconut fatty acid diethanolamide
INCI name-Cocamide DEA
pH 9.0~10.7, C12~14가 70% 정도이다.

⑥ 펄화제

예) EGDS
Ethylene Glycol Distearate
EGDS가 미세하게 결정화되고, 결정입자들이 배향성을 가질 때 펄감은 커진다. 폴리머는 결정입자의 배향성에 크게 영향을 주어 펄감을 크게 향상시킨다.

9.3. 샴푸에서 가용화

샴푸에는 세정 목적으로 다량의 계면활성제가 들어가 있다. 따라서 수많은 미셀(micelle)이 샴푸용액 속에 형성되어 있어서, 많은 양의 친유성 향을 가용화(Solubilization)시켜 진한 향을 내게 할 수 있다.

9.4. 투명샴푸 제조 실습

9.4.1. 처방

투명샴푸제형은 어떤 제품도 컨디셔닝 효과를 크게 기대할 수 없다. 왜냐하면 마른 상태에서 컨디셔닝 효과를 크게 좌우하는 실리콘이 소수성물질인데, 제형에 넣으면 현탁시켜 버리기 때문이다.

본 투명샴푸의 처방은 기본성분만으로 구성된 처방으로 샴푸제조의 원리를 눈으로 확인할 수 있다.

성분	기능	함량(wt%)
Polyquaternium-10	컨디셔닝(양이온성폴리머)	0.1
SLES(28%)	세정제(음이온성계면활성제)	16
SLS(28%)	세정제(음이온성계면활성제)	48
향		1
정제수		34.9
NaCl	점증제	적당량

9.4.2. 투명샴푸 제조흐름도

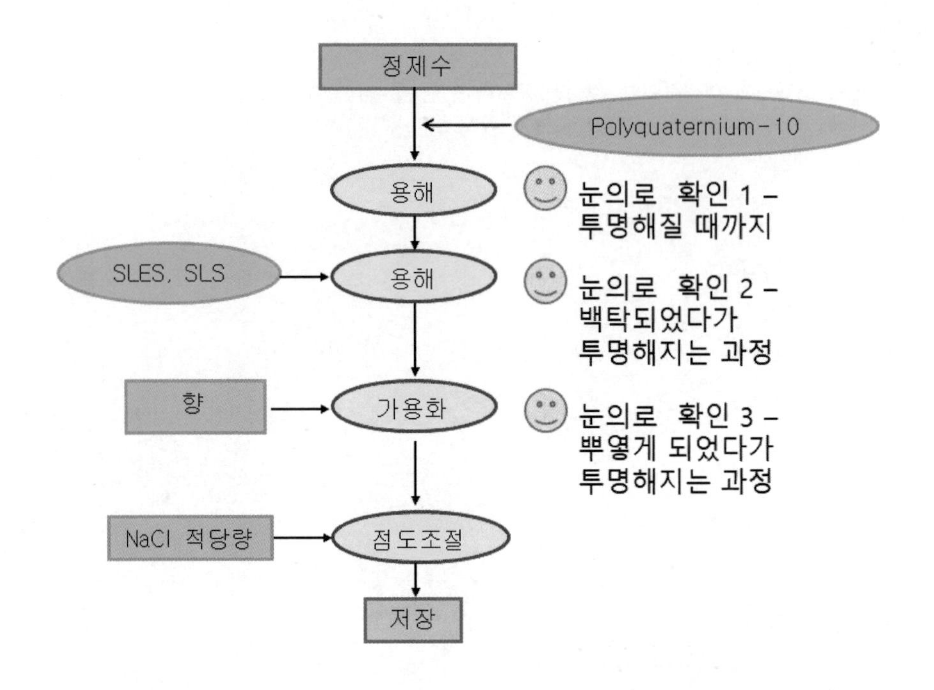

** Agitor 교반

제조 시작부터 완료까지 교반을 지속한다. 교반 속도(rpm)는 용액 전체가 골고루 섞이고 넘치지 않고, 거품이 일지 않는 범위에서 최대로 한다.

9.4.3. 양이온성 폴리머와 음이온성 세정제 간의 상호작용

샴푸제조 시에 양이온성 폴리머와 음이온성계면활성제는 이온결합하여 콤플렉스가 뿌옇게 석출되었다가, 과량의 음이온성계면활성제에 의해 다시 투명하게 가용화된다.

헹구는 과정에서는 위 과정이 역순으로 일어난다. 가용화되었던 양이온성 폴리머-음이온성계면활성제 복합체가 다시 석출되면서 모발에 부착하고, 이것이 젖은 상태에서 컨디셔닝 효과를 나타낸다. 이것을 Coacervation이라 한다.

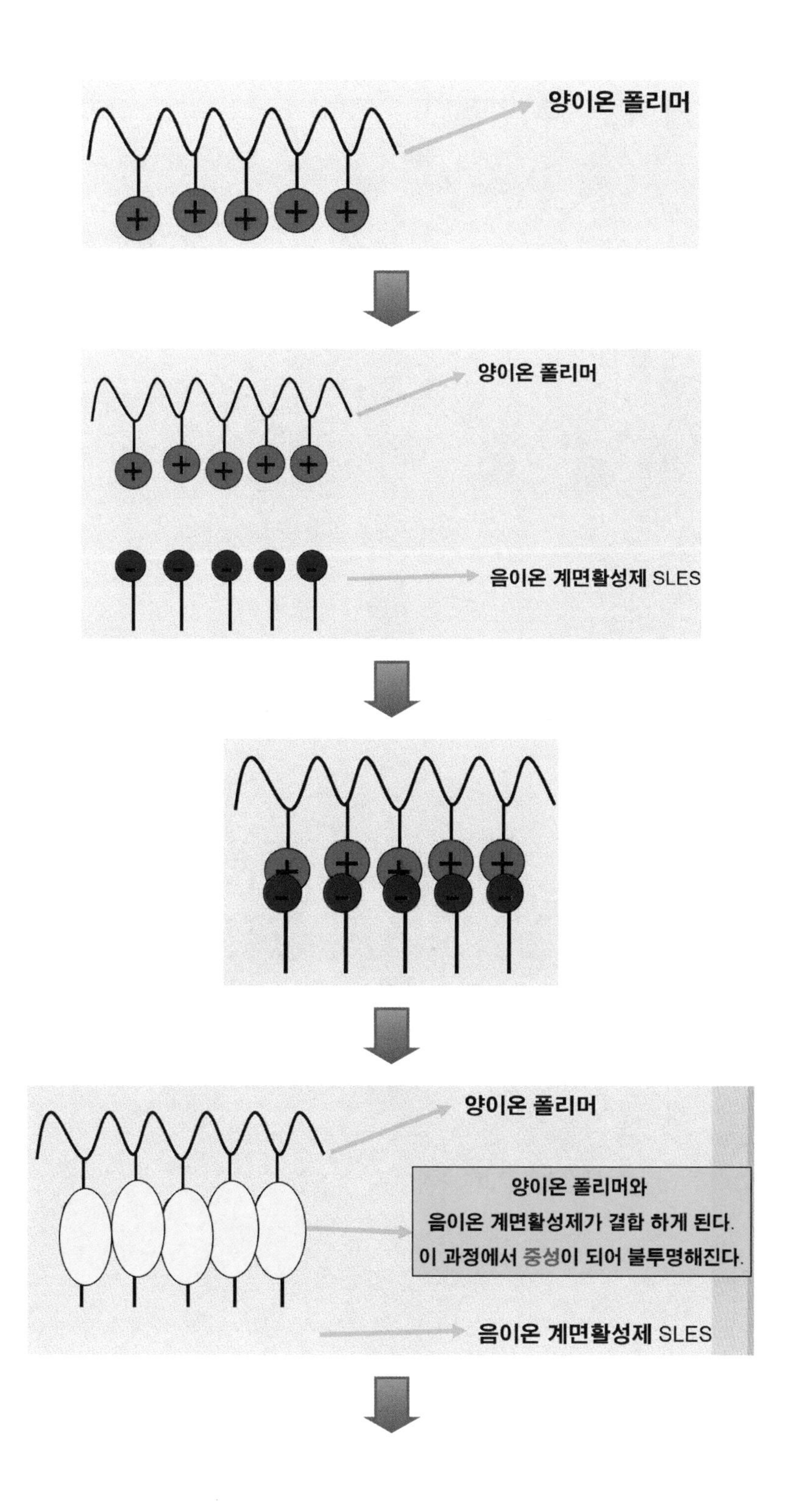
양이온 폴리머
양이온 폴리머
음이온 계면활성제 SLES
양이온 폴리머
양이온 폴리머와
음이온 계면활성제가 결합 하게 된다.
이 과정에서 중성이 되어 불투명해진다.
음이온 계면활성제 SLES

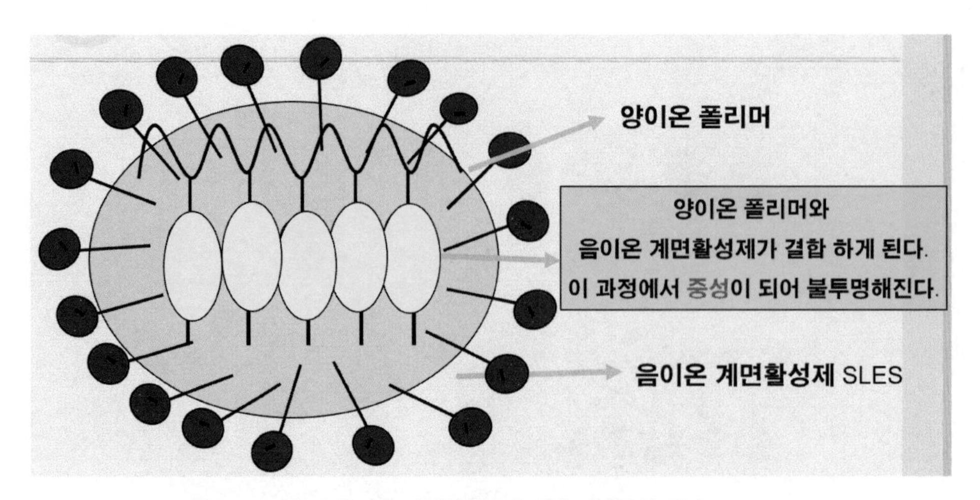

과량의 음이온 계면활성제에 의해 재가용화 된다.

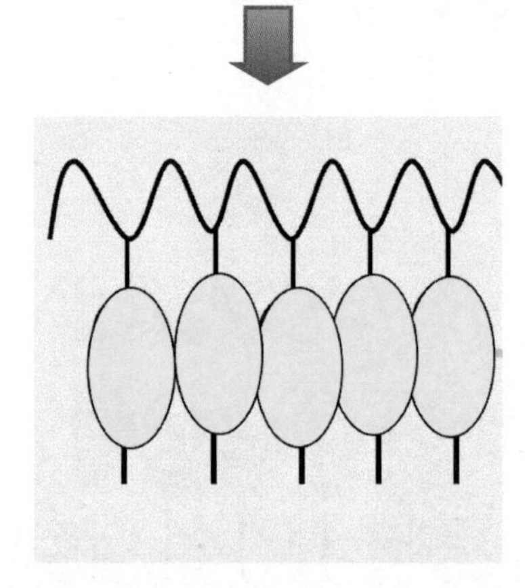

순수한 물로 헹굴 때 과량의 음이온 계면활성제가 희석되어 재가용화 이전의 석출단계로 되돌아가고 이 석출물은 모발에 흡착하여 컨디셔닝 효과를 낸다.

9.4.4. 실습과정

각 성분의 실투입량을 계산해 두고 차례대로 칭량한다.

① 물을 칭량한다.

② Polyquaternium-10(양이온성 폴리머)을 칭량하여, Agitator로 정제수를 교반하면서 조금씩 넣어주고 투명해질 때까지 기다린다.

이때 더운물보다 찬물에서 빨리 녹으므로 가온을 하지 않는다.

③ 투명해진 용액에 음이온성계면활성제 SLES를 넣는다. SLES를 처음 넣었을 때 양이온성 폴리머와 이온결합을 하여 석출이 일어난다. SLES가 양이온성 폴리머보다 과량 첨가되면 석출된 이온결합물(콤플렉스)을 가용화시켜 투명해진다.

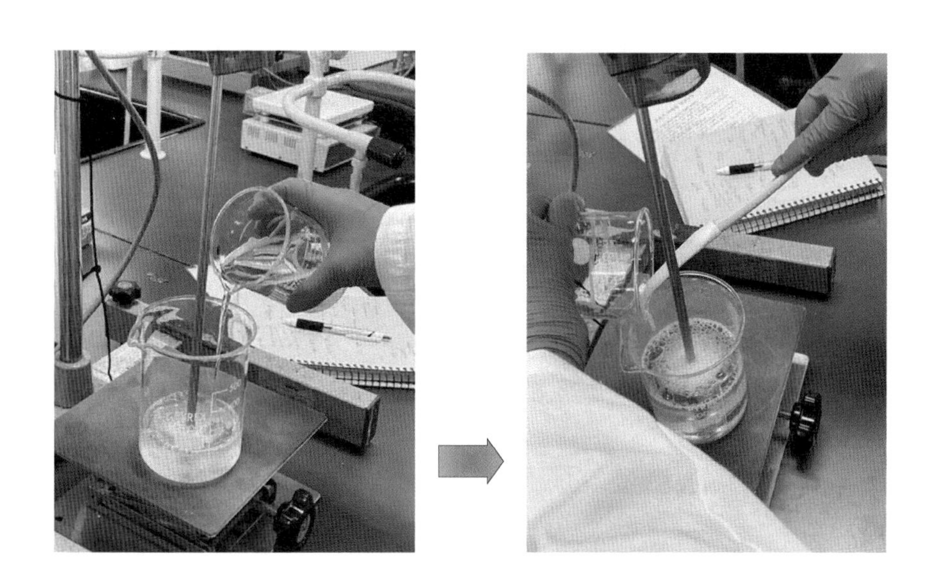

④ SLS를 칭량하여 집어넣는다. SLS(30% 수용액)는 15℃ 이하에선 고체로 존재한다. 이는 SLS의 Krafft point가 15℃ 근처이기 때문이다.

⑤ 혹, 겨울철에 실습할 때 SLS용액이 굳어 있으면 투입 후 Hot plate를 사용하여 가열하여 다 녹인다.

⑥ 향을 칭량하여 계면활성제 수용액에 투입한다. 향도 오일이라 처음엔 물에 녹지 않아 뿌옇게 되지만 가용화에 의해 다시 투명해지는 것을 볼 수 있다.

⑦ Salt(NaCl)를 적당량 첨가하여 사용하기 편리한 정도로 점도를 높여준다. 필요시 색소를 첨가한다. 점도가 올라감에 따라 교반하면서 거품이 많이 발생하지만 정치해 두면 경시적으로 거품은 위로 떠오른 후 저절로 제거된다.

⑧ 결과: 기포력과 점도는 기기를 통해 정확히 평가하지만, 관능평가로 미리 원하는 제품이 되었는지를 판단한다.

9.5. 펄 샴푸 제조 실습

9.5.1. 성분 및 처방

성분			함량(wt%)
SLES(28%)	Sodium laureth(3) sulfate	계면활성제	16
SLS(28%)	Sodium lauryl sulfate		48
Polyquaternium-10	양이온성 폴리머	컨디셔너	0.1
EGDS	Ethylene glycol distearate	펄화제	2.0
Cetanol	Cetyl alcohol+stearyl alcohol	컨디셔너	0.5
Hisol CDE	Coconut fatty acid monoethanol amide, 비이온계면활성제	기포력 강화, 점증	2.0
향			1.0
Solesil CSE-550	실리콘유화물	컨디셔너	3.5
색소(0.1%)			적당량
정제수			26.9
Mitain CA	Cocoamidopropyl betaine, 양성계면활성제(salt 포함)	점증제	적당량

9.5.2. 제조흐름도

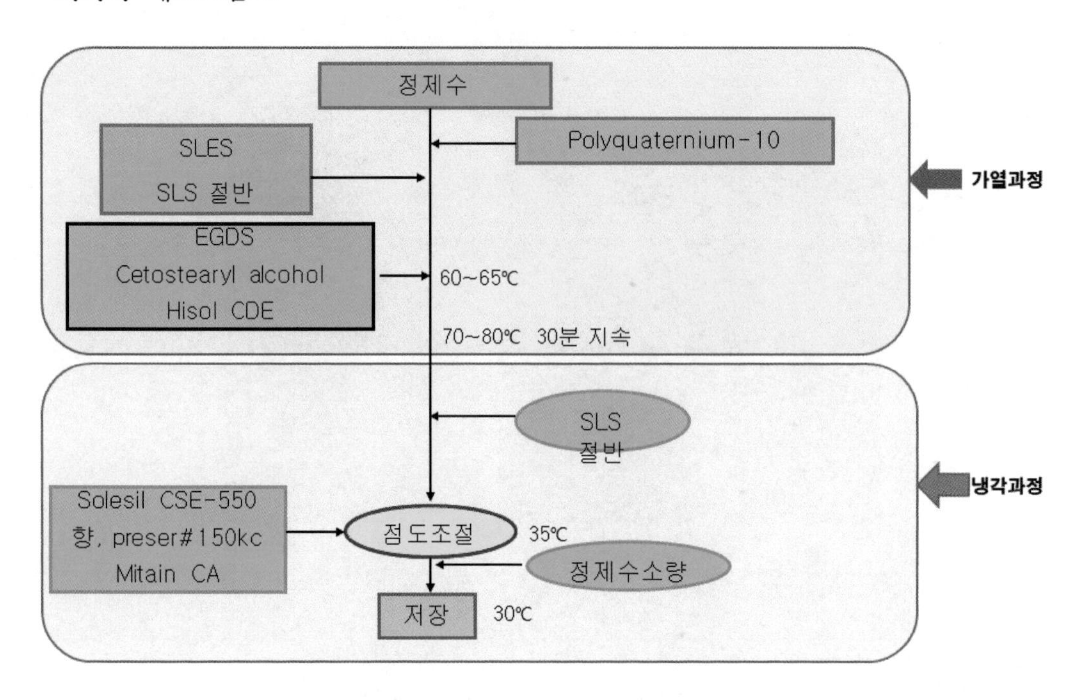

9.5.3. 실습과정

① 투명샴푸제조와 마찬가지로 정제수 일부를 비커에 칭량하고, 유산지에 칭량한 양이온성 폴리머를 투입한다. 그리고 투명해질 때까지 교반한다. 여기에 SLES와 SLS 일부를 투입하고 투명하게 녹여준다.

② EGDS(펄화제), Cetostearyl alcohol(컨디셔너), CDE를 1)비커에 넣고 Hot plate에 올려놓고 75℃까지 가열한다.

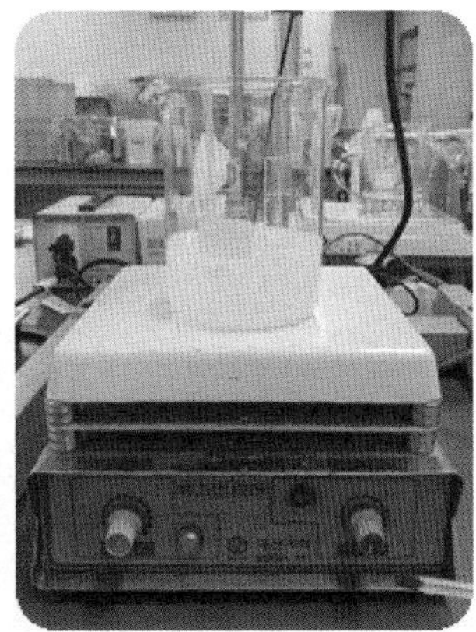

③ 75℃가 되면 핫플레이트를 끄고, 70~80℃를 유지하면서 30분 정도 교반한다. 30분간 교반하는 사이에 각 성분들은 액체가 되고 분자배열(분자레벨의 균일한 분산)이 이루어진다. 여기까지의 과정이 가열과정에 속한다. 핫플레이트를 빼고 교반하면서 실온에서 냉각한다.

④ SLS 나머지와 정제수 나머지를 칭량하여 투입한다. 두 원료를 가열하지 않고 투입함으로써 냉각효율을 높인다.

⑤ 35℃가 되면 Solesil CSE-550(실리콘유화물)과 향을 칭량한다. 색소는 기호에 맞게 조색한다.

⑥ 30℃가 되었을 때, 제품의 점도가 규격(쓰기에 적합한 점도)에 들어가는지 확인한다. 공장 및 연구소에서는 점도계를 사용한다. 점도가 낮을 경우에는 Mitaine CA를 조금씩 첨가하여 점도를 조절해 준다.

⑦ 용기에 충전하고, 직접 머리를 감아보아 평가한다.

10 | 액체비누

우리는 흔히 고체 막대비누를 사용하고 있다. 막대비누는 옛날에는 유일한 세정제라 할 수 있었고, 화장품이 아닌 공산품이던 시절에는 수많은 비누공방에서 미관과 향이 매력적인 비누가 만들어져 사용되었던 인기 있는 아이템이었다.

그러나, 비누는 치명적인 약점이 있다. 첫 번째는 pH가 알칼리성이라는 점인데 이것에 대해서는 이미 이론 부분에서 언급하였다. 두 번째는 비누의 사용환경이 매우 열악하다는 점이다. 모든 화장품은 용기에 잘 보관하면서 사용되고 있다. 즉 크림, 로션, 샴푸 등 모두 용기에 담겨 있고 사용할 때만 뚜껑을 열어 덜어 쓰고 있다. 그러나 비누는 용기에서 빼낸 후 비눗갑에 내놓고, 즉 외부에 노출시키고 사용하고 있다. 필연적으로 비누는 경시적으로 내부수분이 외부로 빠져나가 액정상에서 고체상으로 변하여 점점 거품이 잘 안 생기는 등 열화되고 있고, 또 이물질 및 미생물이 묻어 있는 손으로 비누를 잡음으로 인해 비위생적인 상태로 사용되고 있다.

따라서, 외관상 매력적이지만 고체비누는 매우 권장할 수 없는 제형이라 할 수 있다. 이에 대한 대안으로 액체비누를 사용하는 것이 바람직하다. 액체비누는 펌프 타입 같은 용기에 담아 사용함으로써 수분 증산과 외부로부터 들어오는 오염을 방지할 수 있어서 고체비누의 약점을 해결할 수 있다.

〈표 10.1.〉 지방산의 종류별 특성

지방산명		물에 대한 용해성	세정력	기포	단단한 정도	안전성
포화 지방산	C10 이하	크다	대체로 적다	사이즈는 약간 크고, 기포량은 적고, 지속성도 적다	딱딱하다	좋다
	C12	찬물에 쉽게 녹는다	약간 크다	사이즈 약간 크고, 기포량 많고, 지속성은 중간이다	딱딱하다	좋다
	C14	찬물에 녹는다	크다	사이즈가 미세하고, 기포량 많고, 지속성이 많다	딱딱하다	좋다
	C16	찬물에 잘 안 녹는다	크다	사이즈 미세하고, 기포량은 중간이고, 지속성이 많다	딱딱하다	좋다
	C18	찬물에 녹지 않는다	대체로 크다	사이즈 미세하고, 기포량이 적고, 지속성은 중간이다	딱딱하고 부서지기 쉽다	좋다
불포화지방산	C18 (올레산)	찬물에 쉽게 녹는다	크다	사이즈 약간 크고, 기포량 많고, 지속성 중간이다	연하고 끈기가 있다	보통
	C18 (리놀렌산)	찬물에 쉽게 녹는다	중간	사이즈 약간 크고, 기포량 중간, 지속성도 중간이다	연하다	변하여 부패되기 쉽다

10.1. 액체비누 실습 처방

성분명		역할	#1
Fatty acid	Lauric acid Myristic acid Stearic acid	산	6.1 2 3
Glycerin		보습제	70
D. I. Water		정제수	9.18
Sodium lactate(50%)		각질 제거	1
Potassium hydroxide(45%)		염기	6.32
1, 2-Hexanediol		방부성분	2
Perfume			0.4
중화도			100%

10.2. 실습과정

① 첫 번째 비커에 친유파트(Fatty acids)와 Glycerin을 칭량하여 넣고, 두 번째 비커에 친수파트(Sodium lactate, Potassium hydroxide, D.I. Water)를 칭량하여 넣는다.

② 두 비커를 워터배쓰에서 75℃까지 가열하여 두 비커가 투명하게 액상으로 녹게 한다.

③ 두 비커를 꺼내고 친유파트를 교반기로 교반하면서 친수파트를 서서히 투입하면서 저속으로 교반한다. 두 파트가 섞이면서 지방산의 중화가 진행되고, 중화도가 높아질수록 온도가 더 오르고 투명한 액체상으로 바뀐다.

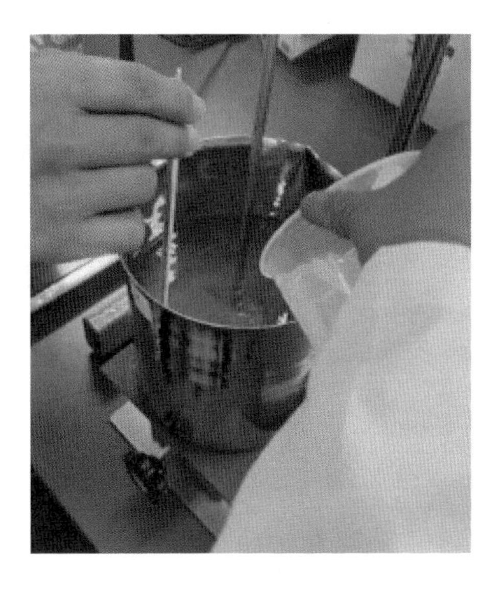

④ 실온에서 교반하면서 냉각한다. 중화도는 저절로 100%에 도달한다.

⑤ 50℃가 되면 1, 2-Hexanediol과 향을 넣는다.

⑥ 30℃가 되면 교반을 끝낸다.

10.3. 결과

투명하고 약간 점성이 있는 액체비누가 얻어진다.

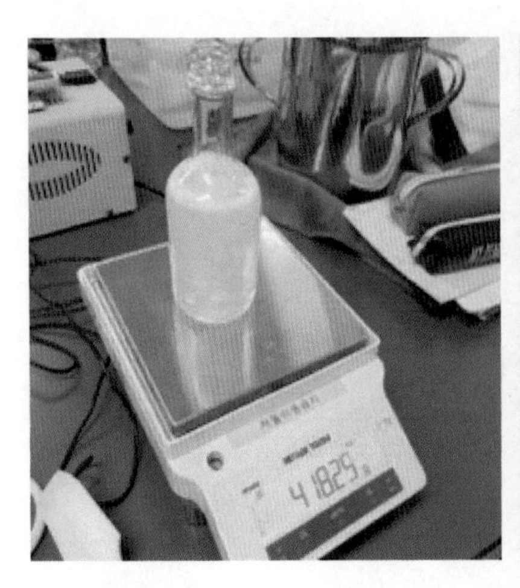

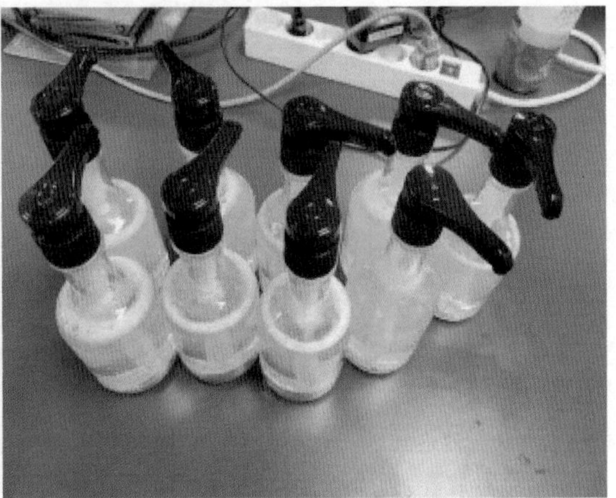

11 | 손소독제

11.1. 손소독제의 기본 특성

지난 10여 년간 SARS, MERS, AI(조류독감), COVID-19 등을 거쳐오면서 손소독제는 매우 수요가 큰 아이템이 되었고, 초기에는 에탄올 품귀현상까지 있었다. 손소독제는 일상 유해균과 바이러스 등을 제거할 목적으로 사용된다. 그러나 손세정제에 사용되는 항균제와 마찬가지로 손소독제에 들어가는 항균성분이 유해균만 골라 제거하는 것이 아니라 모든 균을 제거하므로 혹 항균성분에 내성을 띠는 균이 생기거나 특정 균이 살아남아 결국 피부 위의 미생물 밸런스가 오히려 깨지는 경우가 생길 수 있음에 유의해야 한다. 쉽게 말해, 손소독제는 손 위의 미생물을 전부 죽이는 데 초점을 두는 것이 아니라 손 위의 미생물 밸런스를 건강하게 유지시켜 주는 것이 주목적이다.

구체적인 항균성분으로는 역시 에탄올이 주로 사용되고 있고, 그 외에 항균성분이 추가될 수 있다. 적정한 항균성능을 나타내기 위해서는 에탄올은 60% 이상 과량 사용해야 되는데 에탄올은 피부 위의 지용성 성분을 용해하고 휘발해 버리는 특성이 있다. 각질층의 세포간지질(세라마이드 등)은 규칙적인 분자배열을 하면서 보습기능을 담당하고 있는데, 에탄올에 의해 용해되면서 이 배열이 헝클어진 상태로 남게 되어 피부가 거칠어지게 된다. 따라서 보습제가 함께 처방되어 손소독제 사용으로 인한 피부 건조를 막아주고 있다. 또 피부에 덜어서 편리하게 사용하기 위해 점도를 높여주는데, 가볍고 생기 있는 사용성을 갖는 카보폴류 폴리머가 사용되고 있다. 카보폴 폴리머는 손소독제를 피부에 발랐을 때 끈적이지 않게 마무리되게 하는 장점이 있다.

11.2. 실습에 사용할 성분과 함량

원료명	기능	함량(%)
Tea tree water	살균	4
Sodium hyaluronate(1%)	보습	1
Glycerine	보습	3
Carbopol Ultrez-21(2%)	카보머, 산	25
Tromethamine(10%)	점도, 염기	5
Ethanol(95%)	소독, 세정	60
남원연꽃잎추출물	적당량	
색소	적당량	
1,2-Hexanediol	방부성분	2

11.3. 손소독제 제조과정

① 비커 하나를 저울에 올려놓고 영점조절을 한 후, 물을 넣고 그다음 카보머를 물 위에 올려놓는다. 카보머를 물에 불릴 때(wetting) 따로 교반을 하지 않고 내버려 둔다. 수분이 없는 카보머는 물에 쉽게 불려지지만, 수분을 흡수한 카보머는 물에 불리는 데 하루 정도 걸린다.

② 카보머가 물에 잘 불려졌으면 히알루론산나트륨, 글리세린, 에탄올을 순차적으로 투입하고, 호모믹서로 교반한다.

③ Tromethamine을 투입하여 점증시킨다.

④ 10분 정도 지나면 추출물, 색소, 1, 2-Hexanediol을 넣고 교반한다. 색소 첨가 여부 및 색상 결정은 마케팅적으로 결정한다.

⑤ 짤주머니를 통해 용기에 담는다.

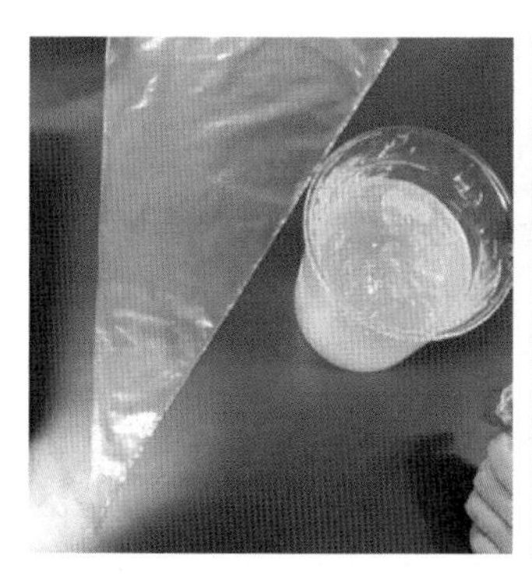
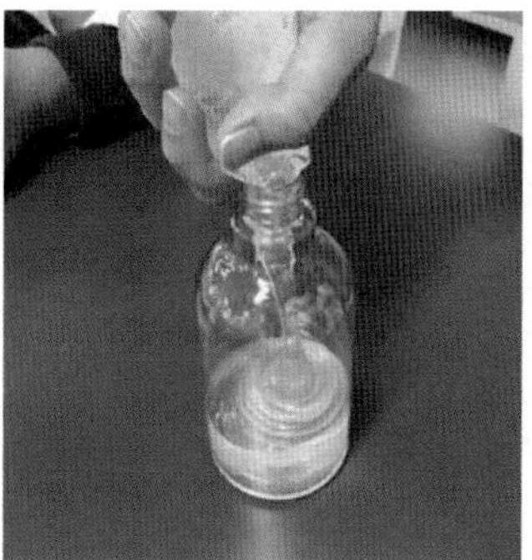

12 | 밤(balm)

12.1. 밤(balm) 기본 특성

밤(balm)의 사전적 의미는 상처 치료나 피부 순화를 위한 연고나 크림이라 되어 있다. 따라서 피부에 기능을 나타내는 아로마오일 같은 성분을 함유시키고, 제형은 경도가 좀 있는 연고 타입으로 상품화되고 있다.

연고타입 제형은 물이나 친수성 성분이 들어 있지 않고, 오일과 왁스로 형성되는 제형이다. 사용하기 알맞은 경도를 내기 위해서는 상온에서 고체인 왁스성분과 상온에서 액체인 오일성분의 적절한 배합으로 구한다. 여기서 오일과 왁스의 의미는 화학적 정의상의 오일(트리아실글리세롤)과 왁스(고급알코올과 고급지방산의 에스터)가 아니라 상온에서 액체인 친유성 성분과 상온에서 고체인 친유성 성분을 의미한다. 따라서 밤의 사용감은 왁시하고 그리지하게 된다. 여기에 마케팅적으로 소구할 친유성 기능성 성분(아로마오일 등)을 추가하고 외관과 포장용기를 매력적으로 만들어준다.

12.2. 실습에 사용할 성분과 함량

원료명	성상	함량(%)
호호바오일	액체	35
로즈힙오일	액체	35
아르간오일	액체	9
시어버터	반고체	10
비즈왁스	고체	10
라벤더오일	기능성 향	1

12.3. 밤 제조과정

① 비커 하나를 저울에 올려놓고 영점조절을 한 후, 시어버터와 비즈왁스를 넣는다.

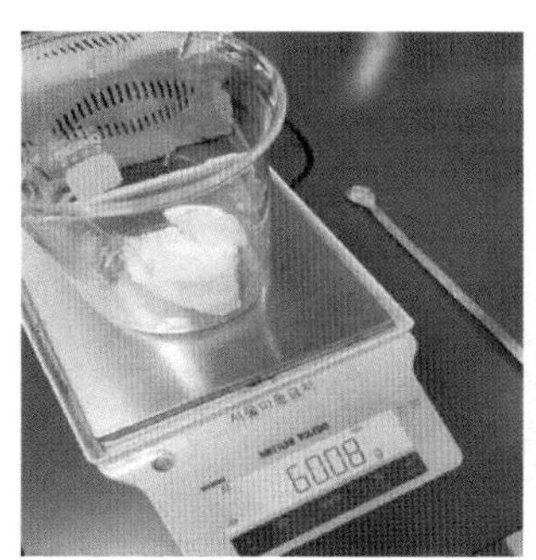

② 이어서 액상인 아르간, 로즈힙, 호호바 오일들을 넣는다.

③ 워터배쓰에서 가열하여 고체성분들을 녹여 혼합한다.

④ 워터배쓰에서 꺼내고 라벤더 오일을 첨가하고 온도계로 저어준다.

⑤ 굳기 전에 용기에 붓고 용기 내에서 굳힌다.

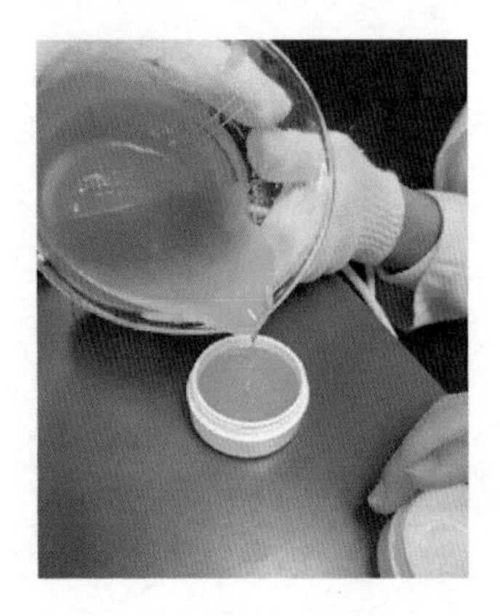

⑥ 액체 오일 대비 왁스의 비율이 높아질수록 밤의 경도는 높아진다.

참고문헌

이정노, 「최근 3년간 국내 기초화장품에 사용되고 있는 계면활성제와 방부성분 동향 분석」, 『산업기술연구논문지』, 2022.09.

이정노, 「화장품속 방부성분이 피부상재균에 미치는 영향」, 『산업기술연구논문지』, 2021.06.

이정노, 「손소독용 젤 제형개발 및 항균성에 대한 연구」, 『산업기술연구논문지』, 2019.12.

Yoshimune Nonomura, 「화장품, 의약부외품, 의약품을 위한 계면화학」, 『Fragrance Journal』, 2015.

Cosmetic Formulary, 『日本에멀션化粧品處方集』, 2005.

光井武夫, 『신화장품학』, 南山堂, 2001.

田村健・夫廣田博, 「화장품학과학-이론과 실제-」, 『Fragrance Journal』, 1999.

日高 徹, 노장숙・박은경 역, 『식품용 유화제』, 수서원, 1996.

福島正二, 「Cetyl alcohol의 물리화학」, 『Fragrance Journal』, 1992.

『Fragrance journals』.

이정노

일본 九州대학교 화학과 박사
㈜아모레퍼시픽 기술연구원 화장품연구소
㈜LG생활건강 기술연구원 화장품연구소
(현) 한국폴리텍대학 바이오캠퍼스 교수(2007~)
(현) 대한화장품학회 학회지 영문편집이사
(현) 한국산업기술융합학회 대전충청지회장
(현) 한국화장품교육정보원 원장－한국화장품교육정보원
cafe.naver.com/jungno2

개정 2판

기초화장품 개론

초판인쇄 2023년 3월 31일
초판발행 2023년 3월 31일

지은이 이정노
펴낸이 채종준
펴낸곳 한국학술정보㈜
주 소 경기도 파주시 회동길 230(문발동)
전 화 031) 908-3181(대표)
팩 스 031) 908-3189
홈페이지 http://ebook.kstudy.com
E-mail 출판사업부 publish@kstudy.com
등 록 제일산-115호(2000. 6. 19)

ISBN 979-11-6983-240-3 13570

책에 대한 더 나은 생각, 끊임없는 고민, 독자를 생각하는 마음으로 보다 좋은 책을 만들어갑니다.